Михаил Шишкин
Записки Ларионова

Михаил Шишкин

Записки Ларионова

Роман

Москва
АСТ / Астрель

УДК 821.161.1-31
ББК 84(2Рос=Рус)6-44
Ш65

Художник – Андрей Бондаренко
Фото автора на переплете – Yvonne Boehler

Шишкин, М.П.
Ш65   Записки Ларионова : роман / Михаил
Шишкин. – М. : АСТ : Астрель, 2010. – 316, [4] с.

ISBN 978-5-17-069378-8 (ООО «Издательство АСТ»)
ISBN 978-5-271-29982-7 (ООО «Издательство Астрель»)

На долю помещика Ларионова выпали и счастливое детство в родительской усадьбе, и учеба
в кадетском корпусе, и военная служба при Арак-
чееве, и тихая помещичья жизнь, и чиновничья
служба в губернском городе. Его судьбой могли
заинтересоваться и Пушкин, и Гончаров, и Турге-
нев... но сюжет подхвачен через две сотни лет
Михаилом Шишкиным.

УДК 821.161.1-31
ББК 84(2Рос=Рус)6-44

Подписано в печать 25.10.10. Формат 84х108/32.
Усл. печ. л. 28,56. Тираж 5000 экз. Заказ № 8169.
Общероссийский классификатор продукции
ОК-005-93, том 2; 953000 – книги, брошюры

ISBN 978-5-17-069378-8 (ООО «Издательство АСТ»)
ISBN 978-5-271-29982-7 (ООО «Издательство Астрель»)

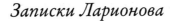

Записки Ларионова

Первая тетрадь

Добрый мой Алексей Алексеевич!

Вот перед Вами на листках не лучшей бумаги, исписанных старозаветным почерком, история моей жизни.

Сейчас, когда я пишу эти строки, рукопись не завершена, до конца еще далеко, но мне хотелось бы все объяснить Вам теперь, не дожидаясь последней точки. Я стар и болен, и мало ли что может случиться. Omnes una manet nox* — как написал когда-то Гораций.

Дожив до седин, я прекрасно понимаю всю необязательность этого труда. Он был вызван к жизни, поверьте, лишь долгими зимними вечерами, вынужденным деревенским бездельем да одиночеством. Смешно, подобно наивному мемуаристу, думать осчастливить мир изложением подробностей чьей-то далекой чужой жизни, до которых никому нет никакого дела и которые лишь в самом авторе способны возбудить печаль или радость воспоминаний да учащенное биение сердца от какой-ни-

_____

* Всех ожидает одна ночь *(лат.)*.

будь неловкости, или признания, или анекдота, приключившегося с ним Бог знает когда. Чтобы писать мемуары, надобно выслужиться у истории, а я в этой службе не выбился и в унтеры, сами знаете. Мировые бури обошли стороной мой домик, занесенный снегом по самые окна. Великие люди представали предо мной большей частью в литографированном виде. Сам я в жизни, хоть прожил ее просто и честно, ничего выдающегося не совершил, чтобы заслужить благодарность потомков.

Считайте, что я пишу эти записки, последовав Вашему шутливому совету. Помните, в один из приездов Вы утверждали за травничком, что составление мемуаров благотворно для организма? Как всякий уездный доктор, Вы любую мысль или чувство готовы приписать действию пищи или газов. Видно, совсем плохо дело пациента, если ему прописывают подобный рецепт.

Милый мой Алексей Алексеевич, Вы не представляете себе, как я огорчился, узнав о Вашем скором переезде в столицу, хоть и рад искренне, что Вы наконец женитесь, и надеюсь, что счастливо. Вы сожалели, что придется покинуть наши края, вполне, впрочем, притворно, но я Вам верил. Как объяснить Вам, кем Вы стали для меня за эти годы? Невозможно рассказать, что значат Ваши приезды для человека, чье жизненное пространство ограничено лишь двумя комнатами — другие не топятся из экономии, а кругом зима. В провинции исчисляют время почтовыми днями, но я давно забыл, когда они у нас. Так уж получилось, мой добрый доктор, что Ваши приезды, участившиеся в последний год, Ваши рассуждения о политике, о нынешней беллетристике, даже уездные сплетни сделались для меня важнее всех Ваших наперстянок, диет, шпанских мушек и омерзительных микстур, которыми у меня заставлен целый стол.

Я сделал уже необходимые распоряжения. Тетради лежат в верхнем ящике бюро. Их отошлют Вам. Не обижайтесь, милый Алексей Алексеевич, ведь Вы сами виноваты, что приручили к себе одинокого старика, раздутого водянкой.

Еще я распорядился, чтобы Вам послали мой письменный прибор. Не сочтите за старческий каприз, но мне будет приятно, если Вы поставите эту старинную безделку у себя на столе. Может, хоть изредка будете, глядя на нее, вспоминать наши забавные беседы, да, как некогда, щелкать по носу то пастушка с чернильницей, то пастушку с песочницей.

Остаюсь Ваш

Александр Львович Ларионов.

Я родился в третий год нашего странного века, века великих изобретений, великих помыслов, великих мятежей и великого порядка. Родился на самую Пасху. Пасхальное дитя и вправду принесло матушке счастье долголетнего материнства — все мои старшие братья и сестры умирали в младенчестве. И неудивительно, что матушка баловала меня. В белокуром ангелочке, чудом выжившем, она видела весь немногий смысл своего существования.

Мой отец, малодушный, как тогда говорили, помещик, имел деревеньку в Барышенском уезде Симбирской губернии, который и сейчас не в любви у просвещения и прогресса, а тогда и вовсе был край дикий, звериный, и в лесах, как рассказывали мамки, перед каждым голодным годом появлялось множество грибов.

Вот там, в Стоговке, а вернее сказать, здесь, ибо за окном тот же сад, в саду виден сейчас, когда нет листьев, тот же дуб, да все то же, хотя прошла целая жизнь, я и родился и пишу сейчас эти строки. Стежок был невелик, и иголка вернулась к узелку.

Я был ребенком слабым, болезненным, золотушного расположения и, как уже сказал, жизнью своею обязан чудесному исцелению. Матушка показывала меня всем докторам, которых злая судьба забрасывала в нашу тьмутаракань, и часто возила для того же в Симбирск, но все без видимого успеха. То ли заезжие немцы-доктора были плохи, то ли туземные аптекари, их одичавшие в России родичи, неумело варили декокты, так или иначе толку от их лечения было мало. И если бы не моя добрая тетушка Елизавета Петровна, старая девушка с костылем и черепаховой табакеркой, с которой никогда не расставалась, как знать, не убежал бы из родительского дома и этот тщедушный мальчик туда, откуда протягивали ему руки братья и сестры.

По Симбирску в то время брецал цепями юродивый Андреюшка, злой дурачок, лаявший на всех и евший только с земли, стоя на четвереньках. Я, конечно, ничего этого не помню, но, по преданию, тетушка втайне от моего отца, человека особенного, но о нем еще впереди, притащила меня к Андреюшке, и тот наказал поить меня болотной водицей. И что же? Согласно любимой тетушкиной мудрости — что немцу смерть, то русскому здорово — я выздоровел.

Омерзительный вкус вонючей зеленой жидкости, которую вливали мне в рот, разжимая зубы ложкой, и сейчас живет у меня где-то под языком.

Отец мой был чем-то сильно обижен в предыдущее царствование. История эта держалась от меня, да и от всех соседей и родственников в тайне. Все знали лишь только, что мой отец, будучи человеком гордым и с честью, правда, как убеждала тетка мою сестру, неправильно понятый, вдруг оставил службу, а он был гвардейским офицером, заперся у себя в деревне и стал ничего не делать, будто мстил кому-то своей неудавшейся жизнью. Ему предлагали служить по выборам, он отказался. Советовали заняться имением, он отдал все хозяйство в руки старосты-вора. Он опустился, был неопрятен, ходил круглый год в халате и обрезанных валенках, не хотел никого видеть, ни с кем знаться, переругался с соседями, с губернским и уездным начальством и ненавидел, кажется, всех на свете, а больше всего мою мать.

Видно, матушка искала утешения у моей кроватки, затянутой парусиной, потому что помню ее ночью, в темноте, в слезах. Очень хорошо вижу капли и на щеках, и на носу, и на ее руках, потому что из окна падал свет луны. Не понимая, отчего она рыдает, и не веря в объяснение о порошке-плакунчике, который помогает от мигрени, я сам принимался плакать вместе с ней, и так, прижимаясь друг к другу, мы на пару выли на луну, пока не открывалась дверь из соседней комнаты, вот этой, в которой я сейчас пишу эти строки. На пороге стоял мой отец, взъерошенный, страшный, с подушкой на плече — он всегда, чтобы уснуть, накрывал голову еще одной подушкой, — и говорил что-то грубое, жестокое. Матушка быстро укладывала меня, и их ссоры за дверью продолжались иногда до утра.

Отца часто охватывали приступы беспричинного гнева. Точнее, все начиналось с пустяка, например, из-за нечаянного сквозняка, или с того, что матушка, чтобы как-то развеять отца, начинала рассуждать о европейской войне, или просто он не мог найти очки. Тогда лицо вдруг наливалось кровью, глаза мутнели, рот кривился, руки дрожали. Он начинал что-то выкрикивать, бегать по комнатам, бить посуду, часто доставалось и матушке, которая пыталась его успокоить. Когда у отца начинался приступ, меня запирали в детской или няньки поскорее уходили со мной гулять куда-нибудь подальше. Припадки эти заканчивались обычно одинаково. Приходили конюхи, два здоровенных мужика, и, зная свое дело, почтительно, но уверенно скручивали его и вязали кушаками по рукам и ногам. Отец дрался, пытался вырваться, лягался, кусался, кричал, ругался самыми площадными словами. Его осторожно клали на диван, обкладывали со всех сторон подушками, чтобы он не ударился головой. Так отец бился связанный в подушках иногда с целый час. Потом крики превращались в хрип и постепенно переходили в бессильные рыдания. Отца развязывали, и он долго лежал в объятиях матушки, совсем по-детски всхлипывая, а она гладила его редкие седые волосы и молчала. Потом отец сам давал конюхам по полтине и уходил во двор. После своих припадков он обычно подолгу бродил по окрестностям, угрюмый, всклокоченный.

Не знаю, любила ли матушка отца. Мне кажется — да, несмотря на то, что ее жизнь в этом доме состояла из одних унижений. Она пыталась как-то спасти мужа, не дать ему окончательно опуститься, выписывала книги, старалась приглашать в дом гостей, но книги оставались неразрезанными, а знакомства, благодаря выходкам отца, перевелись. К тому же в последние годы он все чаще стал предупреждать свои приступы водкой, но это снадобье только еще сильней распаляло его.

Мне хорошо запомнился тот последний раз, когда у нас были гости, как раз на матушкины именины, на Татьянин день. Накануне она целый вечер проговорила с отцом в его кабинете. Я слышал из-за дверей, как она плакала и просила его о чем-то и он поклялся, что выполнит ее просьбу. Я поразился, что, когда отец вышел, на его глазах тоже были слезы.

Помню, что матушка сильно волновалась и, когда стали приезжать гости, неестественно громко смеялась, краснела, чересчур восхищалась подарками, а сама все поглядывала на двери, из которых должен был выйти отец. Матушка развлекала гостей мною, что удавалось не без труда. Я был ребенком-букою, глядел на чужих исподлобья и, когда меня водили в гостиную показывать, упирался ногами в пол, цеплялся за что мог. Пока я декламировал французские стишата, специально выученные к этому вечеру, и меня тискали, трепали, гладили, матушка исчезала за той дверью и возвращалась, растерянно улыбаясь. Наконец она извинилась, что мужу нездоровится, и все стали усаживаться за стол.

Говор начал стихать как-то постепенно, с того конца залы. Все обернулись. В дверях стоял отец в своем засаленном халате и валенках. В руке он держал за воротник мундир, который матушка ему приготовила, чтобы одеться. Все молча смотрели на него. Отец медленно подошел к столу, волоча мундир за собой по полу. Я видел, как глаза его мутнеют, лицо сделалось красным, рот скривился. Он провел тяжелым взглядом по сидевшим за столом, глянул на императорские портреты, появившиеся к приходу гостей, и как-то неприятно улыбнулся. Потом схватил край скатерти в кулак, сдернул все, что стояло на столе, на пол и молча зашаркал к себе.

После тех именин матушка долго болела. Подобные сцены не проходили даром и имели следствием ее повышенную раздражительность и нервную болезнь, от которой так страдала матушка в старости. В конце жизни она не могла спать лежа. Когда ложилась, матушка начинала задыхаться и потому все ночи проводила в кресле, очень от этого мучилась и так и умерла сидя.

Единственным человеком, не прервавшим отношений с нашим неприветливым домом, была моя хромая тетка. Я очень любил ее за всякие пряники. Они были то в форме рыбки, а хвостик колечком с дырочкой, то в виде лошадки, а то и просто пряник изображал какое-нибудь чудо-юдо. Покупались они у обыкновенных разносчиков на симбирском Венце, но мне казалось, что у тетушки их несметное количество и хранит она их где-нибудь в подвале, в сундуках. Еще больше я любил бывать в ее комнатах нашего симбирского дома. Тетка устраивалась под небольшой картиной в раме за стеклом, изображавшей наше родословное древо, и начинала свои рассказы о моих славных предках. Она очень путано, то и дело поправляя сама себя, объясняла, кто кому кем приходится, все время оборачивалась, и лорнет отбивал дробь по стеклу. На картине был представлен рыцарь в полном вооружении, в латах, в шлеме с опущенным забралом, распростертый на земле. Из его живота рос дуб с густыми ветвями, увенчанными вместо желудей небольшими медальонами. В них мелкой вязью были вписаны имена.

Из тетушкиных сбивчивых пояснений я понимал лишь то, что вся эта уйма людей рождалась, женилась и умирала для того только, чтобы на верхней тонкой веточке, где настойчивее всего барабанил по стеклу лорнет, появился еще один желудь под именем Александра Львовича Ларионова, то бишь белокурого крошки Сашеньки, любителя пряников, которому предстояло прожить жизнь большую и, как предполагалось, славную.

Тетка Елизавета Петровна вмешивалась в жизнь нашего дома безуспешно, но самоотверженно. Видя на моей матушке следы побоев, она всякий раз устраивала отцу скандалы, которые, впрочем, он переносил хладнокровно, не вступая со свояченицей в пререкания. Иногда лишь он перебивал ее неожиданными замечаниями: то вдруг ругался, что табак никуда не годится, то принимался отковыривать с рукава пролитый воск, бормоча себе что-то под нос, то с размаха бил себя по лбу, будто забыл о чем-то, а теперь только вспомнил, этими выходками он выводил ее из себя, и бедная тетка стучала об пол костылем, трясла буклями, кричала, что ненавидит его, что он загубил моей матушке жизнь, что жить надо по-людски, а не по-совиному, и ее обычно хрипловатый добродушный басок переходил в почти кошачий визг.

Когда отцу надоедало слушать ее проклятья и увещеванья, он просто уходил, не извинившись и не попрощавшись, разве что громко делано зевнув.

Елизавета Петровна настаивала на том, чтобы мы с матушкой переехали жить от отца к ней. Моя мать обещала, что еще одно унижение, и она обязательно переедет, но не переезжала, а скандалы часто оканчивались тем, что матушка, только что в слезах жаловавшаяся сестре на мужа, вдруг принимала его сторону и начинала с горячностью защищать своего мучителя. Тогда Елизавета Петровна дрожащими от возмущения пальцами принималась постукивать по бокам и крышке своей черепаховой табакерки, забирала из нее огромную щепоть и, запрокинув голову, с особым вывертом подставляла большой палец то к одной, то к другой ноздре, громко и с храпом внюхивая в себя табак. Потом она долго отряхала с себя просыпавшуюся на кружева пыльцу и наконец что есть силы била костылем об пол, вскакивала и, обозвав сестру дурой, уезжала.

Помню, что от теткиных рук всегда разило смесью духов с табачищем, а когда она входила с мороза, табак капал из носа в виде густо окрашенной влаги.

Пытаюсь вспомнить детство, а вспоминаются лишь какие-то картинки, ничем не связанные, да и не имеющие никакого значения. Вот меня катают по саду на повозочке, вот нянька вертит хрустальную подвеску, упавшую с люстры, забавляя дитятю зайчиками, вот выставляют зимние рамы и бегают девки с тазами горячей, дымящейся воды. Вот я листаю Палласово «Путешествие по России» в толстом кожаном переплете, помню лопаря, самоеда и нагую чукотскую бабу. Помню детский утренник, окончившийся слезами, — мы чуть не передрались из-за пирожных, всем хотелось лимонного, сделанного в форме с пустотою в середине, куда помещался зажженный огарок свечи. Помню, как нянька, измучившись со мною в отсутствие матушки, говорила, что баловники спят стоя, и заставляла меня стоять рядом с кроваткой, сложив под щекой ладошки.

Детская память капризна. Какую-нибудь ерунду, например, сверкнувший на солнце полуимпериал в зарослях крапивы у ледника, помнишь всю жизнь, а что-то важное, что должно было обязательно зацепиться в памяти, исчезло, выпотело, будто ничего и не было. От великой войны, всколыхнувшей Россию, остался лишь встревоженный разговор взрослых за чаем — говорили о какой-то измене, о шпионах, о том, что высылают иностранцев, да еще запомнились сильные морозы той исторической зимы. Помню, как делали снеговую горку, но трудно было поливать ее — бросаешь из ковша вверх воду, а она падает в виде града.

Помню первую в моей жизни смерть. Мой дядька Николай Макарович славился тем, что за всю свою жизнь ни разу не был болен, а если и случалось ему чувствовать себя нездоровым, то в недугах своих он прибегал к единственному средству — глотал мух. Вместе со рвотой проходили все его болезни. На зиму он делал запас мух и сохранял их, как он выражался, «снулыми», в бутылке. Когда же занемог серьезно и матушка вызвала доктора, тот запретил столь сильнодействующее средство и прописал какие-то микстуры. Помню, как мой дядька кричал:

— Не надо лекарств! Мух дайте, мух!

Он отошел, и так получилось, что когда я по любопытству своему пробрался в его комнату, там никого, кроме покойника, лежавшего на столе, не было. Почему-то я испугался именно длинных скрюченных пальцев на ногах, долго не мог отвести от них взгляда и еле заставил себя убежать во двор.

Сына Николая Макаровича, Мишку, моего одногодка, матушка взяла в дом казачком. Я уже говорил, что не был большим охотником до общества и с другими детьми дружить не умел, а Мишка сразу покорил меня своим удивительным искусством сшибать муху на лету лбом. За фокус он брал конфету или пряник, и я, трепеща от восторга, глядел, как он замирал и подолгу оставался неподвижен, даже не моргал в ожидании, пока легкомысленное насекомое пролетит совсем рядом. Тут следовал молниеносный выпад, и поверженная муха падала на пол. Как я ни старался повторить что-либо подобное, ничего не получалось, зато на всю жизнь осталась дурная привычка иногда вдруг дергать головой, особенно когда волнуюсь или вспоминаю что-нибудь неприятное.

Впрочем, что толку доставать из мешочка все эти осколки памяти и перебирать их то так, то этак. Мозаика рассыпалась, растерялась, целой картинки все равно не получится, как ни старайся, а от отдельных стеклышек какой прок? Вот помню доску, самую обыкновенную доску, которую отец, когда меня стали учить музыке, велел приладить к фортепьяно над клавиатурой так, что играть можно, но нельзя видеть рук и клавишей. Помню и мои слезы, и крики отца, и заплаканные глаза матушки, тайком от него разрешавшей мне разучивать ноты без доски. А зачем я все это помню? Для чего?

А вот рождественская елка, украшенная блестками, бонбоньерками и конфектами. В огромной коробке, в грохочущем пергаменте, долгожданный волшебный фонарь. В ящичке перезвякивают маленькие тонкие стеклышки с картинками, до которых нельзя дотрагиваться. На выглаженной простыне — странная испуганная птица киви. Вдруг входит отец, и круглый птичий глаз на какое-то мгновение, а как оказывается, и на всю жизнь замирает у него на лбу.

Нет, оставлю поскорей детство, ибо что есть для мира чьи-то детские воспоминания, если не ложь. Спросите любого, было ли у него в жизни что-нибудь счастливое, безмятежное, и он, конечно, вспомнит свою повозочку, свою няньку, свою матушку, укутывающую его беличьим одеяльцем, вытряхнет из заветного мешочка свои, ему лишь одному драгоценные стеклышки, будет перебирать их без устали.

Читать воспоминания о чьем-то детстве — что выслушивать рассказы слепца о том, как представляет он себе Божий свет. Так и грязная вонючая изба, в которой люди живут в мерзости и пьянстве, как скоты, вспоминается кому-то как островок счастья и душевного покоя. И пусть будет вокруг него с первого крика лишь рабство да хмельное мычание, а все не вытряхнуть ему из заветного мешочка, как ни тряси, ничего, кроме разноцветных стеклышек — и будет это во всей его жизни единственный свет и покой.

Годы шли, белокурый ангелочек незаметно превращался за деревенским бездельем в откормленного переростка. Надобно было приниматься всерьез за учение.

Матушка заменила мне первых учителей. Помню, как мы играли с ней во всякие закорючки, и если я был прилежен, мне разрешали чинить перья батюшкиным ножичком. Впрочем, большее удовольствие мне доставляло препарировать им хрустящих жуков.

На семейном совете решили, что я должен поступить в симбирскую гимназию, что и было исполнено.

Помню, с каким трепетом, с каким страхом, вполне, как оказалось, оправдавшимся, я поднимался в первый раз по широкой чугунной лестнице, стертой до блеска, наверх, где был гулкий просторный актовый зал с портретами императоров на стенах.

Не хотел бы я снова возвратиться в то разжиревшее от плюшек и пряничков большеглазое дитя, рыдавшее по ночам от проказ злых насмешников и жестоких тихонь. Кто не научился обходиться в кругу товарищей с самого детства, обречен в отрочестве на одиночество и простодушную, без задней мысли, травлю, осужден на то, чтобы вылавливать из чашки гимназического чая еще живого прусака, совать ноги в галоши, налитые квасом, ходить, не замечая на спине вероломный плевок. Всего не вспомнишь.

У учителей я тоже сразу впал в немилость. Не приведи Господь задавать российским учителям вопросы — сразу прослывешь умником, несчастнейшее сословие в наших учебных заведениях.

Из наших наставников я сблизился лишь с Иваном Ивановичем Козловым, преподавателем точных наук. Необычная наша симпатия друг к другу покоилась, однако, не на шатких теоремах, пустотелых цифрах и прочих абстрактных понятиях. Никакого пристрастия к своему предмету Иван Иванович не имел и заботу о воспитании в нас любви к математике полностью переложил на плечи Войтяховского, предоставляя нам самим корпеть над талмудом столичного штык-юнкера, так что все эти логарифмы и биномы вряд ли оставили в моем мозгу, не склонном к точным наукам, несколько царапин. Дело в том, что Иван Иванович был тайным поэтом.

Тайну свою он скрывал ото всех, в том числе от супруги и детей, которых было, кажется, пять или шесть. Помню, как однажды он остановил меня за рукав и, отчаянно заморгав — когда волновался, он всегда моргал, — попросил каким-то странным голосом остаться после классов. Я остался. Он, несколько раз выглянув в коридор, запер дверь изнутри и подошел ко мне на цыпочках.

— Вы, Ларионов, я вижу, совсем не такой, как они все, — залепетал он, суетливо дергая ресницами. — Правда, боюсь, что ничего путного из вас не будет, но вот мечтателем и ценителем беллетра вы станете.

Я испуганно замотал головой.

— Станете, мальчик, станете. — И Иван Иванович, взяв с меня слово, что все останется тайной, стал шептать свои вирши почти на ухо, обдавая мое лицо горячим несвежим дыханием.

Скорее всего стихи, писанные в допотопном духе, груженные славянизмами, приправленные несъедобными рифмами, были дрянными. Но что до того нелюдимому подростку, в ту минуту уже глядевшему на Ивана Ивановича сквозь запотевшие стеклышки обожания. К этому времени, кажется, я уже носил очки.

Потом он частенько оставлял меня в пустом классе якобы для занятий. Мы запирались, и Иван Иванович шепотом декламировал, мельтеша ресницами. Незаметно он расходился, начинал читать вслух, даже размахивал в такт руками, словно сам себе дирижировал, а однажды вдруг закончил, так патетически крикнув и так топнув ногой, что прибежал дворник Матвей, у которого было на одном глазу бельмо, будто глаз был присыпан мелом. Бедный Иван Иванович перепугался и в другой раз начинал шепотом, но скоро опять забывался и говорил во весь голос, размахивая руками и топая ногой.

Писал Иван Иванович большей частью «Оды» и «Размышления». Прославлял он отечество и радовался, что живет и умрет в нем, а размышлял о бренности человеческого существования. Кричать, топать ногой и размахивать руками он начинал всякий раз, когда доходил до того места, где писал о том, что потомки все-таки будут читать его и оценят по достоинству. Кажется, я и вправду верил Ивану Ивановичу, что он сам явится к грядущим поколениям, потому что искусство бессмертно и стих его все на свете переживет.

После чтения он всякий раз набрасывался на меня:

— Ну как? Вам понравилось?

Я, не в силах выразить трепета и восхищения и не понимая, почему этот удивительный человек меня, сущее ничтожество, об этом спрашивает, лишь усердно кивал головой, а Иван Иванович все переспрашивал:

— Правда вам понравилось? Скажите, вам правда понравилось?

После подобных дополнительных занятий он летел домой, к супруге и детям, все-таки их было пятеро, порхая над симбирскими лужами, как Феб.

Наша общая с Иваном Ивановичем тайна научила меня отвечать на злые выходки товарищей, на все их плевки, щипки, подножки, толчки в спину, весьма обидные прозвища лишь гордым тихим презрением да приохотила искать замену друзьям в книгах.

Даже вакации я проводил за чтением. Как сейчас чувствую кожей жаркий душный деревенский полдень, а ноздри щекочет резкий, плесневелый запах слежавшихся книг. В такие дни, когда на улице пекло, затворяли ставни и поливали пол водой, но ничто не помогало. Пристроиться где-нибудь с книжкой было не так-то просто, всюду донимали мухи и духота, из дома бежишь в сад, из сада в дом. Спастись можно было лишь под огромным "Tischnerom". Рояль, на котором давно никто не играл, предоставлял мне прохладное звонкое убежище, и, валяясь под ним на ковре, я читал все подряд, без разбора, что находил в отцовской библиотеке. Матушкины домашние туфли по десять раз на день останавливались у книжных стопок рядом с моей подушкой, и матушка, обеспокоенная моим увлечением, опасным для здоровья и вообще, упрашивала меня пойти покупаться или просто погулять. В ответ я декламировал ей что-нибудь из «Цинны» или «Британика», и мой игрушечный бас, размноженный на эхо гулким нутром рояля, разбегался по комнатам. Матушка тяжело вздыхала и подсовывала мне на блюдечке клубнику или малину со сливками.

Задумавшись, а то и просто устав от проглоченного и плохо переваренного волюма, я постукивал пальцами по звонким доскам, щелкал по ним, чуть царапал их ногтями — рояль отзывался даже на простое поглаживание. Иногда я выстукивал его костяным ножичком, которым разделывался с книгами — большинство томов было не разрезано.

Я читал много и с охотой. Но что за польза от раннего чтения? Читающий подросток не найдет ничего удивительного в том, что для возвращения какому-то обманутому мужу изменницы жены весь мир режет друг друга, да и само описание кровавой резни читается как сказка. Летели головы, брызгала кровь, но нисколько не было страшно, в то время как при одном воспоминании об обгрызанных ногтях нашего латиниста и о его сдавленном шепоте становилось не по себе. И некого было спросить, отчего это так. Моя матушка, помнится, на вопрос, откуда Гомер все это знал, все это, слепой, видел: и корабли, и пригорок стриженых волос над телом Патрокла, и то, как хохочут боги, будто это не Олимп, а людская, — ответила, почесав спицей в затылке, что, верно, у них там, у богов, Гомер был писарем, вроде нашего Пантелеймона, который вел в имении все хозяйство и писал ежегодные отчеты.

— Вот ведь только из его бумажек и вспомнишь, что было, — вздохнула матушка. — Живешь вроде медленно, а годы — фьють!

И она снова принималась ворчать, что в моем возрасте надобно не пыль глотать, а купаться и вообще больше быть на свежем воздухе.

К отцу я и вовсе боялся подходить. Он сделался в последние годы страшным, неприятным, запирался у себя, что-то писал, потом написанное сжигал, все чаще и чаще был нетрезв. Иногда он посылал за мной, и я с внутренним отвращением входил в его кабинет, где было невозможно дышать, таким спертым был воздух и так дурно пахли его стоптанные валенки. Отец боялся сквозняков и никогда не проветривал своей комнаты. Все вещи в его кабинете были навалены кое-как, в полном беспорядке, он запрещал прибирать у себя, и всюду толстым слоем лежала пыль. Помню засыпанную пеплом несвежую смятую постель, разложенную на диване, план какой-то крепости на стене, рисунок первого парохода и копии с разных старинных картин небольшого размера, переведенные на стекло и сзади раскрашенные. Они изображали римских республиканцев, гордых и обреченных.

Отец принимался спрашивать меня какой-нибудь урок из геометрии или грамматики, а то начинал выпытывать у меня про учителей, про моих товарищей, но я или отмалчивался, или бурчал что-то невнятное, лишь бы поскорей вырваться из этой комнаты.

Матушка несколько раз вызывала к нему врачей. Отец был с ними дерзок, груб, не давал себя смотреть, а одного из них чуть не спустил с лестницы. Помню, что какой-то маленький старичок в черной перчатке, на которого матушка особенно надеялась, долго, чуть ли не с час просидел с отцом в его кабинете и, выйдя, стал успокаивать ее, что болезнь не в организме и что вообще нет ничего страшного.

— Так что же с ним? — спросила матушка в отчаянии.

Старичок пожал плечами и положил руку в черной перчатке на стол. Деревянная рука звонко стукнула.

— Vacuum horrendum*, — улыбнулся он.

Помню, что от этих слов холодок пробежал у меня по спине. Я стоял за полуоткрытой дверью.

Иногда матушка все-таки прогоняла меня на пруд, я брал с собой книгу и читал в лодке. От мельтешения солнечных пятен на воде и на страницах, от шума ветра, от запаха гниющей воды часто кружилась голова, и я засыпал, вытянувшись прямо на дне ялика.

Удивительно ли, что впечатлительный подросток видел на только что разрезанной странице во-

---

* Наводящая ужас пустота *(лат.)*.

все не то, что выводила рука какого-нибудь мудрого мужа! Как-то ночью мне даже приснилось, как кто-то взлохмаченный выдирает себе пряжкой глаза. Но скажите, что мог понять лакомившийся малиной мальчик в притче о несчастном Эдипе? Помню, что я вдруг не смог смотреть на матушку. Мысль, столь омерзительная, что от нее делалось дурно, тем настойчивее лезла в голову, чем отчаяннее я старался отогнать ее. Я так мучился этим страшным невозможным видением, что даже не на шутку захворал. У меня начался жар, и когда матушка, испуганная моей неожиданной болезнью, захотела прижать мою голову к своей груди, я оттолкнул ее, вырвался, и со мной случилась нервная истерика.

Вакации пролетали незаметно, и надобно было возвращаться в Симбирск. Сборы с каждым годом становились все тягостней. В гимназии меня ожидали лишь одни мучения: скучная учеба, безотрадное общение со сверстниками, зависимость от недалеких учителей. К тому же с возрастом эти страдания увеличивались. Да и вообще нужно сказать, что общественное воспитание способствует только испорченности. Ибо учитель учит своим казусам, артикулам, датам, формулам и прочей белиберде, о которой ни разу потом и не вспомнишь, а уроки жизни преподаются за курением дешевого табаку в закоулках долговязыми переростками с гадкими волосками на угреватых подбородках. Юные души благоговейно внимают их грязным речам, похотливым мыслям, презрительным манерам. Ведь учатся жить не по примерам портретной добродетели. У мальчиков в гимназических тужурках свои герои, которые доблестно пьют водку, а больше хвастают пьянством, живописно, в подробностях рассказывают свои, конечно же, мифические, амурные похождения, на уроках переписывают вольнодумные, а чаще похабные стишата, находят удовольствие в жестоких проделках над инвалидом-истопником и вообще не без гордости называют себя magister bibendi* и вызывают среди гимназистов восхищение и подражание.

Один из таких переростков, Николенька Мартынишин, по нечаянному замыслу тетки и должен был стать моим наставником в жизненной науке.

Она и матушка тяжело переживали мое одиночество, винили во всем чрезмерное чтение, мои детские хвори и решили, что меня нужно развеять природой и беззаботным юным обществом. Последние вакации решено было провести в Покровском, большом красивом имении на Волге, принадлежавшем старой тетушкиной подруге Александре Васильевне Мартынишиной.

В гимназии Николенька был бойким малым, всеобщим любимцем, главным подстрекателем и зачинщиком всех проказ, мастером строить комичные рожи и делать на каждого пародии. На переменах в укромных местах он смешил всех похабными историями, подчас очень неприличными, и сам про себя рассказывал, что заразился в одном доме нехорошей болезнью и вылечился от нее водкой. В домашней же обстановке Николенька сделался вдруг тихоней и паинькой, послушным, воспитанным, и стал от этого еще более противным, с вечно вздутыми губами, сальными, как две колбаски. Тетка моя называла Николеньку «лапкой», трепала по щеке и все время ставила его мне в пример.

---

* Магистр выпивки *(лат.)*.

Юное общество, на которое возлагалась надежда укротить во мне буку и выветрить задумчивость и запах переплетов, состояло, помимо Николеньки, из двух его кузин-близняшек Семеновых, долговязых писклявых девиц, находивших безмерное удовольствие в том, что их вечно путали, и соседской барышни, только что закончившей в Москве институт. Ее звали Дашенькой. Она была рыженькая и вся в ярких веснушках, даже шея и руки были обрызганы будто морковным соком.

Отец Николеньки, боевой офицер, умер от ран в славный двенадцатый год. Его сослуживец, уже немолодой капитан, приехал после Германии и Парижа к вдове своего друга рассказать о последних днях храброго драгуна, да так и остался в Покровском, сперва еще на неделю, потом на месяц, а там и вовсе. Федор Николаевич был заядлым охотником, предавался весь псовой охоте и неделями разъезжал с нею и роговою музыкой по уезду. Своего приемного сына он недолюбливал, называл его неженкой и рябчиком — так презрительно величали тогда военные штатских. Каждое утро начиналось с того, что Федор Николаевич окатывал Николеньку из ушата ледяной водой. Доставалось и мне. Тетушке было неудобно вступаться за меня, и она в окно с ужасом смотрела, как отставной драгун закаляет наши дряблые посиневшие тела.

После завтрака на широкой террасе, увитой диким виноградом, во время которого Николенька с близняшками обстреливали меня исподтишка хлебными шариками, но стоило только мне ответить, как тут же происходил скандал, — начинались бесконечные общие развлечения, катания, прогулки, от которых не давали увильнуть, хотя в пруду было полно карасей, а в грунту шпанских вишен. Вечерами начинались игры в жмурки, в колечко, в рекрутский набор, в почту, в цветы и прочие глупости. Действительно, в компании было весело, но смеялись большей частью надо мной. Много ли надо для того, чтобы быть смешным? Всего лишь краснеть и молчать, когда нужно быстро найтись в jeux d'esprit*. Ни с того ни с сего поскользнуться на вощеном полу. Среди обеда, коснувшись случайно под столом ножки Дашеньки, опрокинуть на себя ложку супа. Этого вполне достаточно для того, чтобы все, мною сказанное, оказывалось невпопад, любое мое движение или жест все находили комичным, любая острота в мой адрес вызывала дружный беззаботный смех. Особенно усердствовал Николенька. Номер, в котором он изображал, как я, задумавшись, съедаю салфетку, исполнялся на бис по сто раз на день. Близняшки хихикали до упаду, трепеща в такт бантами, рюшечками и кружевами на панталончиках, но громче всех заливалась Дашенька. Я краснел, молчал и растерянно улыбался, перенося все испытания стоически, а то и просто убегал куда-нибудь, ища уединения. Но едва караси начинали клевать наживку, как в воду летели камни или палки, а в оранжерее, стоило только сорвать с ветки вишню, как близняшки, караулившие меня, начинали кричать:

— Господин Обжоркин! Господин Обжоркин!

Девицы Семеновы даже на фортепьяно играли не иначе как в четыре руки, книксен делали дружно, как по команде, и казалось, им даже самим было все равно, кто из них кто.

---

* Остроты *(фр.)*.

На приставания Николеньки я отвечал проверенным снисходительным презрением, липучих девиц Семеновых гонял удочкой, но когда я слышал звонкий, невесомый смех Дашеньки, со мной происходило что-то непонятное, трудно объяснимое. Она смеялась надо мной, но ради того, чтобы слушать этот смех, я готов был корчить из себя дурака сколько угодно.

В дождливые дни мы валялись на задней веранде, на огромном диване, в подушках, вышитых попугаями, гоняли комаров и болтали; вернее, это они валялись, а я угрюмо сидел в плетеном кресле, уткнувшись в книгу, как сейчас помню, это были Паскалевы "Pensées"* со следами соскобленных восковых нашлепок. За окнами лил проливной дождь, из открытой двери летели с крыльца брызги и запахи мокрого сада. На диване дурачились, а я делал вид, что читаю, но сам только переворачивал страницы, потому что на самом деле слушал Дашенькину болтовню, жадно внимая всей той чепухе, которую она могла нести бесконечно. В мильон раз важнее ordre du coeur** занудного старика были мне ее рассказы об институте, о выживших из ума классных дамах, о девичьих проделках. Дашенькин голос, ее движения, взгляды завораживали меня. Институт свой она вспоминала без особой любви, даже презрительно, потому что за разговоры по-русски там украшали дурацким колпаком и десертом угощали лишь тех, у кого на руках были повязки — ленточки означали, что девица в течение недели хорошо училась и пример-

_____

* Мысли *(фр.)*.
** Порядок сердца *(фр.)*.

но себя вела. Дашенька пожимала плечиками и фыркала:

— Чтоб они там все подавились моими gateaux aux framboises*.

Я садился в кресло специально глубоко, а книгу держал повыше, чтобы через край, будто я читаю верхние строчки, наблюдать, как Дашенька втыкала в пяльцы иголку — она вышивала что-то Александре Васильевне на именины — и, заливаясь смехом, изображала свою классную даму, которая была небывалых размеров и становилась на занятиях по мере надобности то кавалером, и нужно было дать ему согласие на мазурку, то бабушкой или дедушкой, и тогда с ней требовалось вести приличную беседу. Я переворачивал страницу и снова смотрел, как Дашенька хохотала, хлопала в ладоши и ее рыжие кудряшки прыгали по открытым рыжим ключицам. Чаще всего она вспоминала какую-то Sophie, которую все звали поганкой за то, что та была прегадкая, и тут Дашенька, представив себе в вышивке образ бедной Sophie, поджимала губки и с остервенением принималась колоть ее иголкой.

Это было наваждение, названия которому я еще не знал. Ночами я почти не спал. На соседней кровати сопел и чесал во сне комариные укусы Николенька, а я как ни жмурил глаза, все видел только ее, как она играет в серсо или воланы, или тысячу раз подряд снова проживал в воображении то единственное мгновение, когда у нее в волосах запуталась пчела, и Дашенька визжала и топала ножками, а я отчаянно раздавил пчелу в кулаке. Дашенька учила меня прикладывать к укусу сырую землю,

---

* Пирожки с малиной *(фр.)*.

и нечаянное прикосновение ее локона жгло щеку. В коротком предрассветном забытьи воспаленным мозгом правила она же, в розовом шелковом платье, в атласных розовых туфельках. Слюнявя пальчик, она накручивала на него перед зеркалом рыжую букольку, но дверь их комнаты, отворившись лишь на секунду, захлопывалась — и это видение даже во сне сводило меня с ума.

Однажды взрослые куда-то уехали и должны были вернуться поздно, за полночь. Воспользовавшись случаем, мы убежали на берег Волги, ловили раков, доставали со дна ракушки и, разведя костер, подпекали их на углях. От жара ракушки раскрывались, и мы, посолив, ели их с хлебом. Потом в несколько минут собрались тучи, и начался ливень. Мы побежали домой, все промокли, и в тот самый миг, когда мы карабкались по скользкой крутой тропинке, по которой ручьем неслась к Волге дождевая вода, я вдруг сказал себе в первый раз, что люблю эту рыжую смешливую девочку. Я и сейчас вижу, как на темной от ливня веранде она выжимает подол платья и волосы и как стекают ей за шнуровку капли.

В тот вечер Николенька сообщил мне по секрету, что стащил у буфетчика полграфина водки. От него уже пахло. Николенька достал из-под кровати графинчик и протянул мне, нужно было пить прямо из узкого горлышка. Я испугался, а Николенька сказал, что я дурак, и стал пить сам. Сделав пару глотков, он замирал, будто прислушивался к самому себе, затем пожимал плечами и пил еще. Потом вдруг как-то мгновенно его развезло.

Я старался успокоить Николеньку, уложить его в постель, но он то лез обниматься, то принимался драться, а то грязно во весь голос бранился или начинал кого-то изображать. Вдруг он заплакал, сказал, что ненавидит отчима и отравит его мышьяком. Потом Николенька снова стал хохотать и показывать, как я ем салфетку. Я умолял его не кричать, и он принялся рассказывать шепотом, как они целуются с Дашенькой в оранжерее.

— Ты лжешь! — закричал я.

— Дурачок! — ответил только Николенька и показал мне пьяный, покрытый слизью язык. Я вцепился в его волоса, он разбил мне нос, и мы покатились по полу, оба в крови. В комнату на крики прибежали люди и насилу нас растащили. Николеньку начало тошнить и корчило с полчаса. Весь дом переполошился, по коридору бегали с полотенцами и водой. Я сказал, что Николенька, наверно, получил индижестию, но буфетчик обнаружил под кроватью свой графин и сокрушенно качал головой. В нашей комнате от удушливого, тошнотворного запаха спать было невозможно, и мне постелили на диване в гостиной.

То лето пролетело как один миг или, вернее, вздох. Через несколько дней нужно было уезжать, и я, сведенный с ума ночными видениями, в полном беспамятстве написал Дашеньке письмо, в котором объяснился ей. Два дня я носил его в кармане моей курточки, не зная, как передать, и наконец в отчаянии засунул его в томик Ретифа, который Дашенька читала втайне от взрослых.

Больше всего я боялся ее глаз, как она на меня посмотрит, и решил не выходить к обеду, но за мной пришла тетка и повела меня к столу чуть ли не силком. Дашенька хохотала как ни в чем не бывало, и у меня отлегло от сердца — значит, решил я, она ничего еще не прочитала. В сумерках пошел дождь, и мы провели вечер, играя в карты. Дашенька каждый раз слюнявила свои пальчики и била картой с размаха об стол — засаленные карты шлепались жирно и звонко. Понятное дело, я всякий раз оставался в дураках, потому что все только мне и подбрасывали. Перед сном же я обнаружил у себя под подушкой записку. Николеньки в комнате не было. Я взял в руки надушенный листок розовой бумаги, осторожно развернул его и долго-долго осыпал поцелуями. Там было написано: «Милый Сашенька! И я Вас очень-очень люблю!» Притворщица! — восхищался я. Как искусно она не выдала себя ни взглядом, ни голосом, ни жестом! Любимая! — шептал я как безумный. Господи, и я любим! Все это казалось мне невероятным.

Ночью, подождав, пока Николенька захрапит, я встал и в темноте, не зажигая света, набросал огрызком карандаша еще одно послание. Я умолял Дашеньку о встрече. Через два дня мы должны были расстаться.

На следующее утро любезный Ретиф проглотил мое отчаянное письмо. Целый день длилось томительное бесконечное ожидание. Я избегал Дашеньки, чтобы не выдать ничем нашу тайну. Один раз только я поймал ее взгляд — она качалась на качелях, ее воздушная, шелестящая на ветру юбка вздулась, и Дашенька испуганно посмотрела на меня, я сразу отвернулся и убежал. До самого вечера я ждал от нее какой-нибудь весточки или знака, но напрасно. Я готов был прийти в отчаяние, но — о чудо! — под подушкой я снова нашел розовый надушенный листок. Она писала, что будет ждать меня ночью, когда все лягут, в двенадцать, у статуи.

Около пруда валялась почерневшая от непогоды, потрескавшаяся, частью расколотая статуя Леды с обезглавленным лебедем, шея которого с головой куда-то бесследно исчезли. Как описать мой восторг, мое упоение, мое счастье? Верно, в те минуты, канувшие куда-то и живущие теперь только во мне, я был самым счастливым человеком, когда-либо дышавшим на земле.

Я лег, задул свечу, сердце мое готово было разорваться от волнения, руки дрожали, губы сами шевелились, я чувствовал, что схожу с ума. В доме все легли, и каждая минута приближала это невозможное свидание, в которое я все никак не мог поверить. Как назло, в тот вечер Николенька, которого я ни разу не видел с книгой в руке, затеял читать перед сном и при свете ночника пялил глаза в какой-то том. Уже пробило и одиннадцать, и половину двенадцатого, а он все читал и читал, хоть это давалось ему с трудом, он отчаянно зевал, тер глаза, но книгу из рук не выпускал и то и дело спрашивал, не сплю ли я. Я притворялся, что не слышу его и вижу седьмой сон. С каждой минутой на душе становилось все тревожней. Без четверти я готов был уже задушить его, когда же пробило двенадцать, я лишь тихо, чтобы не было слышно, рыдал в подушку. Наконец книга выпала из рук заснувшего Николеньки, грохнула на пол, не разбудив его, и я, за секунду одевшись, выпрыгнул в окно и побежал в сад.

Конечно, никакой Дашеньки уже не было. В саду было холодно, сыро, от пруда поднимался туман и стелился по его поверхности плотно, как пенка от молока. В каждом шорохе мне чудились ее легкие шаги. Я вздрагивал, бежал ей навстречу, но это падала ветка или просто играл со мной злую шутку порыв ветра. Я продрог, меня трясло, зуб не попадал на зуб, но я до самого утра бродил по саду, по мокрой от росы траве, между холодными черными деревьями, стоял подолгу под ее окнами, все ждал чего-то и, только когда стало светать, вернулся и лег, усталый и безразличный.

Дашенька, сославшись на мигрень, к завтраку не вышла. Только поэтому я пошел пить кофе с бриошами. Не знаю, как смог бы я посмотреть ей в глаза. После завтрака, не в силах выносить опротивевшее общество, я пошел спрятаться от всех в оранжерею. Там было душно и пахло лимонами. Вдруг я услышал чьи-то приглушенные всхлипывания. В углу на куче свежих опилок сидела Дашенька. Почувствовав, что кто-то вошел, она вздрогнула, повернула ко мне заплаканное лицо и стала суетливо вытирать слезы платком.

Я подошел к ней. Дашенька, отвернувшись, молчала и шмыгала носом. Я не знал, что сказать, и наконец выдавил из себя глупое, где-то прочитанное:

— Я знаю, вы презираете меня за вчерашнее.

Она обернулась и посмотрела на меня с какой-то странной взрослой улыбкой.

— Сашенька, отчего вы такой?

— Какой? — спросил я, не понимая.

Она пожала плечами. Снова шмыгнула покрасневшим, распухшим от слез носом.

— Какой-то беззащитный. Нельзя так, нехорошо.

Дашенька протянула руку и взъерошила мои волосы.

— Вы такой славный. И запомните, я вас очень-очень люблю. Честное слово. Не верите?

Она вскочила, стряхнув с платья приставшие опилки, сняла свое колечко, с которым не расставалась все это время, и надела мне его на палец. Колечко это было сделано в виде змейки, укусившей свой хвост. Я все молчал, ничего не понимая.

— И никогда не думайте обо мне плохо, слышите, никогда!

Она вдруг прильнула ко мне, поцеловала в губы и, подхватив с земли свою парасольку, убежала.

Целый день я бродил по парку как в дурмане. Мне хотелось умереть, потому что большего счастья, я знал, в жизни уже не будет.

Настало время обеда. Я чувствовал, что не в силах выйти к столу и терпеть снова их лица, слова, смех. Я спрятался у пруда, в развалинах старой полусгнившей купальни, заросшей ивняком. В пруду отражалась изнанка мостика. По облакам на воде бегали водомерки. Иногда набегал ветерок, и на ряби качались кувшинки. Я не понимал, что со мной происходит. Я слышал, что по парку бегали и звали меня, но какое мне было до всего этого дело.

Вдруг я услышал смех Дашеньки. Я хотел выскочить, но увидел сквозь листья, что она была не одна. За ней бежал Николенька. Он догнал ее, рухнул перед ней на колени, стал вздымать руки и рычать:

— Вы презираете меня, Дашенька! Вы презираете меня!

Дашенька заливалась смехом. Николенька притянул ее за руку к себе, обнял ее, и они долго целовались. До моих ушей доносились сквозь шум листвы ее шепот, вздохи, чмоканье, сдавленный смех. Потом она оттолкнула Николеньку и слегка ударила пальцами по губам. Он снова хотел прижать ее к себе, но Дашенька вырвалась, поправила платье, шляпку, и они побежали дальше, громко выкрикивая мое имя:

— Сашенька! Саша! Ну где же ты!

Ночью, когда все в доме стихло, я оделся и осторожно вылез в окно. Поздно вечером прошел дождь, трава была мокрая, я поскользнулся, упал и весь перемазался в земле — садовник делал под окном клумбу. Тропинкой через парк я спустился к Волге. В темноте, ночь была безлунная, да еще не разошлись тучи. Другого берега не было видно, а на этом кто-то жег неподалеку костер, был слышен негромкий разговор, смех. Я отошел подальше и стал раздеваться, сбросил курточку, а мокрая рубашка — я вдруг почувствовал, что сильно вспотел, — не стягивалась. Я махнул рукой, сковырнул только ботинки, одетым вошел в воду и поплыл. Плавал я плохо, обычно быстро уставал, руки и ноги немели, и теперь я старался заплыть как можно дальше. Вода была теплая. Костер на берегу стал уже крошечным красным пятнышком, когда я совсем выбился из сил. Я полежал немного на спине, тучи бежали быстро, потом нырнул как можно глубже и разом выдохнул весь воздух, чтобы глотнуть побольше воды.

Я, верно, так и утопился бы, если бы удивительная сила вдруг не выдернула меня из волжской глуби. Я так выдергивал из пруда карасей. Будто кто-то подождал, пока я поглубже заглотну крючок, и тогда только дернул за удилище.

Кое-как я добрался до берега. Меня вытошнило. Я полежал на песке, потом выжал мокрую одежду и поплелся обратно.

На следующее утро мы уехали, и первая моя любовь, слава Богу, окончилась насморком.

Колечко соскочило во время ночного купания. Этот символ вечной любви так и пролежит в волжской тине до конца света.

Когда пришло время продолжить мое образование в каком-нибудь серьезном учебном заведении, дома стали поговаривать о том, чтобы отправить меня в столицу. Переезд в такую даль, житье за тысячу верст от близких, среди чужих людей, не жалующих, как подсказывал уже мой опыт, очкастых недорослей, пугали, но даль эта была Петербург, магическое для провинциала слово, и я ожидал решения моей участи одновременно со страхом и нетерпением — скоро мне должно было исполниться шестнадцать лет.

Однако определение мое в столичный корпус оказалось сопряжено с особого рода препятствиями.

Чтобы устроить мою судьбу, отец должен был написать кому-то письмо. Но это дело, самое обыкновенное, вдруг стало невыполнимым, ибо, объявив войну всему миру и воюя с ним одиночеством, отец больше всего боялся, что враги воспримут это как его поражение, позорную капитуляцию, а принципы были, кажется, тем единственным оружием, которым он отстаивал свою непонятную жизнь.

Отец наотрез отказался что-либо просить, как он говорил, у них. Все это было в мое отсутствие, и подробностей я не знаю, вернее, их от меня скрывали. Мне известно только, что у матушки с отцом дело дошло до разрыва, она даже переехала на время к сестре. Отец всю жизнь мучил мою мать, но, видно, жить без нее не смог. Теткина дворня потом рассказывала, что он приехал к моей матушке, валялся у нее в ногах и та, разумеется, простила.

Отец несколько раз принимался за злополучное письмо. Это было уже на моих глазах. Потом он рвал исчерканные листки. Однажды прямо при мне, когда я рылся в его кабинете в книгах, он скомкал лист, бросил его на диван, стал грозить кому-то кулаком, что-то бормотать и мычать, но вдруг замолчал, вспомнив, что он не один, и, запахнув халат, ушел смотреть службы.

У отца иногда был такой взгляд, что мне казалось, будто он меня ненавидит.

Однажды я увидел, как матушка, выйдя от отца, хоть и принимала гофмановы капли, но счастливо улыбалась. Вскоре приехала тетка, и они радовались и плакали вдвоем. Я понял, что отец написал письмо, от которого зависела моя судьба. Он заперся и целый день никого к себе не пускал, а ночью с ним случился припадок. В доме поднялся переполох, все что-то кричали, даже хотели посылать за доктором. Я не спал до самого утра. В темноте по всему гулкому деревянному дому было слышно, как бился связанный отец и даже как матушка мешала ложечкой в стакане, отпаивая его чаем.

Быстро пролетели последние деревенские месяцы, и пришло время отправляться в путь. Сборы были хлопотливыми и долгими. Матушка должна была ехать со мной.

В последнюю неделю отец вдруг изменился, стал разговорчивым, проводил со мной целые дни. Его улыбки казались мне странными, смех — неловким, непривычные отцовские ласки — неумелыми. Он то и дело трепал меня по голове жесткой ладонью и больно царапал мне лицо своей плохо выбритой щекой.

Он заговаривал со мной о книгах — я отмалчивался. Говорил о моей военной будущности — я покорно внимал его наставлениям. В те последние дни отец хотел быть близким мне, а я чурался его.

По ночам было слышно, как он бродил по дому, что-то время от времени бурчал себе под нос, а однажды он зашел ко мне, присел на край кровати, тихо позвал меня, но я притворился спящим.

В день нашего отъезда он сказал, что хочет сообщить мне нечто важное. Но суета, поднявшаяся в доме, необходимые распоряжения отвлекли его, и отец сел со мной в коляску, чтобы поговорить по дороге. Матушка уже выехала накануне в Симбирск, а оттуда мы должны были ехать вместе.

Тот день перед началом осени выдался пасмурным, с утра собирался дождь, иногда начинало накрапывать, крупы лошадей были мокрые, переливались, отражая дождливое небо, и от них шел пар. Отец долго молчал, глядя по сторонам. Мы ехали по лесу, от деревьев тянуло сыростью, и мне было зябко. Иногда отец начинал говорить про какие-то мелочи, потом снова замолкал. Так мы доехали до выезда на дорогу, ведущую из Барыша в Симбирск. Отец велел остановить. Какое-то время мы сидели молча.

Снова пошел дождь, и капли застучали по рогоже. Отец вдруг хлопнул себя по коленке, махнул рукой, оцарапал меня в последний раз своей щекой и, так ничего и не сказав, вылез. Не оглядываясь, он пошел пешком назад, сапоги его разъезжались по мокрой глине, картуз сразу стал в крапинку от дождя, а мы поехали дальше.

Почти две недели мы ехали с матушкой на перекладных через Казань и Нижний, мальпостов в те времена не было и в помине. Матушка переносила дорогу очень тяжело, и иногда мы подолгу отсиживались на станциях. Лошадей никогда не было, но волшебная ассигнация, быстро захлопнутая в книге для записи проезжающих, делала чудеса, и мы скакали дальше, вернее, тащились, потому что ямщики не столько гнали, сколько сгоняли кнутами со своих кляч зеленоглазых слепней.

Верстовые столбы, которых я насмотрелся от Симбирска до Петербурга не одну тысячу, отхватили у меня кусок жизни величиной с беззаботное отрочество, и на столичную заставу я въехал юношей, обеспокоенным своей будущностью. Что все в конце концов сложится хорошо, что жизнь моя выйдет ладной, удачной, яркой и уж во всяком случае счастливой, в том я нисколько не сомневался. Да помилуй Господь — если шестнадцатилетнему человеку дать прочитать повесть о его жизни, написанную им же самим, но старцем, он без тени сожаления пойдет толочь себе стекло, и что сможет сказать ему в такую минуту старик, какие найдет слова?

Письмо, от которого зависела судьба моя, было адресовано лучшему другу моего отца, разумеется, в прошлом. С ним отец делил опасности и тяготы боевых походов, с ним вместе поднимался по крутой лесенке чинов. Человек этот служил теперь в Генеральном штабе и принял нас с матушкой в большом кабинете с огромным, в два, а то и все три человеческих роста, портретом государя и такими же исполинскими окнами. Помню, что и окна, за которыми висело сырое чухонское небо, и портрет, и широкий стол, и даже пуговицы на мундире отражались в холодном зеркальном паркете.

Матушка обратилась к нему было «Ваше превосходительство», но он вышел из-за стола, подошел к ней и поцеловал руку.

— Что вы, Татьяна Петровна, зачем это? Давайте по старой дружбе!

Правая рука у него была на перевязи. В девятом году его ранили, и с тех пор она сохла.

Он вернулся к столу и снова пробежал глазами письмо, которое матушка передала с дежурным офицером. Он ловко развернул бумагу одной рукой. При чтении брови его то чуть дергались вверх, то сжимались к переносице. Он покачивал головой, будто удивлялся чему-то, на минуту отрывался и смотрел задумчиво в окно, потом улыбался, то сгонял с лица улыбку. Он стал расспрашивать матушку про здоровье отца, не собирается ли тот сам в Петербург. Потом посмотрел на меня.

— Похож, — не спеша произнес он, — похож.

Матушка стала расписывать все мои достоинства и стремление к воинским наукам, но этот человек, казалось, думал о чем-то своем. Он встал и, походив по кабинету, подошел к окну.

— Вы знаете, Татьяна Петровна, ваш муж нанес мне незаслуженное оскорбление. Теперь я не в обиде на него. Его нездоровый характер... Впрочем, мне ли вам об этом говорить. Спустя столько лет он просит у меня прощения. Пустое, теперь мне не за что его прощать. Я прожил свою жизнь, он — свою, и какое теперь все это имеет значение.

Мне было видно, что, отвернувшись к окну, он чему-то с довольным видом улыбнулся. И отказал этот друг отца в моем устройстве в кадетский корпус — под предлогом того, что вакансии на этот год все закрыты, — если не с удовольствием, то, во всяком случае, с чувством восстановленной справедливости.

Одна очень дальняя родственница, у которой мы остановились, посоветовала пристроить меня в Дворянский полк. Эта дама все время куда-то спешила, называла меня mon petit*, матушку — милочкой, сокрушалась, что никак не удается поболтать по душам, говорила с нами лишь на ходу и смотрела при этом в зеркало. Даже в голосе ее звучало плохо скрываемое пренебрежение к симбирской воде на киселе.

После всех переживаний матушка так была расстроена и находилась в таком нервном возбуждении, что ответила на предложение устроить меня в полк совсем не свойственной ей грубостью:

— Что-то вы вашего сына не устроили туда, милочка.

Дама удивленно отвела глаза от зеркала, смерила матушку взглядом и, пожав плечами, молча отправилась по своим визитам.

Дворянский полк в то время был заведением совершенно особого типа, и неудивительно, что подобное предложение звучало для моей матушки оскорбительно. Я же столько наслышался о нем еще в Симбирске, что ни за что не согласился бы учиться там. Полк пользовался недоброй известностью. Из столичных корпусов сюда переводили кадетов дурной нравственности за всякие провинности. Недоросли из неслыханных уголков России нехитрыми приемами переделывались здесь в армейских прапорщиков и получали по окончании назначения в такие же медвежьи места. Нужно было слишком уповать на связи, которых у нас не было, или на случай, чтобы мечтать после Дворянского полка о какой-нибудь карьере, не говоря уже о гвардии.

_____

* Моя крошка *(фр.).*

В конце концов ничего не оставалось, как смириться. И в один прекрасный день — день действительно был хорош, ранний октябрьский денек, полный солнца и ветра с залива, — я оказался в мундире мушкетерной роты Дворянского полка с гладкими желтыми погонами, и колючий воротник сразу натер мне шею.

Помню, как матушка, проводив меня до самых ворот полка, все не давала мне уйти, поправляла зачем-то волосы, которые через полчаса состриг покрытый шерстью цирюльник, бормотала что-то и целовала, несмотря на то, что нас дожидался вышедший за мной дежурный офицер. Он наблюдал эту сцену с таким презрением, что я, сгорая от стыда и не зная, как отделаться от матушки, позорившей меня, оттолкнул ее и быстро пошел к воротам. В последнее мгновение я обернулся и увидел, как она стояла на ветру, прижав руками чепчик, будто схватилась за голову.

Началась новая жизнь, полная крика и муштры.

В три четверти шестого колокол, резкий, пронзительный, бил повестку. Я очумело вскакивал и бежал вместе со всеми в залитую умывальню, где была толчея и злая ругань спросонья. В шесть били зорю. Ротой молились, ротой маршировали в трапезную, потом угрюмо расходились по не топленным с утра классам сидеть при вонючих желтых свечах, трещавших в ожидании рассвета. Зимой от холода едва можно было держать перо в руке. Каждый день была истошная бесконечная маршировка. После фронтового учения занимались чисткой ружей, белением амуниции, лакировкой сапог.

Дурашливых гимназических учителей сменил поручик Субботин, командир роты, безмозглое крикливое существо с неизменным зеркальцем и щеточкой для усов.

— Хороший пехотный офицер, — любил говорить он, прохаживаясь вдоль строя своей подпрыгивающей походочкой, — должен сперва стать хорошим солдатом. Первое вам, господа, не гарантирую, а вот хорошими солдатами вы у меня станете!

Свое обещание он претворял в жизнь с помощью карцера, куда отправлялись на хлеб и воду за малейшую замеченную неисправность. Впрочем, Субботин блестяще дрался на эспадронах, лучше всех в полку, и за это ему прощалось воспитанниками все.

Первым батальоном командовал в ту пору полковник Брайко, раздувшийся малороссиянин, невероятный заика. Команды он произносил вдохновенно, зычно, четко, но когда нужно было сказать что-нибудь не по уставу, а от себя, Брайко начинал страшно заикаться, подолгу запинался на каждом слове, не мог произнести до конца ни одной фразы. Он стыдился ужасно своего недостатка и предпочитал молчать. За все два года я не услышал из его уст, кажется, ни одного человеческого слова, зато на плацу полковник чувствовал себя как птица в полете и часами с упоением сам командовал нашими экзерсисами.

В полк я пришел уже не тем начитанным мальчиком, думавшим завоевать мир книжной мудростью. Книги я перестал читать вовсе и что есть сил старался стать таким же, как мои новые товарищи, на которых мундир уже не сидел мешком. Выправке, маршировке, ружейным приемам я учился рети-

46

во, истово. Мучительное, необъяснимое наслаждение я находил в том, чтобы разбирать ружье, чистить его тертым кирпичом, драить полировником штык, шомпол, винтики. Мне нравилось варить пахучий клей, белить амуницию, а когда клей и мел подсохнут, начисто, чтобы не было ни пятнышка, ее отделывать. Я марширoval до упаду, затягивая чешую под кивером до удушья, вскакивал утром первым за минуту до зубодробящего колокола, в парадной зале под портретами кричал «ура» громче всех.

Как я ненавидел себя, пухлого, задумчивого! Как я хотел стать таким же, как они все, — тупым, грубым, жестоким, веселым!

Увы, все было напрасно. И далее чин умника, потерявшийся было где-то на волжских почтовых перегонах, снова настиг меня на берегах Невы.

В десять вечера дежурный офицер обходил рундом дортуары, проверял, все ли легли спать, погашены ли свечи, и отправлялся на квартиру. Ночью воспитанники были предоставлены сами себе, и тут начиналась уже настоящая корпусная жизнь со своими законами и понятиями о приличии и чести.

На второй день моей ротной жизни ко мне подошли двое огромных, косая сажень в плечах, воспитанников из старшей, гренадерской роты и сдернули с меня одеяло. Они были завернуты в простыни, на головах были подушки, надетые как треуголки. Один с важным видом сказал, что их послал зубной врач осмотреть новенькому зубы. Нас обступили в ожидании потехи. Я хотел вырваться, но первый скрутил мне руки за спиной, а второй, нажав пальцами на щеки, открыл мне рот и стал ломать передний зуб ключом. Я закричал, тогда как по законам чести должен был терпеть положенное испытание молча. Зуб стал крошиться, рот был полон крови. На крик прибежал фельдфебель, и у меня еще, слава Богу, хватило ума сказать, что я оступился и разбил зуб о спинку кровати.

Истинными правителями заведения были так называемые старые кадеты, очерствелые животные, из которых и розги не могли выдавить ни стона, ни слезинки. Таким старым кадетом был Панов, сломавший мне в памятную ночь зуб. Он ходил раскачиваясь, размахивая руками, сжатыми в кулаки, так что встречные должны были давать ему дорогу, ибо он громко предупреждал каждого: «Расшибу!» Ноги он старался сгибать колесом, для этого при ходьбе упирался на мизинцы. Говорил басом, с начальником и учителями был груб, даже дерзок, учился плохо, или, лучше сказать, вовсе не учился, торчал в одном классе три года. Он нюхал табак и по приходе из отпуска, особенно по воскресеньям, часто бывал пьян. В классе он неизменно сидел на задней скамейке, но зато в строю, на ученьях, на смотрах он всегда являлся молодцом, ни у кого не было лучше начищенных сапог и выбеленной с глянцем амуниции, а приемы делались им с таким темпом, что ружье трещало и один раз даже сломался приклад. Подобные ему девятивершковые верзилы выпускались даже не в армейские полки, а в какой-нибудь гарнизонный батальон.

По заведенному еще при царе Горохе неписаному закону, младшие воспитанники поступали в услужение старшим, должны были угождать им во всем, чистить сапоги, за что получали покровительство. Панов почему-то именно меня выбрал в свои protege. Все восстания младших жестоко подавлялись старшими, и в этом страшном унижении утешало лишь то, что не ты один терпишь, а все — и это делало из унижения обыкновенный порядок. Тем более что рано или поздно младшие сами становились старшими, и тогда уже они пользовались всеми привилегиями силы.

По воскресеньям и в праздники воспитанников разбирали по домам родственники или знакомые, у кого они были в Петербурге. За примерное поведение отпускали и так, в билете было написано: «Отпускается до вечерней зори», — и, не имея в городе ни одной близкой души, я все равно был рад, что можно вырваться из казармы, и целый день слонялся по широким, занесенным снегом улицам, глазея на гуляющий народ, на санки, что мчались по Неве во всех направлениях по дорожкам, отмеченным полицией рядами елок. Какое наслаждение было после бесконечной бессмысленной недели смотреть на огромные кубы зеленого льда, сверкавшего на солнце, жевать быстро стынущий на морозе калач вместо тошнотворного корпусного фризоля, слушать, как подковы, пробивая снег, звонко бьют по камням, как взвизгивают на мостовой полозья — все петербургские звуки, сладостные для провинциального уха.

Лето мы провели в лагерях под Стрельней.

Два месяца полк готовился к высочайшему смотру, но накануне торжественного события наша рота совершила набег на окрестные сады. Мы объелись кислых неспелых яблок, и я встретил долгожданный день на скользких досках, перекинутых над смердящей выгребной ямой.

Через несколько дней из дома пришло письмо, в котором сообщалось о смерти отца. Во время очередного припадка он сбросил со стола завтрак, поскользнулся на варенье и, падая, разбил голову об угол печки. Сутки почти пролежал он в беспамятстве и на следующий день скончался.

Я просился поехать хоть ненадолго домой, но шли маневры, и меня не отпустили.

Осенью мы были переведены из мушкетерной в выпускную гренадерскую роту.

Мы стали старшими и вовсю пользовались полученными привилегиями. В победоносных драках с младшим курсом я участия не принимал, но зато ходил по воскресеньям в портерную в Большой Гребецкой у самого корпуса. Не знаю, за что облюбовали это заведение воспитанники Дворянского полка, верно, за заплеванный, пахнувший пивом пол и залитые клеенки. Обыватели петербургской части много потерпели от «дворян» и частенько натравливали на портерную полицию, тогда нужно было спасаться оттуда через черный ход.

К радостям выпускной роты относились и посещения Марии Николаевны, полной дамы не первой молодости, рябой, как терка. Мария Николаевна поила чаем с вкусными домашними плюшками, которых можно было есть сколько хочешь, а потом вела в соседнюю комнатку, где стояла пышная, чудесно пахнувшая кровать. Плату она брала чисто символическую, любила гладить по голове и называла меня, а наверно, и каждого: «Жизненочек!»

В первый раз меня привел в маленький деревянный домик на Карповке Панов. Помню, что я вдруг страшно оробел и прирос к стулу, когда мой чичероне, сославшись на срочные дела, ободряюще ткнул меня под столом коленкой, поцеловал Марии Николаевне пухлую ручку и быстро ушел. Я потерял дар речи и на все ее попытки оживить разговор, испустивший дух с уходом Панова, отвечал лишь растерянной улыбкой и все просил подлить еще чаю. Мария Николаевна смотрела на меня, подперев щеку кулаком. Потом, взглянув на часы, отняла у меня ото рта чашку, взяла за руку и повела в соседнюю комнату.

Я стал посещать этот дом регулярно и вскоре вовсе перестал стесняться Марию Николаевну. Более того, с товарищами обыкновенно молчаливый, я принимался тут рассказывать ей обо всем на свете: и о корпусных новостях, кого и за что оставили без обеда, и о горах, что строила полиция к Масленице, и о театре, где был всего два раза. Я жаловался ей на самовлюбленного дурака Субботина, на плац-мучителя Брайко, которому Бог отомстил за нас, наградив слабоумной дочкой. Когда не было занятий, полковник ходил с ней гулять по двору. Она была старше нас, но ходила всегда только за руку, глядя кругом с бессмысленной улыбкой, беспрестанно работала своей тяжелой челюстью и все норовила запихнуть в рот какой-нибудь камень. Лежа на жаркой перине и кушая плюшку, я даже обсуждал с Марией Николаевной, не с умыслом ли поставил коварный француз монумент основателю империи на санкюлотский колпак.

Мария Николаевна слушала меня всегда с интересом, играя крестиком на моей груди или расчесывая мне волосы своим овальным гребнем, часто расспрашивала меня про дом, про матушку, про отца, и я все-все ей рассказывал, так мне было с ней легко и хорошо.

Однажды Мария Николаевна сказала ни с того ни с сего:

— Тебе, Сашенька, тяжело будет жить.

— Да отчего же? — удивился я.

— А ты не грубый. Все они какие-то грубые, а ты ласковый.

Я только пожал плечами. А потом в комнатке, когда я представлял себе на той же самой воздушной жаркой перине Панова и старался вовсю быть грубым, Мария Николаевна вдруг, испугав меня, засмеялась и зашептала:

— Ну что ты, что ты, жизненочек мой, не нужно!

На Преподобную Марию, как раз начинался Великий пост, я подарил ей перстенек довольно изящной работы, на который потратил почти что все присланные из дома деньги. Я просто хотел сделать ей приятное, а она заплакала, и я успокаивал ее, и весь тот вечер мы просто проговорили, забыв о соседней комнатке.

У Марии Николаевны было так тепло и покойно, особенно в морозы, и с каждым разом все мучительнее было возвращаться студеными бесконечными улицами в полк пешком — воспитанники не имели права взять извозчика.

Как-то, уже весной, я застал у Марии Николаевны молодого человека примерно моих лет, щуплого, с впалой чахоточной грудью. Мария Николаевна представила нас друг другу. Это оказался ее сын. На столе стоял самовар, Мария Николаевна разливала чай. Юноша сидел, опустив глаза в чашку, мне тоже кусок не лез в горло, хотя видно было, Марии Николаевне очень хотелось, чтобы мы подружились. Извинившись, что неважно себя чувствую, я ушел.

Больше к Марии Николаевне я не ходил. Хотя собирался не один раз, называл себя дураком и не понимал, что такое не пускает меня в теплый уютный дом на Карповке.

Как это бывает обыкновенно, жизнь однообразная, когда дни похожи один на другой, будто солдаты на смотре, кажется мучительной и нескончаемой, а пролетает в один миг. Так и два года, проведенные мною в Дворянском полку, тянулись по-черепашьи, а промелькнули, будто ничего и не было, один кошмарный сон.

Помню, как кто-то закричал: «Вышли!» — и все бросились вниз по лестнице, будто боясь, что на последнего не будет распространена высочайшая милость. Выбежав во двор, мы окружили читавшего приказ, и каждому хотелось потрогать своими пальцами заветную бумажку.

С чем можно сравнить чувства, переполнившие свежеиспеченного офицера, надевающего в первый раз мундир прапорщика, эту toga virilis*? Как не простить задорного мальчишества — пройти весь Невский несколько раз из конца в конец без шинели, хоть и морозит еще северный апрель! Нужно было показать на свет Божий свои эполеты, и я в одном сюртуке, конечно, с фуфайкой под ним отправился на целый день бродить по городу, с замиранием сердца подходя к каждому часовому, а ну как не отдаст честь, но часовые вытягивались в струнку, встречные солдаты снимали фуражки, и, чтобы испить чашу открывшихся наслаждений до дна, я два целковых прокатал на извозчике.

---

* Одеяние мужа *(лат.)*.

Я был выпущен прапорщиком в Муромский пехотный полк.

Перед тем как отправиться к месту службы, я получил отпуск и в четыре дня прискакал в Симбирск.

Городок встретил меня майскими цветущими садами. Какими домашними, родными показались мне после Петербурга и Туть, и Куликовка, и Подгорье, не говорю уже о Венце. А когда въехал на Большую Саратовскую, будто вовсе и не было этих двух лет.

Я не вбежал, а влетел на крыльцо. Объятиям, поцелуям, слезам, смеху не было конца. Весь дом переполошился. Суетливо накрывали ужин, послали топить баню. Не знаю, что может сравниться с приездом в родной дом после долгой отлучки.

Матушку я нашел сильно постаревшей и в болезни. Смерть отца она перенесла очень тяжело и винила в ней себя.

В первую минуту мне показалось, что в доме ничего не изменилось, будто я уехал отсюда только вчера. На том же месте висела любимая в детстве картинка с рыцарем, из чрева которого пророс дуб. Все тот же самовар туманил стекла. Все тот же несошедшийся пасьянс был брошен на маленьком столике. Но скоро в гостиную робко вошла худенькая девочка в черном платьице, обшитом белым батистом. Тетка моя взяла на воспитание сиротку. Родители ее, симбирские мещане, погибли при ужасных обстоятельствах. По детской шалости в доме начался пожар. Они бросились выносить вещи. Отец замешкался, задохнулся в дыму, и его накрыла обвалившаяся крыша. Мать же, оттого что схватилась за неподъемный сундук, изошла кровью и умерла в нашей симбирской больнице.

Звали девочку Ниной. Это был угловатый ребенок с длинной шеей и большими испуганными глазами. Она смотрела исподлобья, волчонком, все время жалась к тетке, и за весь вечер от нее не добились ни слова. Я хотел приласкать ее и протянул руку, чтобы погладить по голове, но Нина отшатнулась от меня, как от прокаженного. Несчастная эта девочка была некрасива, и в довершение ко всему в углу рта у нее росла родинка, которую хотелось смахнуть, как приставшую крошку.

На Троицу мы переехали в деревню.

В кабинете отца было непривычно чисто и прибрано. Меня поразило только, что еще не выветрился его запах.

Отца похоронили на пригорке, недалеко от нашего березняка. Этот пригорок он приметил давно и даже сам еще набросал скицы часовни, которую клали мужики, когда мы пришли на могилу.

Матушка рассказала, что перед самой смертью, придя в себя, отец все грозил кому-то. Она переживала, что он так и умер огорченным.

В гроб отца положили, как жил, небритым, в халате — он так велел.

Очень скоро Нина перестала меня дичиться, привязалась ко мне и повсюду бегала за мной как собачонка. Мы ходили с ней в лес, удили рыбу. Я учил ее ездить верхом. Даже когда я устраивался в беседке с книгой и просил ее не мешать, она садилась тихонько в углу, забравшись с ногами на скамейку и уткнувшись подбородком в колени. Я прогонял ее, но она, обиженно надув губы, уходила не сразу.

Приохотить Нину к чтению мне никак не удавалось, зато она могла часами сидеть с теткой над блюдечками с мелкими камушками, которые находили в утиных желудках. Обе обожали сортировать их по величине и цвету и каждый сорт высыпали в особый, аккуратно подписываемый мешочек.

Каждый день, проведенный дома, становился все томительней. Уже началась долгожданная настоящая жизнь, и хотелось делать дело, а не удить рыбу и спать до полудня.

Вместо месяца я не пробыл дома и двух недель.

Тот магический кристалл, в который я пристально вглядываюсь и вижу самого себя — себя ли? — юного прапорщика, то ли загоревшего по дороге, то ли черного от пыли, срывающего, перегнувшись через борт коляски, одуванчики с обочины, — и тот волшебный камень отшлифован с подвохом. Я вижу себя как бы двойным взглядом. Много ли в нас: в том мальчике, который спешил в полк и медлил одновременно, то торопя возницу, то, наоборот, радуясь, что слетело колесо с оси, и во мне, теперешнем, общего?

Я смешон самому себе. Не был ли я, то бишь тот молодой человек, мечтателен, самонадеян, глуп? Как гордился он жалкой экипировкой, полученной при выпуске, как косил глаза на кованые медные эполеты, на нитяные вытишкеты, как тщательно чистил на каждой станции сапоги, что годились только во время непогоды для ротных учений. Жалованье в 450 рублей ассигнациями, положенное в то время пехотному прапорщику, казалось ему чуть ли не сказочным богатством.

Тот юноша не знал, что ждет его впереди, но не сомневался ни на минуту, что в полку встретит его настоящее мужское братство. Он хотел служить, и не за жалованье, не за чины, а за совесть, приносить пользу отечеству. Он знал, что его будут любить женщины, причем прекраснейшие из них. Он верил в свою судьбу. В каждой встрече, в каждом слове он видел некое высшее предназначение. Даже губастая девка на какой-то станции под Ардатовом, которая чистила у конюшни толченым кирпичом самовар и улыбнулась проезжему офицеру, вытирая потный лоб красной от кирпичной пыли ладонью, показалась ему какой-то необыкновенной, если и сейчас, через столько лет, я вижу тот двор, заросший лопухами, тучи зеленых мух над выгребной ямой, переливающихся на закатном солнце, себя, выпрыгнувшего из брички размять ноги, пока меняют лошадей. Я обмахиваюсь огромным листом лопуха от вечерней зудливой мошкары. Всякий раз, когда прохожу мимо, сапоги мои отражаются в начищенном самоваре. Девка, измазанная кирпичной пылью, хихикает. Я хочу что-то сказать, что-нибудь легкое, острое, неотразимое, но не знаю что и лишь молча прохаживаюсь туда-сюда, вдыхая запахи то конского пота, то жареной рыбы. Из окон кухни доносился со сковородок треск и шипение масла. Лошади были уже готовы, а я так и не нашелся, что же сказать, и все чего-то медлил. В вечернем воздухе разливалась прохлада, а от брички, нагревшейся за день на солнце, исходил жар. Наконец я плюхнулся на раскаленную кожаную подушку, и ямщик тронул. Я зачем-то оглянулся. Девушка засмеялась, помахала мне своей красной ладошкой и крикнула что-то вслед. Я не расслышал и так и не знаю, что она мне тогда крикнула.

Впрочем, какое все это имеет значение?

Первый же день в полку охладил мой пыл.

Седьмая дивизия была на маневрах в Витебской губернии и располагалась в летних лагерях у Яновичей, страшной дыры, где спилось не одно поколение пехотных субалтерн-офицеров.

Встреча нового прапорщика вышла мало похожей на ту, которую я себе представлял.

Целую неделю шли дожди, земля, и так болотистая, превратилась в непроходимую топь. В палатках все отсырело. Моросило без конца, так что по нескольку дней не удавалось просушить платье. Люди ходили замерзшие, злые, усталые. К тому же в день моего приезда произошло несчастье. По нерадивости молодого солдата разорвало пушку, трех человек убило наповал, нескольких изувечило. В тот вечер мои новые товарищи собрались в одну палатку и, чтобы согреться, угрюмо пили водку, хоть это и было на полевых ученьях запрещено. Все сидели в одном исподнем, промокшая одежда сушилась. В палатке было тесно, сыро, пахло несвежим бельем. Зыбкий свет походной лампы освещал хмурые лица, а рубашки в полумраке отдавали зеленью, будто за эти дождливые дни здесь все поросло плесенью. Разговор был унылым, часто прерывался, и было слышно, как по палатке сыплет с деревьев. Впервые тогда я познакомился с полковыми присказками, заменявшими тосты, вроде: «Едет чижик в лодочке в генеральском чине, не выпить ли водочки по этой причине» или «Один шнапс не шнапс, два шнапса не шнапс, и только три шнапса составляют полшнапса».

Первая же рюмка ударила мне в голову. Я чувствовал, как взгляд мой становится скользким, а в ушах нарастает эхо. Я знал, что по непривычке к водке первый же мой день в полку может окончиться как-нибудь необыкновенно, но отставать от других казалось мне оскорбительным, и я вливал в себя водку из последних сил. При этом я чувствовал на себе неприятные насмешливые взгляды скуластого, атлетического телосложения поручика Богомолова. Сам он опрокидывал рюмку за рюмкой и становился все угрюмей. Всякий раз он чокался со мной и криво улыбался, ожидая, что я откажусь от следующей рюмки, но это только подзадоривало меня.

Рядом со мной на походной койке сидел полный, рыхлый человек, свесив толстые босые ноги в грубых, чуть ли не солдатских подштанниках, капитан Бутышев. Он сидел молча, в общий разговор не вмешивался, то и дело шмыгал широким, тавлинкой, носом и держал свой стаканчик в большом пухлом кулаке. Он вдруг наклонился и прошептал мне на ухо:

— Вам, молодой человек, достаточно, не пейте больше!

Я испугался, что все это слышат, отодвинулся от него подальше и нарочито бодро протянул свою рюмку, куда мне тут же налили водки. Бутышев снова подвинулся ко мне и зашептал:

— Да опомнитесь вы! Зачем вам это? Они дурачатся, сговорились вас напоить, а вы, вы как мальчишка, честное слово!

В холодной отсыревшей палатке уже стало душно и даже жарко, стоял пар. То, что сказал Бутышев, было дико и невозможно. Я просто не мог в это поверить. Хмель уже распоряжался мной, как рука паяца балаганным петрушкой. Намолчавшись за день, я вдруг разговорился. Я видел на себе презрительные, насмешливые, недобрые взгляды, но остановиться было уже не в моих силах. Я вскочил, чтобы произнести тост. Рюмка опрокинулась, и водка пролилась мне на колени.

— Господа! Вот он сказал мне что-то несуразное, — язык мой заплетался, я еле стоял на ногах, — будто бы вы сговорились напоить меня! Господа, ведь это же неправда? Скажите, ведь это неправда?

Я не помню, какую я нес потом околесицу. Кто-то из офицеров в сапогах на босу ногу, в шинели, наброшенной прямо на исподнее, хотел отвести меня в мою палатку, но я вырвался и стал кричать, что я никому не позволю себя оскорблять.

— Вот вы, — кричал я Богомолову, — вы хотите обидеть меня! А за что? Что я вам такого сделал?

Снова меня схватили за руку. Я стал драться, заехал кому-то по носу кулаком. Меня скрутили. Я визжал, кусался. Меня чуть не придушили подушкой.

Пробуждение мое было ужасным. Я очнулся на своей походной койке весь в собственной рвоте.

Что за счастье быть юношей! Я думал, что ничего кошмарнее этой минуты у меня в жизни уже не будет.

Я не знал, как смотреть в глаза моим новым товарищам, но они вели себя так, будто ничего особенного не произошло.

Квартировал я в маленьком флигельке у четы Бутышевых. Отец этого недалекого, но доброго человека выслужился из даточных и был капельмейстером. Видно, с детства у Бутышева осталась любовь к полковым оркестрам, и он, когда бывал пьян, начинал уверять всех, что наши полковые оркестры лучшие во всей Европе.

— Ну что, что они там могут? — горячился капитан и шмыгал своим рыхлым, как хлебный мякиш, носом. — У нас отбирают мальчиков лучших из лучших. Из тысячи, может, из десяти тысяч одного. Но этот один — талант! В шинельке, да Моцарт! А у немцев в музыканты нанимаются всякие проходимцы. Сами посудите, ведь что у них таланту делать в полковой музыке? Под Прейсиш-Эйлау мы целый день слушали австрияков. И что, разве это музыка? Тьфу, а не музыка! То ли дело наши! А почему? Да потому, что не за деньги играют, а за отечество! А у них? У них там даже чины не выслуживать, а покупать надо! Подумать только, я отечеству моему служу, а они со своим торгуются! Вот что хочешь со мной делай, а не понимаю!

Сам Бутышев играл на флейточке, которую бережно хранил в дорогом футляре. Сперва меня это даже развлекало. Но каждый вечер из-за стены доносились одни и те же три-четыре мелодии, и с каждым днем от этих концертов становилось все тошнее.

Жил Бутышев вдвоем с супругой, оба сына его служили где-то в кавалерии, дочь была замужем, тоже за военным. Капитанша была незаметной, бессловесной на людях женщиной, набожной и совершенно необразованной. Кажется, она не умела даже толком ни читать, ни писать. Однако это безобидное с виду существо было сущим домашним тираном, к тому же, как я скоро догадался, она сильно злоупотребляла водкой. Помню, как, в первый раз услышав за стеной крики, грохот падающих стульев, звон гибнущей посуды, я бросился к ним и стал барабанить в дверь. Шум прекратился, но открывать мне не стали. Я испугался, сам не знаю чего, и принялся со всей силы бить в дверь сапогом. На пороге вдруг появился Бутышев, растрепанный, пьяный, с расцарапанным лицом.

— Александр Львович, прошу вас, не обращайте внимания. Жене моей нездоровится. Вы идите себе с Богом, идите.

Я обругал сам себя, что лезу куда не просят, и пошел на свою половину.

Вскоре по прибытии в полк я был откомандирован для набора рекрутов в Нижегородскую губернию, в Кулебаки. Партионным командиром был назначен поручик Богомолов, тот самый, который так подло опоил меня в достопамятный вечер. Я думал, что после такого мы будем с ним вечными врагами, но он отнесся ко мне впоследствии весьма снисходительно и даже дружелюбно. Этот широкоплечий кудрявый красавец обладал недюжинной силой. Воткнув палец в дуло солдатского ружья, он мог поднять его и держать горизонтально. Солдаты его справедливо считались лучшими в полку во всем, что касалось выправки, маршировки и прочих плац-премудростей. Педагогических хитростей тут никаких не было. Не довольствуясь розгами и фельдфебельскими зуботычинами, Богомолов сам вколачивал своими кулачищами в солдат необходимые знания. Особенно сильно страдали несчастные мордовцы и прочие инородцы, которые по совершенному незнанию русского языка весьма туго поддавались обучению.

В полку много рассказывали о его отваге. В той командировке мне как раз представился случай убедиться в справедливости этих суждений. Надо сказать, что вообще сборы рекрутов — занятие не

из приятных. Только у конченого мерзавца и негодяя не дрогнет сердце при виде того, как матери,
отцы, возлюбленные прощаются с этими молоды-
ми людьми, обреченными, иначе не скажешь, на
службу отечеству. Наша команда находила этих несчастных юношей запертыми в амбарах, уже под
стражей. Местное начальство боялось, что рекруты
сделают что-нибудь над собой до передачи их
в полк. Тем не менее случаи членовредительства
случались. В избе у одного деревенского старосты
лежал в сенях на ворохе соломы изможденный, по-
синевший юноша, почти мальчик. Он хотел отру-
бить себе палец, но бил левой рукой, неловко, и перебил себе кисть. При нас его отправили на телеге
под конвоем в Кулебаки, где должен был состояться
суд. В основном же в солдаты шли безропотно, кто
в молчании, кто с озорной песней, но все напива-
лись так, что рекрутов приходилось выносить
и складывать на телеги мертвецки пьяных. На сбор-
ном пункте несчастных ждали протрезвление
и простая и страшная процедура превращения человека в солдата. Пьяный лекарь вызывает к себе по
одному из толпы голых, белых, с красными ногами
и руками людей, которые испуганно жмутся друг
к другу, смотрит каждому в рот, в промежность, ста-
вит в меру, кричит:

— Два аршина, четыре вершка и пять осьмых!

Потом раздается короткий приказ:

— Лоб! — и обреченного ведут брить к огромно-
му детине, который без конца харкает на пол и ходит босыми ногами по горе волос.

Уже в последний день один из рекрутов сошел
с ума, выхватил у солдата-ротозея тесак и стал бегать в беспамятстве по улице. Собственного брата,

который хотел его успокоить, он пырнул с размаха в живот. Спятившего рекрута хотели пристрелить, но Богомолов хладнокровно подошел к нему, увернулся от тесака и кулаком свалил парня с ног. Когда я подбежал, рекрута уже связали, а Богомолов смахивал пыль с панталон.

— Зачем вы это сделали? — спросил я. — Ведь он мог зарезать вас!

Богомолов рассмеялся.

— Коли бы спросил себя — зачем, так и не сделал бы.

Этот человек становился мне все интересней, и на обратном пути, поджидая как-то партию в придорожном трактире, мы разговорились.

— Богомолов, вас считают лучшим офицером в полку. Но вы же бьете солдат. Это свинство. Это же унижает человеческое достоинство, ваше, мое.

Он посмотрел на меня удивленно.

— Вы благородный, неглупый человек, — продолжал я. — Вам должно быть совестно бить людей.

— Милый Ларионов, — услышал я в ответ, — вы правы. Более того, я разделяю ваши убеждения, что путем внушения, а не наказания приличнее всего вести солдата к осознанию своего долга. Но нужно еще, чтобы и солдаты разделяли ваши убеждения. А у нас ведь в России как — не вы побьете вашего слугу, так он побьет вас.

— Неужели человеческое достоинство зависит от местонахождения на ландкарте?

Он снова засмеялся.

— А вы докажите обратное. Вам, Ларионов, дают солдат, так начните с ними говорить на «вы», откажитесь от битья, организуйте школу, и посмотрим, что из этого получится.

Я вспылил и стал доказывать, что именно так все и должно быть в армии и что я берусь показать на собственном примере, что уважение к человеческой личности даст результаты, которые и не снились розгам.

— Вот и чудно, — сказал Богомолов. — Держу пари, что не пройдет и трех месяцев, как вы прикажете всыпать кому-нибудь палок, пусть и на «вы».

В полк я вернулся одержимым. Мне дали солдат, и я принялся за дело со всей горячностью молодости.

Первым делом я отменил телесные наказания и стал говорить «вы» каждому рядовому. Солдаты, все хмурые, бессловесные, доведенные по уставу предыдущими командирами до состояния скотской тупости, смотрели на меня исподлобья, с недоверием, ожидали какого-то подвоха.

Я с жаром принялся за их образование. Начались уроки чтения и письма. Я взялся также читать им лекции по римской истории из Роллена, пересказывая перевод Тредиаковского. Все мои нововведения солдаты воспринимали молча, с привычной покорностью, как и все, что им приказывали делать. С историей еще куда ни шло — рассказы про Сципиона, Гракхов, Брута они слушали как сказки про Бову Королевича. Труднее было с письмом и арифметикой. Мои занятия они воспринимали лишь как дополнительное мучение после нескольких часов муштры и выводили закорючки без всякого прилежания.

Вечерами я присаживался к их костру, проводил долгие беседы о пользе образования, рассказывал им о свободолюбивых героях древности, о чудесах западной цивилизации, достигнутых за счет уважения к личности, о том, как устроена североамериканская республика, и о многом, многом другом, что, как мне казалось, должно было возбудить в этих забитых людях хоть какие-то проблески чувства собственного достоинства. Солдаты слушали меня молча и только трясли над огнем свои рубахи, из которых сыпались в пламя с легким потрескиванием вши.

Пожалуй, я нашел лишь одного благодарного ученика. Им был Устинкин, из новых рекрутов, беззлобный щуплый малый, которого в детстве ошпарили, и у него одна щека и шея были в морщинистых пятнах и бледных, бескровных разводах. Бестолковый во фрунте, задумчивый от природы, растеряха, он больше всех подвергался гонениям на плацу. Да и солдаты, бессильные перед командирами, вымещали свою злобу на этом безропотном существе. Все кому не лень угощали Устинкина затрещинами, пинками. Он единственный проявлял живой интерес к моим занятиям, был сметливым, схватывал все на лету, слушал, приоткрыв свой перекошенный ошпаренный рот, а когда выводил буквы, от усердия наклонял голову так низко к бумаге, что казалось, будто он пишет носом, а не пером.

Устинкин был неразлучен с приблудной собачонкой, такой же хилой и чахлой, как он сам. Собачонку, всеобщую любимицу, солдаты звали кто Шрапнелью, кто Баранкой — за свернутый хвост. Все ее подкармливали и тискали как ребенка, но бегала она почему-то только за Устинкиным. Она сопровождала нас на все ученья, и даже когда просто кололи штыками куль с сеном, всякий раз вместе со взводом бросалась с лаем на врага. Меня поражало, как эти люди могут делиться с собачонкой последним сухарем и при этом жестоко издеваться над своим же товарищем по несчастью.

Богомолов как-то после утреннего развода подошел ко мне, дружески потрепал по плечу и сказал:

— Ваши старания похвальны. Но послушайте, Ларионов, неужели вы думаете, что способны что-нибудь изменить? Поверьте мне, это — стена, о которую хорошо разбиваются лбы. Неужели вам не жалко ваших сил, ваших трудов, вашего времени, в конце концов?

Я молчал в ожидании, когда кончится этот беспредметный разговор.

— На носу дивизионный смотр, и я советую вам не заниматься пустяками, а лучше хорошенько помуштровать ваших солдат!

Даже Бутышев счел своим долгом явиться ко мне и заявить:

— Александр Львович, что вы делаете? Зачем все это? Так нельзя!

— Да почему же? — закричал я, не сдержавшись. — Почему же нельзя?!

— Никак нельзя! — снова повторил капитан свой единственный аргумент.

Все это только подстегивало меня в моих начинаниях. Однако то, что поначалу казалось делом хоть и трудным, но благодарным, на поверку оказывалось почти неисполнимым.

После моих нововведений, направленных на очеловечивание их скотской жизни, я ожидал от моих солдат если не воодушевления, то по крайней мере признательности. Увы, все, что так гладко складывалось в моем воображении, выходило на деле боком. Я делал все, чтобы солдаты поняли и полюбили меня, но они ко всему относились подозрительно, чурались меня, на мои попытки поговорить по душам отвечали уклончиво. Они принимали своего нового офицера за какого-то дурачка и за глаза смеялись надо мной. Видя, что бояться им нечего, они перестали на наших занятиях что-либо делать, теряли тетрадки, карандаши, а потом и вовсе, несмотря на мои уговоры, перестали посещать мою школу. В конце концов у меня остался один только ученик, Устинкин, которого стали травить еще сильней за то, что он ходил ко мне за книжками. Солдаты мои, обнаружив, что никто их не наказывает, распустились, ничего не хотели делать даже по службе. Я уже не говорю про воровство, на которое чуть ли не каждый день жаловались местные жители. Все мои разговоры о безнравственности подобных поступков имели на них не большее воздействие, чем дуновение ветерка. Обкрадывание солдатского содержания во всех инстанциях, начиная с дивизионных складов и кончая походной кухней, было таким обычным явлением, что ему никто не удивлялся. Отсюда неизбежно вытекало донельзя легкое отношение солдата к чужой собственности. Невозможно было его убедить в гнусности воровства, если этим воровством он поддерживал свое существование.

Разумеется, мы безобразно выступили в дивизионном смотре.

Я был вызван к командиру полка, генерал-майору Рузаеву.

Это была весьма примечательная личность. Наш полковой командир считал себя учеником Суворова и, подобно знаменитому фельдмаршалу, спал на простом сеннике, укрывался шинелью, каждое утро обливался холодной водой, зимой купался в проруби и мог в свои шестьдесят лет сделать, не переводя дыхания, триста приседаний. За наполеоновские кампании Рузаев был награжден Св. Владимиром с бантом, прусским орденом "Pour la mérite"* и Анненскою шпагою. Сам он иногда горько шутил, что награды нужно раздавать не за военные подвиги, а за поддержание в войсках боевого духа в будни. В этих словах, увы, было много истины.

Когда я вошел к нему, Рузаев набросился на меня и орал с четверть часа. Наконец он остановился, чтобы перевести дыхание, и я сказал:

— Вы можете приказать мне что угодно, и я подчинюсь дисциплине. Но смею вас заверить, что я имею свои убеждения, и никакой приказ не в силе заставить меня изменить их.

Лицо Рузаева покрылось белыми и красными пятнами. Он уже принялся было писать что-то, и теперь перо хрустнуло в его кулаке.

— Молокосос! — прошипел он. — У меня из первой раны вытекло больше крови, чем ты в себе носишь! Ты проживи сначала жизнь, чтобы рассуждать об убеждениях!

— Среди офицеров принято говорить друг другу «вы», — перебил я Рузаева.

Он хотел еще кричать что-то, но с большим трудом сдержался и сквозь зубы приказал мне отправиться на гауптвахту под арест.

— У вас, господин прапорщик, будет пять суток подумать о многом!

---

* За заслуги *(фр.)*.

Камера моя, исписанная забавными надписями, выходила окошком в сад. Кусты жимолости так разрослись, что прижались к самой решетке и вполне заменяли шторы.

Я много спал, от скуки насвистывал, пел, листал книжки, присланные Богомоловым. Одним словом, в тюрьме мне было сладостно и покойно, ибо я был убежден, что жить надо в согласии с собственной совестью, а не с начальством.

Я гордо стерпел и арест, и все выговоры, но бить солдат отказывался. Увы, лишь до одного случая.

Как-то перед самой зорей меня разбудили и сказали, что Устинкин покончил с собой. В ту ночь он стоял на часах, и утром его нашли с тесаком в руке. Он перерезал себе горло. Накануне мои солдаты перепились и вновь издевались над ним. Устинкин лежал на спине, неловко вывернув голову ошпаренной стороной вверх, и Баранка лакала кровь прямо из раны. Собаку отгоняли, но она подбегала снова.

Тогда были наказаны только трое, но я был готов пропустить сквозь строй всех.

Прекрасно помню то мглистое, уже с заморозком утро, лужи, покрытые тонким льдом, барабан, особенно звонкий от морозного воздуха, пронзительную флейту. Помню злые, ненавидящие глаза осужденных. Помню, как они снимали рубахи, как их руки привязывали к прикладам, как падали на их спины первые удары, помню их звериные крики. Впервые при этой страшной экзекуции я испытывал чувство удовлетворения.

В то время создавались печально знаменитые военные поселения, которые, по замыслу Александра, должны были преобразовать Россию.

В разряд поселенных войск переводился и наш Муромский полк, входивший в состав 7-й дивизии. Мы были в числе тех 50 батальонов, которые призваны были устроить в новгородских болотах островок порядка и изобилия, чтобы служить потом образцом для переустройства всей империи.

Понятно, что среди офицеров живо обсуждались готовившиеся перемены. Я оказался едва ли не единственным горячим защитником преобразований. Теперь я убеждал моих товарищей, что принудить Россию к цивилизации и порядку — единственный наш способ поспеть за Европой. Большинство же офицеров относилось к исполинской затее скептически. Их больше волновало не переустройство отечества, а огромное количество забот, связанных с переездом с насиженных мест, обустройством в глухих болотах, страшило оказаться под бдительным оком графа Аракчеева, отвечавшего перед царем за этот проект. Я доказывал им, что эта идея цивилизовать нашу дикую страну равняется по размаху лишь с замыслами Петра и может принадлежать только великой душе. Задуманные перемены должны были покончить со злоупотреблениями и безобразиями, губящими страну, прекратить раз и навсегда страдания наших низших сословий и приучить наш отсталый народ к правильному хозяйствованию, к труду, образованию, чистоте, в конце концов. Александр хотел пойти дальше своих великих, но бессильных перед этой страной предков. Петр, несмотря на гигантские, нечеловеческие усилия, лишь придал нашей дикости несколько благообразных черт. Прекраснодушная Александрова бабка, даровав части нации свободу, тем самым сделала остальных рабами и, увидев, что большего достичь пока невозможно, занялась войнами. Павел ограничил барщину тремя днями, стал основывать гимназии, университеты, но, будучи от природы нервным человеком, от всей русской бестолковщины быстро сошел с ума. И вот Александр поставил перед собой великую, благородную задачу вытянуть наше отечество наконец из тьмы и грязи и принялся за выполнение ее единственным доступным здесь способом. Для того чтобы проложить тут дороги, построить человеческие дома, начать хозяйствовать, а не истощать попусту и так тощую землю, одним словом, чтобы европеизировать Россию, надобно столько средств и сил, что решить эту задачу по силам лишь исполинской военной машине, ибо тогда все решается приказом, а не выполнить приказ никак нельзя. Этих людей, доказывал я, нужно учить добру хворостиной, как малого ребенка, и приводил в пример далеко не добровольное распространение у нас картофеля и вовсе уж насильное прививание оспы. Со мной соглашались, но от военных поселений с самого начала ждали чего-то недоброго.

Бутышев украдкой крестился и вздыхал:

— Когда ты оставишь в покое страну эту, Господи?..

Вместо бедственной рекрутской повинности, лежавшей тяжким бременем на всей стране, предполагалось на первом этапе сосредоточить способы составления войск лишь в некоторых округах, приближенных к границам, освободив другие области от рекрутства, кроме случаев войны. Население этих округов составлялось из коренных обитателей и из войск, вознаградив соразмерными выгодами первым обязанности, вновь на них налагаемые, и доставив вторым поземельную оседлость. Проектом предусматривалось наделить поселян достаточно землею, устроить их дома и пополнить все потребности за счет казны, освободить от уплаты всех казенных податей и земских повинностей. Старым, увечным и немощным доставлялся покой и призрение, для лечения больных вводились отсутствовавшие напрочь в крестьянской жизни больницы, для инвалидов — инвалидные дома. Солдат соединялся со своим семейством, не отрывался от места своей родины, был неразрывно связан с домашним бытом. Малолетним давались воспитание и образование, для кантонистов устраивались школы — таким образом, в наш темный народ вводилось образование. Добывание продовольствия для войск собственными их трудами сокращало издержки на их содержание. Уничтожалась бедность, и все уравнивались в материальном отношении, беднейшим полагалось от казны все, чего они не имели по вводившейся табели имуществ. А главное, улучшалось не только благосостояние, но нравственность — и приличным воспитанием, и семейной жизнью, и правильным трудом, и строгим запретом на пьянство. Оседлость в поселениях должны были получить только лучшие солдаты действующих войск, прослужившие на службе не менее шести лет, преимущественно женатые и до поступления на службу занимавшиеся земледелием. Они наделялись бесплатно землей, домами, орудиями, домашним скотом и упряжью, довольствовались жалованьем и обмундированием, получали в первые годы поселения провиант на себя, на жен и детей своих, на которых, сверх того, отпускалось особое пособие. От походов поселенные войска избавлялись.

Все приобретенное ими честным трудом от разведения скота и улучшения хлебопашества должно было составлять их неотъемлемую собственность. Коротко говоря, военные поселения должны были если не осчастливить Россию, то обеспечить ее жителям благосостояние и приучить их к человеческой жизни.

На кого ж теперь пенять, что добрые начинания на бумаге вышли злыми делами на старорусских болотах, что самые слова — военные поселения — сделались синонимами несчастья и рабства? На Аракчеева?

Что ж, отчего бы не попенять на покойного. Он ничего не ответит.

Наш батальон был поселен рядом с какой-то Михайловкой. Вопреки приказу, связи, в которых должен был разместиться батальон, еще не были готовы, и всю осень до самых морозов мы жили в палатках и курных крестьянских избушках.

Целую осень мои солдаты рубили лес, жгли, рыли коренья и успели расчистить для пахоты какие-то жалкие десятины. Вообще по почве вряд ли найдешь земли хуже Новгородской губернии, и мало понятно, почему именно на эту пустошь был брошен жребий. Офицеры недоумевали, каким образом там, где на топях и болотах крошечная деревня не могла накормить сама себя, сможет существовать тысяча человек, обязанная кормить еще два действующих батальона.

Зимой началось обучение мужиков военному строю и обращению с оружием. Требовать от несчастных крестьян исправной вытяжки носка и безукоризненного исполнения ружейных приемов в двенадцать темпов все в батальоне считали верхом бессмысленности и смотрели на эти учения сквозь пальцы. Служба в основном ограничивалась караулами, все остальное время новообращенные солдаты валялись на печи.

К нашему появлению в Михайловке мужики уже были все обриты и в мундирах. Видно, пример крестьян, уже ранее превращенных в солдат, убедил их, что жаловаться бесполезно, а палок на всех хватит — слухи об усмирении нескольких раскольничьих деревень ходили самые страшные. Рассказывали, как сюда приехал сам генерал Маевский, правая рука графа, и крикнул согнанным мужикам: «Ставлю бочку водки! Кто хочет пить, тот скорее одевайся!» В четверть часа сотни были обриты и одеты и с песнями шли домой солдатами. Одетыми еще в свои одежки бегали пока мальчишки, обращенные в кантонистов. Шитье мундиров для поселян не поспевало за приказами. Лишь поздней осенью, когда уже выпал снег, поселенный батальон получил шинели, а кантонисты свою форму. Помню, как эти дети с радостью примеряли себе мундирчики и торопились надеть их.

Учеба если и устраивалась, то лишь для вида. Чаще, если не было никого чужих, обучение препоручали унтер-офицерам, а сами собирались греться в какой-нибудь дом поблизости, выставив во все стороны соглядатаев. Не дураками в свою очередь были и унтер-офицеры, придумывавшие свои уловки. Одним словом, вся служба была сплошным обманом начальников согласно субординации и существовала лишь на бумаге в пухлых отчетах и рапортах.

Рузаев открыто при подчиненных ругал поселения, говорил, что Аракчеев затеял эту бессмыслицу, чтобы выслужиться.

— Невозможно быть одновременно офицером и агрономом! — сказал он однажды громко после общего угрюмого обеда, когда ему поднесли какой-то очередной пакет от начальства. — Я отвечаю перед Богом и царем за Отечество, а не за посевы.

Злые языки рассказывали, что Рузаев был со всесильным графом когда-то в одном корпусе, даже дружил с ним, но потом, посчитав его выскочкой и блюдолизом, презрительно порвал их дружескую связь. Теперь же он оказался у Аракчеева в подчинении. Говорили, что Рузаев подал графу рапорт об отставке, но тот разорвал его, обнял генерала и попросил служить, сказав, что ему нужно дело, а не амбиции. Как бы то ни было, Рузаев остался в полку, но теперь мстил своим откровенным far niente*. Если раньше каждый день он как заведенный носился с утра до ночи по расположению полка, заглядывая и на ученья, и в лазарет, и в солдатский котел, представляя собой живое и грозное напоминание о службе и долге, то теперь его почти не было видно. Всегда крепкий, источающий бодрость и здоровье, с румянцем на лице, Рузаев осунулся, ссутулился, обрюзг. Старик перестал обливаться холодной водой, хотя все знали, какую это доставляло ему раньше радость. Он ездил уже не верхом, а в коляске, глаза его выцвели и смотрели на все равнодушно. Казалось, генерал махнул на полк рукой, предоставив все дела канцелярии. У него под носом процветало воровство, которое все прекрасно видели, и раньше Рузаев не допустил бы этого, вывел бы воров на чистую воду, но теперь он или ничего не замечал, или делал вид, что ничего не замечает.

---

* Безделье *(ит.)*.

На содержание поселенных крестьян, особенно в первое время, отпускались огромные средства, но деньги эти по пути к своему назначению частенько прилипали к чьим-то рукам. В нашем полку многие поселяне-хозяева при водворении своем не получали для первоначального заведения положенных им лошадей, коров и многого другого из хозяйственных надобностей, тогда как деньги были потрачены и коровы числились по приказу уже за поселянами. Приходилось изобретать мор, внезапно поразивший скот, а то и списывать все на пожар, и таким образом корова обходилась казне в два, а то и в три раза дороже. Исчезал в большом количестве и казенный провиант. От приказа до рта долгий путь. Сперва этот провиант доставлялся в батальон, оттуда в роты, потом раздавался по капральствам и, переходя из рук в руки, редко доходил до крестьян. Да и уличить в воровстве было почти невозможно. Те, кого обворовывали, подчас не знали вовсе, в чем именно они обделены. Когда же требовался отчет в том, куда ушли средства, все бумаги были всегда в полном порядке. Иногда воровство принимало совсем узаконенные формы. Например, так было с деньгами, что зарабатывали солдаты на общественных работах. На руки их не выдавали, но говорили, что они тратятся на улучшенную пищу, так что работали солдаты за один хлеб насущный, что вроде бы считалось очень выгодно казне. Оставалось только желать, чтобы даровая работа была еще и самая лучшая.

Иногда только Рузаев взрывался и изливал кипевшую в нем желчь на того, кто подворачивался под руку. Так, в видах предупреждения пожаров приказано было иметь в каждой избе фонарь со свечой, и никто не смел выходить ночью во двор без фонаря. Крестьяне же, привыкшие к лучинке, видели в том прихоть начальства и делали все по-своему. От неосторожного обращения с лучиной в первой поселенной роте случился пожар, и сгорело несколько сенных сараев. Испуганную, зареванную бабу, виновницу случившегося, Рузаев самолично приказал сечь нещадно, хотя в чем было винить эту темную женщину?

Весной начались полевые работы.

Видя, что и скот, и зерно, и сельскохозяйственные орудия принадлежат скорее табели обязательного имущества, чем им самим, поселяне проявляли к работе охоты не более, чем к маршировке, к тому же первые три года казна обязывалась содержать поселенные войска. Картина же поселян, вышедших в поле, представляла собой удручающее зрелище. Всем своим видом они как бы говорили, если б могли выражаться на великом языке древних, — Nihil habeo, nihil curo*.

Я спал по нескольку часов в сутки. С раннего утра до позднего вечера я метался по расположению нашей роты, за всем следил, всюду, где это было возможно, наводил порядок, делал все, что было в моих силах. Меня бесило, что все разваливалось на глазах и из-за нерадивости поселян, и из-за наплевательства офицеров. Без личного участия, без крика, угроз дело не шло. От бесконечной ругани я осип, мне некогда было толком поесть, отдохнуть, переодеться. Другие же офицеры, собравшись где-нибудь в укромном месте, или играли в карты, или тихо пили. Их вполне устраивала обещанная

_____
* Ничего не имею — ни о чем не забочусь *(лат.)*.

Аракчеевым прибавка к жалованью, а что будет с солдатами и их семействами, этих господ волновало мало. Особенно возмущало меня поведение Богомолова.

Помню, как весной, когда шли самые горячие полевые работы, пришел нелепый приказ об учебе на фортификациях, и мы сидели с ним на пригорке под березами, глядя, как солдаты роют шанцы.

— Милый Ларионов, — говорил он. — Покончить с вашими военными поселениями возможно только одним способом. Чтобы что-то разрушить, его надобно сперва построить. А для того, чтобы ускорить это разрушение, надо всего лишь строго исполнять все приказы, и остальное прилепится.

Этой своей теории Богомолов упорно следовал на практике. В августе, когда стояла жара и самое время было убирать урожай, запоздал приказ об уборке. К нам в штабную связь пришел фельдфебель Панкратов, загоревший, морщинистый мужик.

— Ваше благородие! Убирать надо, чего ждем?

— Приказа нет.

— Да ведь как же, ваше благородие, рожь сыпется!

— Молчать! — было ответом. — Делай что приказывают!

Скоро пошли дожди. Убраться, конечно, не успели. Так и пропало много из того, что могли спасти.

С офицеров требовалось поддержание чистоты в связях и службах вверенных им поселян. Это требование, само по себе разумное и полезное, Богомолов сумел превратить в настоящие мучения для подчиненных. Содержание дома и себя в чистоте столь обременительно для русского человека, что одна непомерная строгость в силах эту чистоту поддерживать. Подбелить избу, подновить загородку, держать печку в таком виде, чтобы всегда была чистая, как снег, — все это для наших мужиков требования бессмысленные, если они привыкли жить в курных избах и ставить новую загородку, только если старая сгнила и сама развалилась. Зимой их заставляли расчищать во дворах снег.

— Зачем, ваше благородие? Утопчем!

В ответ снова:

— Молчать! Делай что приказано!

О мебелях, положенных в каждую связь по табели, о шкафах, рукомойниках и прочем они не имели никакого понятия, чурались новшеств и все норовили запихнуть коз да овец в горницу — привыкли жить в одной комнате со скотом.

Поселяне ненавидели Богомолова за его абсурдные придирки лютой ненавистью. Он, в свою очередь, наказывал их за самую малость, за не поставленный на место ухват, за увядшие на клумбе цветы.

— Что вы делаете?! — набрасывался я на него. — Вы с ума сошли!

Богомолов смеялся в ответ:

— Милый Ларионов, это вы сумасшедший. А я совершенно нормален. Только вот обстоятельствами вынужден делать работу, лишенную какого бы то ни было смысла. Посудите сами — по нашей улице должны расти цветы. Вы понимаете, это приказ. Приказ, чтобы на нашей улице, как в какой-нибудь рейнской деревушке, росли цветы! Но дело в том, милый Ларионов, что отчего-то бауэр сам сажает под своим окошком цветы, а нашего мужика легче выпороть, чем объяснить, зачем это надо. Да и заставишь посадить, а на следующий день они все равно завянут.

Богомолов часто стал отлучаться куда-то из батальона, сделался замкнут, молчалив. Наконец все прояснилось. Как-то он подошел ко мне и проговорил с деланой бодростью:

— Милый Ларионов, я хотел бы видеть вас на моей свадьбе шафером.

Событие это, само по себе ничем не удивительное, всякий ведь рано или поздно женится, вызвало, однако, в батальоне пересуды и кривотолки. Понятно, что Богомолов пользовался успехом у женщин. Рассказов про его приключения, причем весьма дерзкие, ходило множество. Сам Богомолов любил иногда намекнуть на свои победы, приведя какое-нибудь пикантное доказательство в виде ленточки или чего-нибудь такого. Имя жертвы при этом никогда им не упоминалось, хотя почти всегда нетрудно было догадаться, о ком шла речь, — не так уж богат был выбор. Этот человек мог без труда составить себе самую блестящую партию и удачной женитьбой вылезти из угнетавшей его, как и всех нас, пехотных офицеров, живших одним жалованьем, бесконечной нужды. В батальоне подсмеивались над ним, гадая, на скольких тысячах Богомолов женится, и предвкушая, как разгуляются на будущей свадьбе. Каково же было удивление и недоумение, когда выяснилось, что он женится на какой-то нищей гувернантке, далеко не красавице, да к тому же с прижитым неизвестно от кого ребенком.

Я с нетерпением ожидал увидеть эту женщину, предполагая наверняка найти в ней что-то выдающееся, иначе этот поступок Богомолова трудно было объяснить. Однако увидел ее я лишь на свадьбе, да и свадьбы-то как таковой не было. Полковой священник тихо обвенчал их, и гувернантка со своим мальчиком переехала к Богомолову. Это была тощая, бледная женщина с угловатыми, резкими движениями, вовсе не красивым лицом, с кругами под глазами, с острым носом, с крепко сжатыми губами. Глаза ее все время убегали. Вела она себя более чем скромно, будто стыдилась своего положения, на люди она почти не показывалась, с полковыми дамами дружбы не водила. Когда я иногда заходил в их тихую квартирку, она быстро уходила в другую комнату.

Общее мнение было, что Богомолов свалял дурака, женившись на этой непонятной персоне. Мне тоже казалось странным, что можно было так влюбиться в это изможденное существо, чтобы связать с ним всю свою жизнь.

Богомолов почти перестал появляться в обществе офицеров, уйдя в домашнюю жизнь. Злые языки, зная его общительный нрав и пристрастие к шумному озорному веселью, пророчили этому браку недолгий покой. Как бы то ни было, все свободное от службы время Богомолов проводил в занятиях и играх с мальчиком, который скоро привязался к нему, как к родному отцу, и называл тятей. Ребенку было пять лет. Жена быстро забеременела, как шутили в батальоне — «так быстро, что даже противно природе», и подурнела еще больше. Богомолов трогательно заботился о ней, все время укутывал, постоянно водил на прогулки.

По воскресеньям офицерское общество с семьями собиралось в батальонной церкви, неуклюже спроектированной во втором этаже штабного здания. Все втроем стояли они во время службы в самом углу, у окна. Мальчик у них рос бойкий, и Богомолов то и дело нагибался и делал ему шепотом замечание. Жена крестилась как-то скованно, суетливо, но глаза при этом были какие-то истовые, сумасшедшие. Вообще, лицо у нее добрело и делалось нежным, только когда она была со своим ребенком. Над этой четой все смеялись, но я, глядя, как они шли после службы к себе домой, спрятавшись от дождя под его плащ, отчего-то даже завидовал им.

В числе тех немногих офицеров, которые служили с рвением, был наш новый батальонный командир, майор Гущин, неприятный, малорослый тип с невозможно дурным запахом изо рта. Причины его ретивости не вызывали сомнений: Гущин выслужился из солдатских детей и изо всех сил лез наверх, не гнушаясь ничем. Эту публику, рвущуюся к чинам, деньгам и положению с самого низа, всегда отличали бульдожья хватка, острый нюх и отсутствие каких-либо норм порядочности. Военные поселения предоставляли для таких людей прекрасные возможности для скорой карьеры. В приказах Гущин всегда отмечался как один из лучших офицеров полка, но чего это стоило его подчиненным! Например, на содержание поселений в первые годы тратились такие огромные суммы, что стали поощряться те части, в которых поселяне производили столько припасов, чтобы хватало на самопропитание. Командиры этих частей получали прибавки к жалованью, если в роте каждый поселянин содержал двух и более солдат без помощи казны. Гущин первым поспешил отказаться от казенного провианта. То, что крестьяне и солдаты его вынуждены были жить впроголодь, волновало его мало. Зато Гущин был настоящим виртуозом в деле приема всевозможных начальников. Показать свое запущенное хозяйство в лучшем свете, пустить пыль в глаза, ловко отчитаться — этим искусством он владел в совершенстве. Заранее отобранные, откормленные и наученные, что сказать, мужики и бабы изображали перед начальством процветание и благоденствие.

Особенно рьяно Гущин следил за нравственностью подчиненных офицеров. В поселениях строго преследовались карты и пьянство, а потому любые собрания офицеров, пусть даже в самом небольшом количестве, попадали под подозрение. Разумеется, пьянствовали почти все, и Гущин кропотливо собирал на каждого свидетельства и доносы, чтобы при случае иметь возможность расправиться. Он не считал для себя унизительным ни шпионить самому, ни заставлять подчиненных фискалить. Гущин вызывал офицеров к себе на длительные беседы. Говорил он ласково, вкрадчиво, то и дело улыбаясь и клацая желтыми зубками. Гущин расспрашивал про офицеров, про их разговоры между собой, про их занятия в свободное от службы время. Прежде всего это касалось Бутышева, который не мог себя уже сдерживать и пил каждый день, «по-фельдфебельски», на ночь. Жена его несколько раз приходила ко мне, осунувшаяся, изможденная, с мешками под глазами, и со слезами упрашивала меня как-то повлиять на мужа. Она говорила, что меня он послушает, что Гущин хочет выслужиться и для острастки выгнать какого-нибудь офицера со службы за пьянство и что выбрал для этого Бутышева. Я понимал все отчаяние бедной женщины, пытался утешить ее, как мог, но был ли я в силах сделать что-нибудь? Все мои разговоры с Бутышевым кончались всегда одним и тем же. Он, сокрушенно охватив руками голову, каялся, что погубил жизнь и себе и жене, но ничего ровным счетом не менялось. Бутышев снова пил и играл на своей флейточке. Частенько он не являлся на службу, сославшись на недомогание, причиной которому было тяжелое похмелье. Видно, он уже смирился с тем, что обречен и что Гущин доведет свое дело до конца. Да и жена его все чаще сама потихоньку присоединялась к нему, и они пьянствовали на пару.

Передавали, что с особым пристрастием Гущин выпытывал сведения обо мне. Забавно, что этот мерзавец сразу нашел общий язык с теми офицерами, которые предпочитали ничего не делать, но при этом умели искусно отрапортовать, а дальше хоть трава не расти. Я же, видя кругом злоупотребления и безобразия, если не мог что-то сделать сам, то во всеуслышанье говорил о них, хотя все кругом советовали мне помолчать. Неудивительно, что товарищи мои получали благодарности, а на меня сыпались взыскания одно за другим.

Помню, вечерами иногда заходил Богомолов, и мы подолгу беседовали с ним у меня в комнатке. В моем неуютном жилище было холодно, и мы сидели, набросив шинели.

— Чего ты хочешь добиться? — говорил он. — Правды? Так ее и так нет и никогда не будет.

— Богомолов, неужели ты не понимаешь, — восклицал я в отчаянии, — что я хочу служить честно, и ничего больше?!

— Служи! И я служу честно. Вон и граф служит честно, носится по всем селениям, себя не жалеет. А толку-то что? Зачем все это? Для блага отечества? Так и Гущин тоже отечество.

— Так ведь если ничего не делать, ничего и не будет!

— А зачем нужно, чтобы еще что-то там было? Для счастья, милый Ларионов, достаточно того, что есть.

Я злился от собственного бессилия, оттого, что никому не могу доказать свою правоту, оттого, что Богомолов, единственный мой товарищ, смеялся надо мной.

Вообще, после того как жена родила ему мертвого ребенка, с Богомоловым что-то сделалось. Он часто ходил угрюмым, на попытки заговорить с ним отвечал грубостью. Если в первое время после женитьбы к занятиям на плацу он охладел и при любой возможности спешил домой, то теперь он, наоборот, часто задерживался на службе до темноты.

Однажды Богомолов постучался ко мне уже за полночь. Он молчал, я ничего у него не спрашивал. Мы выпили чаю и легли спать. Он устроился на диване, всю ночь ворочался, вставал, бормотал что-то сам себе и не давал мне спать. На рассвете он встал злой, с красными ужасными глазами, и поплелся в роту.

С каждым днем моя жизнь становилась все невыносимей. Мне было больно видеть, как великие добрые помыслы, спускаясь по цепочке приказов до самих поселян, ради блага которых и было все это затеяно, превращались для этих несчастных в бесконечную череду мучений. Цель переустройств, ясно видная наверху, по мере того как опускалась в бумагах до исполнителей, как-то туманилась, отдалялась, теснимая другими, более насущными: выслужиться перед начальником, урвать себе побольше, — и в самой глубине этой пучины главным действующим лицом делался безмозглый, свирепый фельдфебель, который и оказывался первым притеснителем поселян.

Граф грозой носился по поселениям, рассылал бесчисленное множество приказов, разъяснений, положений, но все это было бесполезно, за всем углядеть было невозможно. То, что выходило на деле, мало было похоже на то, что стояло в бумагах. Поселения разворовали, еще не успев толком построить. Аракчеев добивался от всех правды, но его всюду обманывали, а он обманывал Александра. Граф был беспощаден к ворам. За то и прослыл извергом по всей России. Если узнавал о злоупотреблениях и притеснениях, никому спуску не давал.

К нам он приезжал пару раз, всюду ходил, все вынюхивал, искал упущения, но шельма Гущин ловко обводил графа вокруг пальца и даже получил за отличную службу табакерку.

Когда в очередное посещение граф, проходя перед выстроенной ротой, благодарил всех за усердие и говорил, что передаст государю все, что здесь увидел, как благодетельные помыслы его величества претворяются в действительность, со мной что-то произошло. До сих пор не могу объяснить этого поступка. На меня напало какое-то мгновенное бешенство, умопомрачение. Я вдруг взорвался. Я выбежал из строя и в каком-то исступлении стал кричать графу, что его обманывают, что все кругом ложь и слепой только не увидит этого. Бог знает что я кричал тогда.

Все кругом стояли в каком-то оцепенении. Помню лицо Аракчеева, одутловатое, усталое, с кругами под глазами от недосыпания, с угрюмыми, жесткими морщинами у рта. Глядя на меня, он на глазах хмурился, свирепел, наконец потряс сжатыми кулаками и закричал:

— Молчать! Кто такой? Как смеет? Устава не знаешь? Под арест его!

Меня тут же схватили, скрутили руки.

Уже садясь в коляску, Аракчеев оглянулся на меня и уже совсем другим тоном сказал:

— А за неравнодушие благодарю! — и мрачно посмотрел на Гущина.

Вновь я оказался под арестом.

Я лег на жесткую койку, укрылся шинелью, подсунул под голову кулак, и меня охватило какое-то странное, небывалое еще чувство, какая-то тяжелая апатия. Я думал, что буду оскорблен несправедливостью ареста, но я не испытывал никакой обиды на графа. Я вспоминал, как хорошо, как покойно в прошлый раз мне было сидеть за решеткой, объятой жимолостью. Я был доволен тогда самим собой. В этом была какая-то сладость, какое-то упоение — страдать за справедливость. Что же случилось со мной теперь? Я снова терпел за свои убеждения, в правоте моей я ни минуты не сомневался, в этом сумасбродном поступке я нисколько не раскаивался. Отчего же мне было так тревожно и пусто на душе? Я не находил себе места. Я не спал целую ночь. Бродил по камере в темноте, натыкаясь на табурет, на стол, на койку. Мне было тягостно оттого, что я не понимал, что со мной происходит.

На гауптвахте я просидел недолго. В наш батальон была прислана из Грузина целая комиссия.

Поводом для инспекции послужил донос, написанный кантонистами нашего батальона. Эти мальчики, только что научившись выводить слова на бумаге, первым делом составили жалобу и каким-то образом переслали ее в Грузино. Они жаловались, что не получали положенной им крупы. Крупа удерживалась у них якобы для улучшения продовольствия в лагере, тогда как лагеря никакого не было.

Следственная комиссия взялась за дело, что называется, засучив рукава. Было вскрыто попутно много других злоупотреблений и случаев казнокрадства. Например, куда-то исчезла половина амуничных денег и многое-многое другое.

Что говорить об обстановке, которая царила в те дни в батальоне! Ни у меня, ни у кого-либо еще не было сомнения в том, что истинной причиной для следствия послужила моя отчаянная выходка. Многие вовсе перестали со мной здороваться. Гущин бросал на меня полные ненависти взгляды. Я заметил, что даже Богомолов стал меня чуждаться.

Больше всего должно было достаться Рузаеву, под носом у которого процветало воровство, за которое он обязан был в полной мере понести ответственность, и, не в последнюю очередь, за его ненависть к графу. Старик был уже под домашним арестом. Все удивлялись, что он ничего и не думал даже делать для своей защиты. Передавали только его слова, что он перед Богом и царем чист, а остальное его не тревожит. Из-под ареста его отпускали только в церковь, да и то с приставленным солдатом. Рузаев ходил в церковь каждый день и выстаивал все службы. Видно, Господь внял его молитвам и не допустил старого человека до позора.

На Крещенье, в самые морозы, снова случился пожар, причиной которого опять была лучина. Рузаев в это время парился в бане, выскочил и, кое-как одевшись, все время распоряжался при тушении. Закаленный, но сильно ослабевший организм не выдержал. С ним сделалась горячка, и на третий день Рузаев скончался.

Из Грузина торопили с окончанием дела. Теперь был взят под стражу Гущин. Для дачи показаний вызывали всех батальонных офицеров. Я рассказал все, что мне было известно о притеснениях, несправедливостях, воровстве. Я заметил, что членов комиссии меньше всего интересовал вопрос о том, насколько во всех этих безобразиях был виновен именно Гущин. Было ясно, что участь его уже решена, что его накажут с примерной строгостью, и не столько за его собственную вину — ее, по сути дела, и не старались установить, — сколько для острастки и для рапорта, ведь результатов следствия ждали на самом верху. На Гущина валили все. Его пример должен был послужить для всех начальников, чтобы они построже следили за тем, что делается у них в части.

Гущин защищался отчаянно. Он писал жалобы во все инстанции и даже в окно гауптвахты кричал на весь двор, что служил отечеству честно, имел от начальства только благодарности, что пролил кровь свою за Россию под Смоленском и Малоярославцем. Никто, ни один высокопоставленный чиновник, ни один из генералов, которых обильно угощал Гущин во время их посещений, не ответил на его многочисленные письма и призывы о помощи.

Коротко говоря, Гущина засудили. На первой неделе поста он отправился с этапом в сибирскую каторгу.

Помню, как на моем пороге оказалась женщина с тремя хныкавшими детьми и протянула мне узелок. Это была жена Гущина. Волосы ее были растрепаны, платок наброшен на голову кое-как.

— Что это? — спросил я.

— Тут картошечка, яички, пирожки, — сказала она каким-то отрешенным голосом. — Я моему Ивану Андреевичу в дорожку собрала. А он и говорит на прощание: «Ты это ему отнеси!»

Я не нашелся, что сказать, и только пробормотал:

— Поймите, ваш муж преступник!

Но она все протягивала мне узелок:

— Тут картошечка, яички...

Я захлопнул дверь и бросился на койку, положив подушку на ухо. Не скоро еще она ушла, так и оставив мне узелок у порога.

Вскоре после этого случилось несчастье с Богомоловым. Он отправился в полковой штаб по каким-то делам и не вернулся. Его нашли в мартовском талом сугробе на обочине дороги. Он был убит и ограблен беглыми солдатами. В его изуродованном теле лекарь насчитал шестнадцать штыковых ран. Страшно представить себе его последние минуты.

Прикрытого рогожей его привезли в батальон. Офицеры молча стояли кругом. На месте убитого мог оказаться любой из нас. Солдаты же не скрывали своей злобной радости. Я даже услышал чей-то шепот, что, мол, собаке и смерть собачья.

Вечером я зашел к нему на квартиру. Закрытый гроб стоял на столе. Крышка была забита сразу, потому что убийцы обезобразили его лицо. Все было в беспорядке, всюду валялись какие-то вещи, книги. Вдова сидела на стуле, вся в черном, еще более худая и бледная. Когда я вошел, она даже не посмотрела на меня. Я стал говорить, что, если бы Богомолов взял с собой кого-нибудь, как я ему советовал, ничего бы не произошло.

— Вы ничего не понимаете, — перебила она меня. — Виновата во всем я.

Она подняла с пола какую-то книгу, перелистнула несколько страниц, стала читать. Потом, будто опомнившись, швырнула ее и зарыдала, упав головой на стол.

Мною овладела странная, неведомая до тех пор усталость. Вещи самые простые и очевидные требовали от меня теперь невероятных усилий. Я должен был заставлять себя вставать по утрам. Заступая на дежурство, воспринимаемое всеми как подаренный день безделья, я мучился почти физически, потому что никак не мог объяснить себе, зачем я все это делаю. Зачем я сижу целый день в полной форме с ключами от всевозможных дверей? Зачем в двенадцать часов ночи, в непогоду, в проливной дождь иду осматривать караул, проверять пожарную команду, заглядываю в пожарный сарай и на конюшню и, убедившись, что все лошади в хомутах, снова плетусь куда-то по лужам? Для чего мне нужно знать, на своих ли местах продрогшие ночные часовые, ненавидевшие меня, везде ли, где следует, горят фонари? И чего стоило наутро после бессонной бессмысленной ночи отправляться в ротную школу, где пунцовый с похмелья учитель встречал рапортом и представлял список бездельников и шалунов, над которыми тут же производилась расправа. Верно, мальчиков нужно было наказывать, но почему именно я должен был приказывать пороть их? Сменившись и бредя домой, я испытывал нечто вроде ощущения человека, которого целые сутки заставляли толочь воду.

Я вдруг перестал понимать, что я здесь делаю. Кругом меня, худо ли бедно, делалось дело, и дело немалое. Дикий запущенный край на глазах преображался. Здесь трудно было узнать Россию. Дома были опрятны, улицы чисты, даже исправно освещались в ночное время фонарями. Дороги были столь хороши, что окрестные помещики делали крюк в несколько десятков верст, чтобы добраться по ним до своих медвежьих углов, что выходило скорее, чем тонуть по бездорожью. Так или иначе было уничтожено нищенство. Инвалидов и немощных поместили в инвалидные дома. Для кантонистов сделали обязательным посещение школы — за это одно только должна была быть благодарна наша немая и слепая страна.

И меня в общем-то не смущали тени, витавшие над болотами. Нет-нет, верно, все шло к лучшему, и ничего тут не поделаешь: где те мужики, превратившиеся в чухонских топях в тени? А Петербург вот он, стоит, наша гордость, краса и диво. Тут уж приходится выбирать: либо топь да глушь, либо хорошие дороги, пусть и мощенные косточками.

Меня мучило другое. Дело в том, что все это делалось как-то само собой, помимо меня, независимо от моих усилий. В заведенном порядке я был ни при чем. Не выйди я на службу — меня приказом заменили бы на кого-нибудь. Умри я в одночасье — тоже ничего страшного бы не произошло. Каждый год в полк прибывали только что выпущенные прапорщики, одержимые, с горящими глазами, жаждавшие славы, успехов, власти. Служба осталась бы службой.

Со мной что-то происходило.

Хорошо помню то дождливое холодное утро, когда вместо того, чтобы быстро вскочить и, как обычно, еще в полусне, чертыхаясь и проклиная все на свете, собираться, натягивать сапоги, глотать что-то на ходу, я вдруг остался лежать в нагретой постели, глядя на облачко от своего дыхания. Не явиться без особой причины на службу было делом немыслимым. Теперь же я не вставал только по той простой причине, что не смог самому себе объяснить, зачем сейчас вставать и бежать куда-то.

Я сказался больным.

Полковой лекарь с комичной фамилией Европеус, финн по происхождению, медлительный, добродушный, дотошно осмотрел меня всего и сказал, что ничего найти у меня не может.

— Хотя я прекрасно понимаю, что с вами, — ухмыльнулся он.

— Что же?

— Taedium vitae*. Но должен сказать, молодой человек, что болезнь эта здоровая, вроде геморроя, и с ней доживают до самой смерти, — он сам засмеялся своей шутке.

Я почти не вставал со своей койки, совсем ничего не ел. Никакой кусок не лез мне в горло. Так прошло два или три дня. Хандра моя не на шутку стала переходить в какую-то болезнь. Сонливость вдруг превратилась в мучительную бессонницу. У меня начался жар, болели глаза.

---

* Отвращение к жизни *(лат.)*.

94

Меня навещал лишь один Бутышев, но не столько из сочувствия к больному, сколько для того, чтобы было кому в сотый раз поведать историю о том, как жена в сердцах сломала его флейточку.

— И бьет, и бьет о коленку, а не ломается. Потом швырнула о печку, и все. А я лежу и даже головы поднять не могу. Проспался и бил ее, бил. И что теперь делать?..

Бутышев уходил, и мне делалось страшно, а чего, я и сам не знал.

Все казалось, что я в какой-то пустоте, будто падаю куда-то. Я ненадолго забывался, а просыпался весь в поту. Потом снова меня охватывал озноб. И так без конца. Я стал задыхаться. Я понял, что болезнь моя близка к помешательству, и все время думал об отце. Мне казалось, что ужасная болезнь его передалась мне по наследству. В забытьи я все время видел отца, причем представлял его себе в минуту смерти, так мне запомнился рассказ матушки. Я видел его как наяву. Вот он растрепанный, с завязанной полотенцем головой, с остатками запекшейся крови в морщинах кожи на шее, на руках, уже обирает на себе одеяло. Лицо его искажено гримасой страдания, нет, злобы. На какое-то мгновение глаза, судорожно бегавшие по потолку, останавливаются, взгляд делается осмысленным, пальцы сжимаются в кулаки, тянутся к кому-то, и уже отказавшийся служить язык выдает какую-то птичью трель.

Полковой лекарь посоветовал мне взять отпуск, что я и сделал, с тем чтобы потом вовсе выйти в отставку.

— Вам надо лечиться воздухом, — сказал он, — и домом. Это единственное, что я могу прописать. Вот увидите, все пройдет.

Выехал я на колесах, а домой приехал на полозьях. Сперва как на беду пошли дожди, лошади ступали в грязь по колено. Ямщики под предлогом грязной дороги не хотели запрягать меньше пяти-шести лошадей и потому брали двойные прогоны. За Арзамасом ударил сильный мороз, и грязь замерзла. Дорога по колоти была настоящей пыткой, несколько раз ломались то ось, то колесо.

Тащился я долго. Дорога если не исцелила меня, то успокоила. Измучившись за время приступов начинавшейся болезни, я спал в тряской бричке без задних ног день и ночь. За две станции от Симбирска вовсе пришлось пересесть в сани. Мы въехали в снегопад, такой сильный, несмотря на апрель, что едва можно было различить в этой белой каше деревья, что росли вдоль дороги. За то время, что добирались до дома, между ямщиком и рогожей, закрывавшей кибитку, намело целый сугроб. Когда я всходил на крыльцо и веником обивал снег с сапог, меня уже увидели в окно. Дверь распахнулась, меня втащили в сени и чуть было не задушили в объятиях.

Матушка плакала от счастья даже потом, за столом, все заставляла пить чай стакан за стаканом и закармливала пирогами.

Тетка Елизавета Петровна была все такая же непоседливая, шумная, все так же, с храпом, нюхала табак да стучала костылем, но только старость сделала ее совсем страшной, у нее полезли черные усы и залохматились брови.

Когда я уезжал, Нина была еще совсем подросток, теперь же в гостиную входила тонкая робкая девушка, вечно смущенная и молчаливая, от которой нельзя было добиться и слова. От прежней Нины, с которой мы играли в дурачки на орехи, в ней осталась, пожалуй, лишь родинка в углу рта, ставшая еще более заметной и сильно портившая ее чистое, все еще детское лицо. За чаем нас усаживали с ней рядом, и мы смешно отражались в круглом сверкающем самоваре, я — раздувшись в полкомнаты, выпятив, подобно арапу, губы, и она — сузившись в скобочку. Снова она дичилась меня, и это было тем более непонятно, что в первую минуту она обнимала и целовала меня вместе со всеми.

На следующий день после моего приезда к нам примчался Николенька. Он пополнел, раздался, превратился в развязного болтливого господина, от которого вся комната моментально наполнялась запахами табака, пота и кельнской воды. Николенька делал карьеру по статской службе, был чиновником для особых поручений при губернаторе и битый час рассказывал о своих шансах на Петербург и министерство. При этом он то и дело принимался тискать меня в своих объятиях и все спрашивал, отчего мне пришла в голову глупость оставить службу. Я сделал было попытку объяснить ему что-то про то, что служить надобно достойно, а если не знаешь, как это делать, лучше не служить. Он засмеялся.

— И откуда ты взялся такой, Сашка? Ты пойми, это они недостойны, чтобы ты, я, одним словом, честный человек им служил! Ты же не для них служишь! Скажи, ну какой начальник не дурак и не мерзавец? Да нет таких и быть не может! Вот возьми нашего губернатора Лукьянова — дурак и мерзавец, и вся канцелярия его дураки и мерзавцы. А я служу, и ничего. Я же не для них служу, Саша, я же для себя служу!

Он остановился и вдруг посмотрел на меня пристально.

— Да ты никак жениться собрался?

— С чего ты взял?

Он снова засмеялся и погрозил мне пальцем.

— Ну, тогда все с тобой ясно. Не собрался еще, так здесь тебя и без спроса оженят в два счета. Тут важно не продешевить. Для нашего брата, Сашка, главное — продать себя подороже! Так что ты не дури, а то потом побежишь от жены на край света.

— Да что ж тебя не оженили?

— Эка сравнил! Я, брат, не ты, меня голыми руками не возьмешь! А знаешь, я и шафером у тебя буду! Вот славно погуляем!

Помню, в ту минуту я подумал, что, если и соберусь жениться, никогда не унижусь до того, чтобы этот человек держал венец над моей невестой.

Перед тем как уехать, Николенька стал звать меня куда-то, где собиралась веселиться симбирская молодежь, и я дал ему слово приехать с намерением в назначенный день сказаться больным.

С глупым, полудетским трепетом я ждал встречи с Дашенькой. Я знал, что она вышла замуж и жила в Симбирске. Встреча наша на каких-то именинах, на которые меня затащила тетка, вышла забавной. Non bis in idem*! Дашенька превратилась в добротную Дарью Ивановну, была беременна третьим ребенком, сильно располнела. Веснушки потемнели и все так же густо покрывали ее лицо и заплывшую шею. Замужем она была за почтмейстером, который брызгал слюнями во все стороны и прилизывал фиксатуаром на широкой плеши скудные ос-

---

* Одно и то же не повторяется (*лат.*).

татки волос. После ужина, когда все сели играть в карты, мы уединились с ней в маленькой гостиной. Никто не решался первым начать разговор. Наконец я спросил, счастлива ли она. Дарья Ивановна пожала плечами, как-то печально улыбнулась и ответила просто:

— Да. У меня есть мои крошки. Они, слава Богу, здоровы, а что еще нужно?

Мы снова посидели какое-то время молча. Потом она вздохнула:

— Боже, как все это было давно, Сашенька! Какими мы были детьми!

О чем было нам говорить? Мы помолчали еще и скоро пошли к гостям. Тетка насела на меня с обязательными визитами, и мне приходилось исхитряться заезжать к представительным подъездам в такие часы, когда никого не было дома. Я старался никуда не показываться и сидел большую часть времени дома.

С Ниной мы разговаривали мало и виделись чаще всего лишь за столом.

Я проводил время у себя в комнате за чтением или уезжал за Волгу и гулял там по степи целыми днями, чтобы не иметь возможности встретить какого-нибудь знакомого. Нина весь день была чем-то занята, хлопотала по хозяйству, составляла нашим старушкам компанию в подкидного или лото. В доме она исполняла какую-то особую роль, что-то среднее между любимой дочкой, приживалкой-лотошницей и экономкой. Елизавета Петровна любила ее баловать, задаривала всякими побрякушками, ленточками, чепцами, но, с другой стороны, Нине часто доставалось служить громоотводом теткиного гнева, или просто старуха вымещала на ней плохое настроение, доводя своими упреками и нравоучениями воспитанницу до слез. А однажды, несмотря на мое присутствие в комнате, набросилась на девушку за то, что Нина по неловкости разбила какое-то блюдце, и, не в силах сдержаться, исхлестала ее по щекам. Нина сносила унижения безропотно и все прощала этой женщине, заменившей ей мать.

Я все больше убеждался в том, что Нина избегает меня. В общих беседах она никогда ко мне не обращалась. В мою комнату входила, только если ее посылала зачем-то матушка или Елизавета Петровна. Когда мы оставались вдвоем, она будто вспоминала о чем-то неотложном и убегала. С другой стороны, по вечерам, когда все собирались в гостиной, в зеркале меня всегда подстерегал ее взгляд, но она тут же, смутившись, прятала глаза.

При этом Нина оставалась сущим ребенком. Когда я, неловко нагнувшись за ускакавшим куда-то лотошным бочонком, стукнулся лбом об угол бюро, она бросилась за медной монеткой и, приложив ее мне к ушибу, стала убеждать, что монетка сейчас пристанет, а когда боль пройдет, то сама отвалится. Монета никак не приставала ко вздувшейся шишке. Нина держала ее пальчиком, а потом побежала к Елизавете Петровне и матушке, чтобы те посмотрели, как нагрелся алтын.

На Пасху она подарила мне коврик, искусно вышитый ею яркими берлинскими шерстями, и когда я обнял ее за плечи, чтобы поцеловать, вдруг вырвалась, густо покраснев, а когда все засмеялись, вовсе расплакалась и убежала.

Как-то за чаем матушка предложила, что было бы хорошо, если бы я давал Нине что-нибудь читать, а потом спрашивал прочитанное. Тетка отнеслась к затее скептически, посчитав, что все это пустое и нечего лишним забивать девичью голову. Как бы то ни было, наши странные занятия начались, и вечерами, после самовара, Нина усердно пересказывала старушкам Велизария, переведенного самой Екатериной. После этого я засадил бедную послушную девочку за Лейбница и однажды застал ее в кресле заснувшей за мучительным томом. Помню, как что-то заставило меня осторожно присесть на стул подле нее и долго смотреть на упавшую на плечо головку с тонкой ниточкой пробора, на покрытые детским пушком щеки, на слегка обветренные губы, на крошку в углу рта, на красный от насморка носик, на дрожавшие густые ресницы, на тонкие веки, под которыми были видны бегавшие в беспокойном сне зрачки.

Вдруг, вздрогнув, Нина проснулась. Я подумал, что она испугается, увидев меня, но она, наоборот, улыбнулась и спрятала лицо в ладонях.

— Боже мой, — прошептала она, — какой страшный сон я сейчас видела! Просыпаюсь, а вы, слава Богу, тут.

Как-то матушка завела разговор о том, что я уже, верно, перебесился и повзрослел, а взрослому человеку надобно, чтобы дома его ждали жена и протопленная печка. Я отшутился, но она то и дело возвращалась к этому разговору, все вздыхала, что ей уже скоро в могилу, а понянчиться не с кем, и часто стала вспоминать своих умерших в детстве детей, моих старших братьев и сестер.

— А Николаша, старшенький, такой смешной был, — говорила матушка, и рука с картой замирала над разложенным пасьянсом. — Бывало, спать его укладываю, а он просит — мама, подержи меня, чтобы я уснул, за пятку. Я и держу.

Идея женить меня охватила и Елизавету Петровну.

— Вот женишься, человеком станешь, — убеждала она, высыпая табак на большой палец. — А сейчас ты, Сашка, кто? Да никто, валет без колоды! Вот женим тебя, еще спасибо скажешь.

И тетка с раскатистым громовым храпом внюхивала табак.

Нехитрым обманом она однажды даже затащила меня на смотрины. Не успел я сообразить, в чем дело, как меня коварно оставили в гостиной Панковых, теткиных знакомых, один на один с их старшей дочкой, крепкотелой девицей, барабанившей пальцами по подлокотнику дивана и упорно глядевшей в окно. На мои глупейшие благовоспитанные вопросы она или молча пожимала плечами, или ограничивалась кратким «нет». Когда же я от книг перевел разговор на убогость нашей провинциальной жизни, она оживилась и с жаром стала убеждать меня, что это не жизнь, а прозябание. В страстной обвинительной речи, вдруг выплеснувшейся на меня, досталось всему и всем.

— Богом проклятая страна! — возмущалась она. — Вы только взгляните на наши балы в собрании! Это же не балы, а зверинец! А чего стоит эта боязнь приехать первым! И что это за кавалеры, которые во время танцев ходят, взявшись за руки, посреди залы, шепчутся и посмеиваются, разглядывая ряды девиц у стен! И то, пусть уж ходят, а то возьмутся танцевать и будут прыгать и делать ухарские антраша, пока не намекнешь, что это моветон. А они еще упрутся и будут доказывать, что именно так, по-варшавски, танцуют в столицах! О, варварская страна! О, убожество!

Она проговорила битый час, не дав мне вставить и слова. Я только кивал, поглядывая на часы. Мы сошлись на том, что жизнь в провинции — все равно что ссылка, что здесь все какая-то копия и нужно бежать в столицы, туда, где все настоящее — и люди, и жизнь. Кажется, наша беседа доставила ей удовольствие, она даже рассмеялась при прощании, открыв мелкие гнилые зубки. Ее папаша, настоящий père de comédie*, долго жал мне руку, и, уже уходя, я слышал, как он с умилением шепнул моей тетке:

— C'est une partie très convenable sans tous les rapports, ma cheri! N'est ce pas?**

Как-то утром тетка сказала, что должна поговорить со мной об одном важном деле, велела прикрыть поплотнее дверь и сесть против ее кресла. Зная наверное, что речь пойдет о моей женитьбе, я приготовился быть насмешливым.

Она отложила бумаги, счета, которыми занималась, сняла очки и сказала каким-то чужим, холодным голосом:

— Ты взрослый человек, Александр, и негоже тебе дурить девчонке голову.

— О чем это вы? — не понял я.

— Не прикидывайся. Только слепому да дураку не видно, что Нина сходит по тебе с ума.

Я молчал. Я все еще не понимал, к чему этот разговор.

---

* Отец из комедии *(фр.)*.
** Это замечательная пара во всех отношениях, милочка! Не так ли? *(фр.)*

— Ты эти глупости брось! Ей уже, слава Богу, нашли партию. Дело это решенное, и осенью будет свадьба.

— Кто он? — растерянно спросил я.

— Бернадаки.

— Бернадаки?! — вряд ли можно было меня поразить более. Этого жирного грека, симбирского откупщика, я действительно видел как-то у нас дома, но не придал этому никакого значения.

— Запомни, Александр, дело решенное. В ее положении лучшего и желать нечего.

Я вышел от тетки в каком-то ошеломлении, таким все это казалось диким и невозможным. Я поднялся к Нине, но ее не было. Она с утра уехала за покупками, как раз в те дни шла Соборная ярмарка.

Я стал ждать ее в гостиной. То ходил вокруг стола, как заведенный, то останавливался у окна, выходившего в маленький садик. Хотя был уже самый конец апреля, тепло все еще не наступало, и деревья стояли голые, зимние.

Нина приехала к самому обеду. Еще из прихожей был слышен ее смех. Она вошла, стала греть руки на изразцах печки и рассказывать, как на ярмарке развалилась карусель.

— Поедемте завтра вместе, Александр Львович, — вдруг предложила она. — Вот увидите, как там весело!

— Нина, — сказал я. — Это правда, что ты выходишь замуж за Бернадаки?

Улыбка слетела с ее лица. Она помрачнела и стала смотреть на свои красные, озябшие пальцы.

— Да, — ответила она чуть слышно.

— Да ты же не любишь его! — закричал я. — Как же так можно?! Что ты делаешь? Зачем ты губишь себя?

Нина посмотрела мне в глаза и сказала спокойно и твердо:

— Этот человек будет моим мужем, отцом моих детей. Я буду уважать его и когда-нибудь полюблю. У меня будет свой дом. А ради этого в моем положении нужно чем-то жертвовать.

Она на какое-то мгновение запнулась. Потом голос ее сделался еще жестче.

— Вы, Александр Львович, не смеете упрекать меня в этом браке, потому что вы не можете знать, что за унижение быть благодарной сироткой и вечной приживалкой!

Передо мной стоял какой-то другой, совсем незнакомый человек, ничего общего не имевший с той мягкой простоватой девочкой, которую я знал до этой минуты. Я хотел что-то сказать, но она подняла руку.

— Не перебивайте меня! Да, я не люблю его, потому что люблю вас! Я полюбила вас двенадцатилетней девочкой, я люблю вас все эти годы, буду любить до последней минуты, сколько бы Господь ни отпустил мне жить. Но все это уже не имеет значения. И, пожалуйста, имейте достоинство не оскорблять меня подобными упреками. Вы слышите меня?

Нина спрятала лицо в ладони и выбежала из комнаты.

Я провел после того разговора бессонную ночь. Я многое тогда передумал.

К утреннему чаю Нина вышла, как обычно, веселая, свежая, поцеловала Елизавету Петровну, матушку, поздоровалась как ни в чем не бывало со мной и села у самовара разливать.

После завтрака Елизавета Петровна куда-то уехала, матушка заснула в креслах. Я поднялся к Нине, постучался, но она не открыла.

— Что вам, Александр Львович? — сухим голосом спросила она из-за дверей.

— Я прошу тебя, Нина, отнесись к моим словам серьезно! Я люблю тебя и хочу, чтобы ты стала моей женой.

Нина долго ничего не отвечала. Я стал стучать в дверь.

— Да пусти же, Нина!

Наконец она ответила. Голос ее дрожал.

— Нет-нет, Александр Львович, это не нужно. Вы сейчас сами не вполне осознаете того, что делаете. Надо все оставить как есть. Вы хотите себя обмануть. Зачем это? Зачем вам я? Уходите и не стучите так в дверь, а то весь дом сейчас сбежится.

Я говорил еще что-то, просил пустить меня, выслушать, но Нина не открывала. Иногда только она просила сдавленным голосом:

— Уходите, прошу вас! Не мучьте меня!

К обеду Нина не вышла, и мы сели за стол втроем.

Между щами и кулебякою я сказал как можно более просто, как бы между прочим, что намерен жениться на Нине и прошу у тетки ее руки.

Матушка обомлела и замерла, прижав салфетку к губам. Елизавета Петровна чуть не выронила ложку сперва, а потом, придя в себя, отодвинула тарелку, стала стряхивать крошки и, тяжело вздохнув, сказала:

— Так и знала, что этим все кончится! Пригрела на груди змею. Увела-таки Сашку.

Она встала и оперлась на свою клюку.

— Нет, Сашенька, тому не бывать. И дурь эту из головы выбрось. А с мерзавкой этой я по-своему поговорю!

— Не смейте так говорить о Нине! — взорвался я. — Вы обращаетесь с ней как со служанкой, а сами и мизинца ее не стоите!

Елизавета Петровна застучала костылем об пол, налилась кровью, седые пряди ее выбились из-под чепца, и она завизжала, что я еще щенок, чтобы ее учить, и что все будет так, как она скажет.

Я вскочил и, чтобы прекратить этот визг, грохнул фарфоровую тарелку об пол. Осколки разлетелись по всей комнате.

— Я женюсь на Нине не только без вашего благословения, но даже если вовсе прогоните из дома и проклянете! И пусть только Бернадаки появится здесь еще раз! Я спущу эту жирную свинью с лестницы!

Не слушая, что кричала мне тетка вслед, я ушел, хлопнув что есть силы дверью.

Ночью с матушкой сделался удар. Она побелела, задыхалась, глаза ее закатывались. Она держалась рукой за сердце и что-то хотела говорить, но речь ее была невнятной. Сразу же послали за доктором, и тот кинул ей кровь. Он взял ее полную, с дряблой кожей руку за локоть, подставил оловянную чашку и проткнул скальпелем кожу. Помню, как по телу ее пробежала судорога, чашка опрокинулась, и кровь разлилась на простыне.

Под утро матушке стало лучше. Она прошептала, что не может умирать с грехом на душе, и велела принести образ. Она поцеловала своими посиневшими губами меня и Нину, благословила нас и закрыла глаза. Я испугался, но дыхание ее было ровное. Измученная страданиями, она заснула.

Всю ночь мы с Ниной провели у кровати матушки, меняли компрессы, смачивали ей губы. Утром я отвел Нину в ее комнату, чтобы она хоть немного поспала. Перед тем как закрыть за собой дверь, Нина вдруг схватила мою руку, прижалась щекой к ладони и поцеловала ее.

С того дня Елизавета Петровна ни со мной, ни с Ниной не разговаривала, проводя все время или у сестры, или у себя, и не спускалась в гостиную.

Начались какие-то странные, радостные и одновременно тревожные от ненормальной обстановки в доме дни. Все заботы по устройству свадьбы, а мне хотелось пережить ее как-нибудь поскорее и сразу ехать в деревню, все эти тысячи непонятных и глупых, но необходимых дел пали на меня и на Нину. Такой счастливой и хлопотливой я Нину еще никогда не видел. Я хотел, чтобы торжество наше было скромным, но Нина, как ребенок, ожидала от этого обряда невесть чего, и меня даже трогало, с какой тщательностью и детским восторгом она вникала в каждую мелочь, с какой озабоченностью обсуждала с матушкой фрак, платье, вуаль, цветы, угощенье, даже коврик, на который мы должны были ступить после обрученья. Она хотела, чтобы коврик был непременно шелковым и розовым.

Все эти пышные приготовления казались мне смешными, ненужными, и я мог настоять на своем, но не хотелось огорчать мою Нину из-за таких пустяков. Я смирился и послушно ходил на примерки, договаривался с парикмахером и вообще делал все, что от меня хотели, будто играл роль жениха в какой-то дурной пьесе.

В нашем доме снова появился Николенька. Все отнеслись к его самозваному шаферству как к чему-то естественному, и я, поломав голову, как от него избавиться, в конце концов сдался и решил стерпеть и это.

Нина стала называть мою матушку маменькой и все время, которое оставалось от хлопот, проводила у кровати, в которой матушка сидела в высоких подушках. Когда в комнату проведать сестру входила Елизавета Петровна, Нина опускала глаза и сидела молча, опустив руки на колени.

Как я ни пытался ускорить дело, свадьбу нашу сыграли лишь в конце мая. В тот сумасшедший день все происходило в какой-то лихорадочной суете. Дом был весь поднят вверх дном, люди таскали мебель, освобождая залу. В комнате разбросаны были гроденапли, дымка, ленты, на диване разложен был подвенечный наряд — белое дымковое платье на белом атласном чехле, кружевной вуаль, венок. Помню, сначала куда-то затерялись бриллиантовые сережки, которые должна была надеть невеста, если хотела быть счастливой в замужестве, потом запоздал парикмахер. Нина переживала, даже плакала. Явился Николенька во фраке, в белых перчатках, привез корзинку с венком из померанцевых цветков, что-то громко кричал, заставил всех выпить шампанского и водки. Меня прогнали, по обычаю я должен был ожидать в церкви. Еле протолкался на церковное крыльцо, так обступили его охочие до зрелищ. Внутри пылали свечи. Церковь была полна, приглашенных и посторонних набралось много. Я отчего-то нервничал, Нина все не ехала. Мне вдруг сделалось страшно — не дай Бог, что-то случилось, и я хотел уже сам ехать домой, но тут подъехала ее карета. Певчие при входе невесты громко запели «Гряди, голубица», я взял Нину за руку и повел обручаться. Длинный вуаль покрывал ее лицо и голые детские плечики. Рука ее дрожала. Я смотрел на нее и не мог оторвать глаз, такая она была в ту минуту красивая, непривычная, необыкновенная. Казалось, она ничего вокруг не замечала и смотрела куда-то вверх, на алтарь. У нее потекла слеза, оставляя мокрую бороздку на напудренной щеке. Верно, я тоже волновался, потому что из моих пальцев выскользнуло кольцо и запрыгало пружинкой по паркету. Позади ахнули, и я почувствовал, как испуганно вздрогнула Нина. Священник трижды благословил нас и трижды возгласил «славою и честию». Венчальные свечи были задуты разом. После венчания мы сели в карету и поехали домой. Там нас встретила матушка с образом и хлебом, к тому времени она уже стала на ноги. Елизавета Петровна так и не вышла к нам в тот вечер.

Матушка назвала гостей, из которых я большей частью никого не знал и знать не хотел, но и это надобно было пережить.

После церкви, в ожидании гостей, мы поднялись наверх, нам подали закуску, Нина стала поправлять что-то в платье, и на какое-то мгновение меня охватило странное чувство. Я будто отделился от себя, от своего тела, оставшегося на диване, и смотрел на все со стороны. Мне показалось вдруг странным, что этот жених во фраке, с цветком в петлице — я. Еще более странным было то, что Нина — моя невеста, уже жена. Все это время, весь этот сумасшедший месяц у меня не было времени прийти в себя, подумать, осознать, что происходит. И вот, не успел я оглянуться, а уже вошел в новую, непонятную жизнь. На меня напала какая-то неуверенность, так ли уж прав я был в моем упрямстве, от этого вдруг стало не но себе. Но тут Нина вскрикнула — она укололась о булавку, на пальце у нее выступила капелька крови, — и я бросился к ней.

Мы рано ушли из-за стола, как только начались пьяные крики и требования «подсластить». Нина хотела остаться, не понимая, зачем нужно уходить, но я увел ее.

Мы поднялись в нашу комнату, убранную цветами и заваленную свадебными подарками. Под нами все тряслось, громыхало, дребезжало. Там начались пляски под фортепьяно.

Нина хотела, чтобы мы шли танцевать, и все время спрашивала:

— Что с тобой? Сашенька, не молчи, скажи, что?

Все, что происходило там, внизу, вызывало во мне какое-то необъяснимое бешенство. Я понимал, что надо спуститься, надо доиграть свою дурацкую роль жениха до конца, но во мне уже сидело злое упрямство, и к гостям мы больше так и не вышли.

До поздней ночи дом сотрясался от криков и топота. Совсем уже поздно раздался звон, что-то разбили. Громче всех был слышен хохот Николеньки.

Помню, как Нина с детской обидой в голосе прошептала:

— Я думала, что свадьба у нас будет совсем-совсем не такая.

Она тихо расплакалась. Я вытирал ей слезы, гладил по волосам, целовал в пробор, ровный, как ниточка, и в заложенный от слез нос, и в густые ресницы, и в родинку в углу рта, и в красные рубцы на плечах от узкого платья, и в оспинки, по три на каждой руке.

Я сжимал Нину в объятиях и убеждал себя, что я самый счастливый человек на свете.

Через неделю мы отправились в Стоговку.

В тот год я на все смотрел другими глазами и будто впервые увидел дедовский одноэтажный дом в девять окон в зарослях сирени над запущенным парком, спускавшимся к пруду.

Это были счастливые дни. Все приводило нас в восторг, маленькие деревенские удовольствия приносили чистую бездумную радость: поздние завтраки на веранде, прогулки верхом, долгие беззаботные обеды в роще, когда на белую скатерть падают солнечные пятна и сосновые иголки, барахтанье в зацветшем пруду, вечера у огня с томиком Дюкре Дюминиля под комариный писк и дальний лай собак. Иногда по ночам шли дожди, и с потолка капало в тазы, которые приходилось расставлять по всему дому.

Часто ходили в деревню, где гнилые избы, поросшие мхом, да ветхая церковь. Нина обходила дворы хворых крестьянок, раздавая лекарства и конфекты. Всюду были грязь, сонмы мух и невыносимая вонь. Мужики боролись с комарами тем, что зажигали в избах в глиняных горшках навоз — комары в ужасе улетали, двери закрывались, и в этом смраде ложились спать.

В гости приходил поп, иногда с попадьей, пил водку и смешил Нину присловьем к каждой рюмке. Первая у него была входная, как молитва перед началом обедни. Вторая — в честь двух естеств Иисуса, третья — в честь Троицы, с присказкой: «без Троицы и дом не строится». Для четвертой употреблялась приговорка: «без четырех углов изба не становится». Далее пил просто, но, было, поминал и о пяти главах церкви, и о семи вселенских соборах и таинствах, о девяти чинах ангельских, о двенадцати апостолах. Когда жена, тихая женщина с чуть косившим взглядом, от которой не услышали и слова, уводила его домой, начинались посошки. Выпив одну рюмку на посошок, надобно было подпереть ее вторым посошком, чтобы не хромать на одну ногу, и так далее.

В плохую погоду, валяя дурака, мы с Ниной играли на бильярде, уже изрядно разбитом. Мне поспешили донести, что в отсутствие господ на нем тешился товарищ моих детских игр Мишка, превратившийся в великовозрастного увальня Михайлу. Я отчитал его, а он божился, что не виноват, плакал, все норовил чмокнуть меня в рукав, и я пригрозил отдать его в солдаты. Потом мы сыграли партию, и Михайла положил все шары один за другим, не дав мне сделать ни единого штоса.

Хозяйство было запущено до последней степени. Староста был в бегах, в конторе я нашел двадцать рублей. Пощелкав на костяных счетах, я с удивлением обнаружил, что полностью разорен, и уже давно, и было непонятно, как мы все еще существовали, и причем не хуже, чем раньше.

Я с жаром принялся за дело, надеясь в скором времени навести в имении порядок и обогатить себя и своих заброшенных крестьян. Теперь по утрам, до завтрака, наскоро сполоснув лицо водой, я одевался в белую пару из домотканого полотна, надевал белый картуз и отправлялся проверять работы, на мельницу, смотреть озимь и яровинку. После обеда, сидя в кабинете, пересматривал отчеты писаря и толковал о хозяйстве с новым старостой Романом, как мне казалось, толковым, грамотным мужиком, который брал у меня читать агрономические журналы и книги по хозяйству.

В конце июня приехали матушка и Елизавета Петровна. Тетка наконец смирилась с тем, что произошло, и сама просила у Нины прощения. Женщины никак не могли наплакаться и нацеловаться вдоволь, и я переждал бурное излияние чувств на заднем крыльце. Я все не мог забыть, как тетка топала ногами и кричала в тот день.

Нина с удовольствием играла в рачительную барыню, посвящала всю себя хозяйничанью, заготовке впрок всяких домашних запасов. Предметом ее радостей и огорчений были соленья и моченья, сушка ягод и грибов, готовка разных пастил, медовых и сахарных. На окошках, на лежанках было наставлено множество бутылей с разноцветными наливками. В воздухе роились осы, одуревшие от запаха варенья.

Матушка, глядя на наши с Ниной хозяйские хлопоты, вздыхала о чем-то и всякий раз, прощаясь после ужина на ночь, говорила, целуя в лоб, что большего счастья мне и желать нельзя.

Осень подкралась незаметно, с холодными ветрами, с шарканьем грабель, шелестом сгребаемой листвы в аллеях, с простудой, серой моросью, зарядившей на неделю.

Вскоре матушка с сестрой уехали зимовать в Симбирск, и мы остались в деревне одни.

Октябрь в Барышенском уезде не сулит ни разнообразия, ни шумных развлечений. Целый месяц не переставал дождь, более похожий на поселившееся в саду мокрое облако. Вода в пруду почернела, и на нее слеталось с каждым днем все больше красных и желтых листьев. Нина все время ходила с заложенным носом и головной болью, но улыбалась, успокаивала меня, а я боялся, что она может серьезно заболеть.

Мы проводили время тихо, я — за чтением, она вязала что-то, и от нечего делать грызли антоновские яблоки, груда которых лежала на сене в холодной комнате. Иногда из-за дождя чудилось, что кто-то подъехал к крыльцу. Нина вскакивала и бежала к окну. Бедная простуженная девочка скучала, не понимая, зачем мы торчим в этом разбухшем от сырости захолустье.

Я видел, что Нина скучала, но она всячески старалась не подавать и вида, восторгалась нашим одиночеством, радовалась, что можно ни от кого не зависеть, никого не видеть, не вести ни с кем ненужных разговоров, одним словом, быть самими собой. Она не замечала, что повторяла мои слова как какое-то заклинание, как молитву, будто заставляла себя во все это поверить. Я чувствовал, что наше отшельничество было для нее мучительно и что она терпела все это ради меня.

Я сам не находил себе места, бродил часами из комнаты в комнату, чувствуя, что в доме нашем начиналось что-то неладное.

Наконец я не выдержал и на Николу велел людям, чтобы собирались в дорогу. Нина радовалась как ребенок. Она ожила, сама руководила сборами, снова слышен был в доме ее смех.

Я хотел обрадовать ее, сделать ей приятное, я хотел радоваться вместе с ней, но отчего-то на душе было нерадостно. Нина была от этой поездки в таком восторге, будто ее выпускали из заточения.

По дороге она болтала без умолку. Говорила про балы у губернатора, в собрании, про то, какие нужно заказать платья. Я понимал ее. Она хотела жить той жизнью, которая была ей до этого недоступна.

Видно, Нине противилась сама судьба. В Симбирске мы узнали о кончине императора Александра.

Город притих, погрузился в безмолвное уныние. Балы, вечеринки прекратились, свадьбы были без музыки и танцев. Отчего-то все, не сговариваясь, стали говорить друг с другом тихо, почти шепотом.

Матушка моя, узнав, что Александр скончался, долго плакала и на своих больных ногах отправилась с Ниной в церковь.

Чиновники, дворянство присягнули Константину. В воздухе была разлита какая-то настороженность, все притаились, чего-то ждали. Ходили слухи, самые невероятные. Одни утверждали, что в гробу, который путешествовал через всю страну из Таганрога в Петербург, вместо тела императора лежит кукла, другие — что гроб везут пустой, а император будто бы скрылся и отправился в Америку, и еще другие подобные нелепости, причем в гостиные вся эта чушь попадала из людских.

Вспоминали, что в сентябре, во время проезда государя через Симбирск, где он был всего день, какой-то ошалелый петух хотел перебежать через дорогу и попал как раз под колеса коляски, в которой ехал Александр. Голова петуха отлетела, а видавшие ахнули и тогда еще говорили, что это не к добру.

В последних числах декабря пришло известие о бунте.

Помню, что вдруг всем стало страшно. Говорили об убийствах, о крови, о сотнях расстрелянных. Неизвестно было, чему верить. Рассказывали, что в заговоре вся гвардия, что новый император ранен, что чудом удалось спасти царскую семью.

Моя матушка с утра до ночи молилась за здоровье Николая, чтобы Бог спас его от смерти.

Новый год встречали тихо, ни в одном доме не было веселья.

Январь в Симбирске начался с арестов.

В Симбирске были арестованы двое из заговорщиков — Завалишин и Ивашев. Скоро стали известны подробности их ареста. Завалишин, служивший в кавалергардах, приехал в Симбирск в первых числах января, а здесь уже ждал присланный из Петербурга офицер, который должен был арестовать его и препроводить в следственную комиссию. Рассказывали, что Ивашев, проведав об этом, встретил Завалишина еще за городом и провез его не через заставу, а разными переулками к своему дому, так что тот мог пробраться через сад к Ивашевым и уничтожить компрометирующие его бумаги. На другой день Завалишин сам явился к губернатору Лукьянову, и тот будто бы поблагодарил его за избавление от тяжелой обязанности произвести арест в доме уважаемых всеми Ивашевых. А вскоре арестовали и молодого Ивашева.

Столь невозможным и страшным казалось, что дети известных семейств были замешаны в заговоре, что боялись даже поехать к старикам Ивашевым. Только после того, как сам Лукьянов нанес им визит, попытался как-то их успокоить, к дому Ивашевых потянулись возки и кареты со всего города. Старый генерал не мог перенести свалившейся на него беды и скоро уехал в свои Ундоры переживать позор один.

В ту зиму я жил единственным стремлением бежать в деревню. Выше моих сил было существовать в городе, где царит страх, где все притаилось, где говорят шепотом и все разговоры — о заговорщиках, о следствии, о предстоящем суде, о казнях. Мне казалось, что в глуши, где воздух чист и дышится свободно среди простых и честных забот по хозяйству, жить радостно и покойно. Хотелось быстрее лета, но кругом была бесконечная калмыцкая зима, а я всегда любил ненатопленное тепло.

Не дождавшись Масленицы, мы снова уехали в деревню. Это были удивительные дни. Давно нам не было так хорошо вдвоем. Я учил Нину кататься на коньках. Пруд, расчищенный от снега, блестел внизу, под горой, как серебряный поднос. Когда я поддерживал Нину, она стояла довольно уверенно, но стоило только отпустить ее руку, как Нина начинала визжать, охать, размахивать руками и катилась прямиком к ближайшему сугробу. С деревенскими мальчишками мы катались на санках с крутого обрыва или устраивали снежные баталии, а потом возвращались домой, извалявшись с головы до ног в снегу, мокрые и замерзшие.

Перед сном я читал ей. Она пристраивалась у меня на плече. Жан-Поль без труда усыплял ее, дыхание становилось ровным, маленькая ножка начинала вздрагивать, я откладывал том, задувал ночник и укутывал ее в пуховик. Я прижимал Нину к себе, слушая ее совсем детское сопение, кругом была бесконечная, занесенная снегом ночь, и я снова говорил себе, что я самый счастливый человек на свете.

Однажды, съездив на санках на мельницу, я, сам не зная отчего, доехал даже до большой дороги, но укатанное шоссе было пустынным, так за целый час никто и не проехал. Я возвратился домой уже затемно и в ожидании, пока кто-нибудь возьмет лошадь, подошел к окну гостиной, в котором горела лампа. Нина, услышав, что я подъехал, накрывала чай. Почему-то из всей той зимы мне больше всего запомнилось, как я стоял тогда в темноте на морозе и смотрел в светившееся, исчерченное инеем окно, а там суетилась Нина, расставляя чашки на столе, говорила что-то прислуге, но ничего не было слышно сквозь двойные рамы. Она даже несколько раз взглянула в окно, но меня не видела.

С весной опять начались хозяйственные заботы.

Несмотря на все мои старания прошлого года поправить дела в имении, решительно ничего не ладилось, разве что стало еще хуже. Я принялся за улучшения, презрев наказ древних: Quieta non movere*. Да и вряд ли при всем желании имение наше могло приносить какой-то доход. Я разрывался, гонял целый день лошадь, стараясь побывать всюду: и в полях, и на гумне, и в овинах, и на мельнице, и в амбарах, и в деревне. Приходилось все время следить, как бы чего не украли, не испортили, не проспали. Мужики на своей-то земле работали кое-как, что же говорить про господскую! С самого начала моей помещичьей деятельности я стал улучшать и по мере возможности облегчать жизнь крестьян, думая, что безделье и пьянство процветают от произвола и мужицкой беззащитности. Первым делом я уменьшил барщину. И что же? Подаренное время они пьянствовали за мое здоровье. Видя во мне доброго барина, воровали почти в открытую.

---

* Не трогать того, что покоится *(лат.)*.

Повсюду были порубки, потравы, заезды по полям. За порубку в роще отчитываю старосту, а он в ответ:

— Батюшка Александр Львович! Не было бы воров, не было бы и дворов.

Каждый вечер Роман, староста, приходил с отчетом о произведенных в течение дня работах. Этот человек, которого я сделал своим управляющим, оказался вором столь ловким, что обирал меня до нитки, тогда как в бумагах все было гладко, так что и придраться было не к чему. Было омерзительно смотреть, как, будучи сам из дворовых, он высокомерно держал себя над всей массой мужиков. И все же я не прогонял его, потому что заменить было решительно некем. Этот хоть как-то вел дела, а предыдущий попросту пил одиннадцать месяцев в году, а в двенадцатый составлял отчет, наобум переписывая набело прошлогодний, и представлял вместе с обозрением того, что было предпринято, пусть и не исполнено в течение года.

Я стал замечать, что в мои частые отъезды в конторе меня как-то само собой заменяла Нина. Сидя в кабинете, она пересматривала отчеты писаря, тщательно вникала во все подробности и выискивала несуразности, отчитывала старосту, сама ходила проверять, хворы ли крестьянки или просто отлынивают от работы.

Первым делом, как только вставала, Нина шла в скотную избу смотреть, как скотница снимает сливки и сметану, сама перемеривала, взвешивала и отдавала бить молоко, а сыворотку и масло снова перемеривала, взвешивала. От птичницы принимала яйца и сама укладывала их, сама следила за амбарами, кладовыми, проверяла птичий и скотный двор.

Все чаще староста обращался за решением своих дел к Нине. Сперва это раздражало меня, а там я и сам стал отсылать к ней и мужиков, и писаря, и мастеровых со всеми их бесконечными делами, которые требовали все больше времени и сил, а толку от них не было ни на грош.

Иногда, устав от всей этой суеты и шума, я ложился почитать, но это было решительно невозможно, потому что в открытое окно было слышно, как Нина кому-то кричала, на кого-то ругалась или давала указания кучеру, чтобы он не напился пьян, чтобы бричку поставил в сарай, а лошадей отпряг и поводил, и пуще всего чтобы берег молодую.

Нина сильно переменилась. Она уже не скучала, как бывало раньше. Заботы по имению занимали ее целиком, и уже о том, например, чтобы поехать устроить обед в лесу, не могло быть и речи — ей не хотелось оставлять хозяйство на целый день без присмотра.

Матушка и Елизавета Петровна приехали в тот год из города поздно. Снова установились семейные трапезы с чтением газет вслух и уговариванием меня поступить на службу. Без службы, увещевали меня в один голос, человек портится, гниет, как застойная вода, а я еще молод, полон сил и могу приносить пользу отечеству. К тому же надобно получать жалованье, убеждали они, поскольку от нашего имения вовсе не было никакого дохода.

По привычке старушки живо принялись за хозяйство сами. Все им казалось, что Нина делает не так. На людей сыпались иногда совершенно противоположные приказания, и все это вносило еще большую бестолковщину. Раньше Нина соглашалась с их мнением безропотно и делала все, что ей говорили. Теперь же она вдруг вспылила из-за какой-то квашни. Произошла неприятная сцена, да еще перед дворней. Тетка, обидевшись, вздумала в тот же день ехать и стала собираться, но я настоял, чтобы Нина выпросила у нее прощенье. Примирение состоялось, но больше уже ни матушка, ни Елизавета Петровна не осмеливались перечить Нине ни в чем.

В то лето газеты принесли сообщения о суде, приговоре, конфирмации, казни.

Теперь матушка молилась за повешенных.

Снова наступила осень. От сырой, холодной погоды я стал часто болеть, чего никогда раньше не было. Нина отпаивала меня чаем с малиной или медом. Я лежал с утра до ночи в постели, закутанный, с теплыми кирпичами у ног, слушал, как отчитывает Нина прислугу, глядел, как за окном сыплет дождь, как уже снова становится виден дальний конец сада и как капает в таз с починенной крыши.

Постоянные простуды сделали меня раздражительным. Я стал замечать за собой, как иногда не могу сдержаться, и моя хандра вымещалась на Нине. То чай подавали остывшим или излишне горячим, то мне казалось, что дует, то пахло угаром. Все мои капризы Нина сносила терпеливо и ухаживала за мной, как за ребенком, укутывала, поила с ложечки, заставляла пить всякие отвары. Иногда я вдруг замолкал и молчал целыми днями. Нина не понимала, что со мной происходит, нервничала, не видя за собой никакой вины.

Я с ужасом поймал себя на том, что получал даже какое-то удовлетворение в том, чтобы доводить ее до слез. Тем более что многого в последнее время для этого не требовалось. Достаточно было швырнуть салфетку в суп, показавшийся несъедобным, или сбросить с письменного стола оставленное не на месте рукоделье.

Стоило только в задумчивости замурлыкать какую-нибудь прилипчивую кадриль, как Нина уже подпевала и заглядывала в глаза, улыбаясь робко, почти заискивающе, пытаясь составить дуэт. Я замолкал, а она усердно повторяла галопирующий мотив, пока я не обрывал ее, звоня в колокольчик Михайле, еще сам не зная зачем. Потом мы выходили к обеду — она с заплаканными глазами, я — делая вид, будто ничего не произошло, и спокойно заговаривая о том, что давно нет весточек от наших старушек, отправившихся зимовать в Симбирск.

Я не находил себе места. Что-то не давало мне покоя, гнало из комнаты в комнату, прочитанная страница не переворачивалась, сон никак не приходил.

В редкие минуты душевного покоя, когда все было как прежде, перед глазами вставали безмятежные картины прошлого года, и лесные пикники, и ночные катания на санках при лунном свете. Но в ту зиму, хотя пруд усердно расчищали от снега, мы так ни разу и не собрались кататься на коньках.

Каждый день отдалял нас с Ниной друг от друга.

Прошел еще год, измучивший нас.

Как-то незаметно, вдруг, Нина из робкого подростка превратилась в пухлеющую крикливую барыньку. Я заметил, что у нее даже провисает под подбородком, заплыли жилки на шее, стала на глазах расти родинка на губе. На нее тоже все чаще находило что-то, и она, отвернувшись к стене, твердила одно и то же, что я ее больше не люблю и никогда не любил. Я обнимал ее, успокаивал, просил, чтобы она не говорила глупостей, но Нина вырывалась и все твердила свое. Это раздражало меня еще больше, я убегал, хлопнув дверью, на двор и бродил по морозу до окоченения.

Нина хотела ребенка, Бог не давал нам его, и она несколько раз в слезах вспоминала злополучное кольцо, укатившееся к алтарю.

Ссоры, размолвки, тяжелые, многодневные, возникали из-за всякого пустяка.

Я не мог понять, как получилось, что я связал свою жизнь с каким-то чужим, далеким от меня человеком. Временами я ненавидел ее. Ненавидел не столько то, что она была неразвита, бесталанна, заурядна, попросту глупа, сколько само ее присутствие, ее крикливый голос, все время доносившийся со двора или с кухни. Больше всего меня раздражали, доводили до ярости мелочи: ее волосы, которые я постоянно находил то на диванной подушке, то на обеденном столе; пропахший ее капот, оставленный на спинке кресла; недогрызанная корочка хлеба, которую она всякий раз не доедала по какой-то необъяснимой, бесившей меня привычке. Меня выводило из себя то, как, засыпая, она трясла подолгу ногой, как привязывала платком на ночь к щекам сырые котлеты, как отмачивала в миске с молоком свои красные с потрескавшейся кожей руки.

Ссоры наши кончались ее долгими ночными рыданиями. Я брал подушку, одеяло и уходил спать в кабинет. Я ворочался на диване, на котором спал мой отец. Снова и снова перед глазами вставал этот странный человек, давший мне жизнь. Я видел его как наяву. Вот он шел, будто живой, под первыми каплями дождя, не оглядываясь, ноги расползались по мокрой глине, руки обычным манером сцепил за спиной, но то и дело, поскользнувшись, разбрасывал их в стороны, и белый картуз уже покрылся темной мокрой сыпью.

Мне казалось, что я уже понимал, о чем он хотел сказать мне тогда, при расставании, и не сказал.

Я чувствовал, что опять ко мне подбирается страшная, мучительная болезнь, которой не было названия и которая свела отца в могилу.

Потом была холодная августовская ночь.

Под сильным ветром в окно прямо над головой билась сирень, и мне не спалось. Ветер рвал ставни. Порывы его иногда были почти ураганной силы, и казалось, вот-вот очередным шквалом сдернет крышу.

Под утро ветер незаметно утих, а я все ворочался и уже понял, что не засну. Я осторожно встал, чтобы не разбудить Нину, она спала, высунув из-под одеяла ногу, и вышел в сад. За домом небо уже светало. Ветром посшибало немало яблок. На сосновой аллее накидало поломанных веток с шишками. По мокрой скользкой дорожке я спустился к пруду. Вчера еще день был жаркий, вода не успела за ночь остыть, и по поверхности разливался туман. По воде шли круги, и было непонятно, то ли падали с веток капли, то ли рыбы клевали воздух. Мне захотелось вдруг искупаться, и я с целый час плавал от берега до берега.

Когда поднимался к дому, еще из сада, из-за деревьев я увидел, что Нина стояла на крыльце, босая, в ночной кофте. На нее падали лучи только что вставшего солнца. Я обнял ее, поднял и отнес в остывшую уже постель. Она сказала, что ей приснилось, будто я ее бросил, проснулась, а меня нет. Я стал целовать ее заплаканные глаза, припухшее после слез лицо, мокрые, слипшиеся ресницы.

Утром, солнечным, но прохладным, за завтраком, который, как обычно, накрыли на веранде, я объявил о своем намерении вновь поступить на службу. Матушка и Елизавета Петровна были счастливы, беспрестанно целовали меня и даже выпили на радостях по рюмке вишневой. Нина сидела молча. Непременным условием я поставил служить не в Симбирске, а хотя бы в Казани, казавшейся из нашей глуши городом чуть ли не европейского значения. Тетка обещала, что ее знакомая, теща казанского губернского прокурора Солнцева, сделает мне протекцию. Было решено, что Нина приедет ко мне, как только я хорошенько устроюсь на новом месте. Старухи ничего не понимали и, одурев от наливки, все целовали то меня, то Нину.

Я взял с собой Михайлу и отправился в путь, не дождавшись обмолота.

От тех первых дней в Казани осталось чувство какого-то восторженного возбуждения. После долгого деревенского заточения меня оглушил этот пестрый шумный город, смешавший в себе черты Европы и татарщины. Я бродил с утра до ночи по торцовым мостовым и слободским переулкам, заглядывал в бесчисленные церкви и мечети, гулял по базарам, покупал какие-то халаты, ичиги, еще

Бог знает что, не в силах устоять перед натиском торговцев, которые хватают прямо за руки и не пускают, пока чего-нибудь не купишь. Всюду крикливая тарабарщина, бороды, выбритые полумесяцем, а из-за Булака, с минаретов доносится вой муэдзинов. В татарской слободе на меня набросились синеголовые татарчата, которых уже с двухмесячного возраста бреют наголо, и я насилу отделался от них, пользуясь для этого по неопытности медяками, а не тумаками. Ночью, в грязной гостинице с неопрятной прислугой, привыкшей входить, не постучавшись, пришлось спать, спасаясь от клопов, на столе посреди комнаты, все убранство которой состояло из трех просиженных соломенных стульев, нетвердой кровати с соломенным тюфяком, железного сломанного ночника да голых стен, усыпанных прусаками.

Мой первый казанский визит был на Верхне-Федоровскую улицу в большой двухэтажный дом, снизу каменный, сверху деревянный, где жил Гавриил Ильич Солнцев. Письмо, написанное теткой его теще и лежавшее у меня в кармане, теперь должно было решить мою будущую судьбу.

Этот Солнцев был личностью примечательной, своего рода казанской знаменитостью. Сын священника одного из захудалых орловских приходов, он смог добиться в жизни большего, нежели сонмы заживо сгнивших в медвежьих углах поповичей. Он окончил семинарию, Московский университет, потом, когда вся Москва бежала от Наполеона, оказался в Казани. Какими обширными познаниями, каким незаурядным умом должен был обладать этот человек, чтобы за несколько лет совершить подобное головокружительное восхождение на научном поприще: магистр Казанского университета по факультету нравственно-политических наук, доктор обоих прав, профессор, декан, и, наконец, в тридцать лет его избирают профессора своим ректором! О его учености, о независимости суждений, о широте взглядов, необычных для наших учебных заведений, ходили легенды. Неудивительно, что долго подобное у нас терпеть не могли. Попечителем Казанского университета был назначен печально известный Магницкий. Попечительство у нас издавна принято понимать весьма своеобразно. Для университета настали черные времена. Все, что было в университете молодое, свободное, мыслящее, подверглось преследованиям. Солнцева стали травить. У его слушателей отбирали лекции. Он сам был в конце концов отдан Магницким под суд.

Удивительные антраша заставляет судьба делать русского человека. Друг и первый помощник Сперанского, нашего неудачливого Вашингтона, вдруг становится душителем университетов, давит и загрызает все, что не желает, покорно потупив взор, жить в гармонии с начальственными указаниями, а не с научной истиной.

Но Солнцев-то, Солнцев, живой символ казанского свободомыслия! Изгнанный из университета за привитие молодежи разрушительных начал, оскорбленный и поруганный, лишенный судом права преподавать, а значит, кормить свое семейство, что за коленце выкидывает он! На какое-то время он исчез из Казани вовсе, как потом оказалось, он был в Петербурге, замаливал перед высшим начальством грехи и настолько преуспел в этом, что появился в Казани вновь в обличье губернского

128

прокурора. А когда в декабре двадцать пятого Магницкий был доставлен в Казань в сопровождении офицера фельдъегерской службы, высланный из Петербурга, перепуганный, практически под арестом, и новый император приказал срочно провести ревизию его деятельности, за следствием было поручено наблюдать самому Солнцеву. Теперь уж Солнцев засудил Магницкого. Восторжествовала ли справедливость? Им виднее.

Меня раздел швейцар и сказал, что Татьяна Николаевна у себя. Никого не встретив, я прошел в гостиную, где подвергся неожиданному разбойному нападению двух борзых, набросившихся на меня с оглушительным лаем, так что пришлось отбиваться от них стулом. На шум из соседней комнаты выглянула немолодая женщина, бледная, с заплаканными глазами, и спасла меня, накричав на собак. Я представился.

— Ради Бога, простите, — услышал я в ответ. — У дочки жар, пришел доктор. Вы пройдите пока к матушке.

Я прошел в полутемную комнату с тяжелыми гардинами на окнах и несвежим воздухом. Там сидел кто-то в кресле, я даже не мог разглядеть сперва кто. Наконец глаза мои привыкли к темноте, и я увидел высохшую старуху, прикованную болезнью к креслу, руки и ноги ее были неподвижны, и она только качала головой, крошечной, величиной с пасхальное яичко, в чепце и кружевах. Помню, она долго плакала, всхлипывая и тряся головкой, когда слушала письмо. Было что-то удивительное в том, что она так обрадовалась племяннику Лизаньки, которую она, как оказалось, хорошо помнила. Старуха все никак не могла успокоиться, и мне несколько раз пришлось подставлять лоб под ее сухие шершавые губы. Потом без всякого перехода она, качая головкой как китайский magot*, вдруг попросила:

— Миленький, сыграйте со мной в мушку!

Комнатная девушка держала ей карты перед самым носом, а она шептала той на ухо, чем ходить.

Меня оставили обедать.

Татьяна Николаевна, супруга Солнцева, была к тому времени матерью трех детей, которые один за другим без передышки болели, и все разговоры ее за столом были только о правильном питании, о зубах, о средствах от запоров и тому подобном. Обедал с нами еще доктор. Он сидел рядом со мной, и от него пахло аптекой, ребарборой и розовым маслом. Несчастная старуха, которую обычно кормили с ложечки в ее комнате, сидела за общим столом перед нетронутым кувертом за компанию. Не было самого Солнцева.

— А что же Гавриил Ильич? — спросил я.

Мой вопрос отчего-то смутил всех за столом.

— Когда много работы, муж обедает у себя наверху, в кабинете, — сказала, покраснев, Татьяна Николаевна.

Доктор, аккуратный, неторопливый, с учтивой улыбкой и холодными глазами, был немцем. Фамилия его была Шрайбер.

— Вы давно здесь? — спросил он меня.

— Третьего дни.

— И как вам показалась наша матушка Казань?

— Представьте, ночью, в гостинице, мне пришлось спать на столе, в виде покойника. Во всем же

_____
* Болванчик *(фр.)*.

остальном Казань восхитительна, — я решил польстить ханскому патриотизму. — С ее Кремлем, древностями и минаретами она есть татарская Москва и уж верно третий наш город после столиц.

— Да бросьте вы, Александр Львович, — усмехнулся Шрайбер. — Дыра дырой. Да и место скверное. Вот весной увидите.

— Да отчего же?

— Поверьте мне: как Москва — город мочевых камней, так Казань — столица лихорадок. И что за дикость была селиться посреди болот! В этом городе что ни распутица, непременно эпидемия. А главное — вода. Под боком Волга, а этот народ довольствуется Кабаном, куда свозят нечистоты. Поставьте эту жижу в колбе на подоконник на солнце, и через час в ней появится рой зеленых букашек.

— Опять он набросился на Казань! — сказала Татьяна Николаевна. — Не обращайте внимания, Александр Львович! Это злой человек, но зато добрый доктор.

Шрайбер рассмеялся, и его мелкий сухой смех быстро перешел в кашель.

В тот день меня отпустили, только взяв слово, что буду приходить к ним обедать, хотя бы по воскресеньям.

— А насчет службы не беспокойтесь. Гавриил Ильич все-все устроит.

Мы вышли на улицу вместе со Шрайбером. У ворот стояла его коляска. Он окликнул кучера, рыжебородого детину с разбегавшимися глазами, про которые принято говорить, что один смотрит на вас, а другой в Арзамас, и предложил меня подвезти.

— Благодарю, но я любитель ходить пешком.

— Как хотите. Имею честь кланяться. А на будущее, если хотите повидаться с нашим прокурором, выбирайте день поудачнее. Гавриил Ильич — человек с особенностями.

— Что ж с ним такое?

— Военное положение, — улыбнулся Шрайбер. — Это он сам так про себя говорит: ухожу на военное положение. А попросту говоря — запой.

Доктор приподнял шляпу, и коляска его тронулась.

Через пару дней я получил записку от Татьяны Николаевны, из которой следовало, что дело мое улажено.

В назначенное время я явился в канцелярию генерал-майора Паренсова и сделался чиновником в правлении Низового округа департамента корабельных лесов. Когда я вошел в его кабинет, Илья Ильич Паренсов, сухой бравый старик с седыми кавалерийскими усами и влажными глазками, отбросил бумаги, которые читал с помощью лупы, и вышел ко мне из-за стола с распростертыми объятиями. Мне вручили ключ от моего стола, объяснили порядок входящих и исходящих. Из путаных объяснений я понял только, что отныне я буду заниматься лашманами — татарами, которые заготавливали строевой лес.

— Чертовы бумажки! — сокрушался Илья Ильич. — Да вы молодой, разберетесь. Бумаги и перьев вдоволь, а левая нога у вас есть!

Старик захохотал и хлопнул меня по спине.

Помню, как я разглядывал в первый день большие сырые комнаты с зелеными подтеками на потолках, заставленные разнокалиберными шкапами с бесчисленными грудами каких-то бумаг, перевязанных веревками в кипы. Шкапов не хватало, и кипы громоздились по углам, на подоконниках. Столы теснились даже в проходах. Из-за них на меня поглядывали какие-то угрюмые люди, мои новые товарищи, давно привыкшие к этому грязному помещению и не замечавшие ни затхлого запаха, ни пыльных окон с сонмами мертвых мух между рамами, ни протертых локтей, ни темных пятен у себя под мышками.

Илья Ильич представил меня, и я сделался одним из них.

Я нанял две чистых теплых комнаты на Нагорной в деревянном двухэтажном особнячке у Евгения Карловича Нольде, коллежского секретаря, старшего землемера этой же канцелярии, страдавшего от тучности и тяжелой одышки. Со мной он разговаривал сперва сдержанно, если не сказать холодно, десять раз предупредил, что прошлый жилец был человек тихий, никого к себе не водил, и мне пришлось успокаивать его, что никаких тревог мое пребывание ему не доставит, что я вообще здесь временно, лишь до приезда жены, и съеду сразу же, как только найду подходящий для семейной жизни дом. Старик сразу же зачем-то сообщил мне, что его сын служит в гвардии. Амалия Петровна, супруга Нольде, всегда в чепце и с рукоделием, беспрестанно укутывала мужа, заставляла его ходить дома в теплых, связанных ею тапочках и шапочке, то и дело щупала губами лоб. В задней комнате жил отец Амалии Петровны, глубокий старец, ослепший давным-давно и никогда не показывавшийся при посторонних. Я увидел его с улицы, в окне. Он залез на подоконник, ощупью открыл форточку и кормил воробьев, выставив им корм на тарелке.

Окна одной комнаты выходили на Нагорную, и вид утонувшей в грязи улицы с будочником на углу был уныл. Зато с другой стороны открывалась перспектива на пойму Казанки и на Подлужную слободу, а прямо под окнами круто уходил вниз сад. В маленьком дворике вывешивали проветриваться мундир Евгения Карловича, когда тот возвращался со службы.

Понедельник, первый день моей новой службы, выдался дождливым.

Я отправился под зонтом в крепость, перескакивая на раскисшей улице с кочки на кочку, так что появился в канцелярии весь в грязи.

К новому чиновнику отнеслись настороженно, хотя я вместе со всеми смеялся над дурацкими анекдотами и не отказался от их гнусного табачку.

Когда пробило три долгожданных удара и все комнаты вмиг опустели, кроме меня в канцелярии остался лишь Пятов, младший землемер. Я все никак не мог разобрать свой стол, заваленный бумагами, а он корпел над какими-то планами. Потом пришел сторож, и мы с Пятовым вышли вместе. Он заговорил первым, так что мне пришлось поддержать беседу. Мы шли мимо бесконечного ряда присутственных зданий к воротам Спасской башни, и, чтобы не отвечать на расспросы, я, вспомнив, как канцелярские подтрунивали над его любовью к птичьему пению, завел разговор о соловьях. Пятов весь преобразился, просиял и стал восторженно рассказывать про своих питомцев. Ни с того ни с сего он с таким жаром принялся упрашивать меня зайти взглянуть на них, что мне стало совестно отказать этому странному человеку в такой малости.

Жил Пятов в Мокрой слободе, на самом краю Казани, так что я десять раз раскаялся, прежде чем мы добрались по осенней грязи до домишка, в котором он квартировал. Обитал Пятов в каморке с волнообразным полом, окнами на грязный двор, с копотью на облупившейся штукатурке. Мебель заменяли собой лишь чахлая кровать да прыгающие стулья. Вся его убогая холостяцкая квартирка была уставлена и увешана птичьими клетками. Каждого своего соловья Пятов звал по имени-отчеству, с каждым вступал в разговор, издавая пронзительный переливчатый свист. В это мгновение лицо его делалось вдохновенным, повадками, дерганьем головы он подражал собеседнику и сам отчаянно становился похож на птицу. Пятов все подливал мне жиденький дурной чай, и рассказам об Иван Иванычах и Петр Петровичах не было видно конца.

— Вы только представьте себе, Александр Львович! На свободе соловьи и месяца не поют, а в клетках заливаются почти круглый год!

Я несколько раз порывался уйти, но Пятов упрашивал меня остаться еще и еще.

— Нет, нашего брата баснями не накормишь! А знаете ли вы, что они почитают за любимое кушанье? Представьте себе, муравьиные яйца! Червячков-букашек не хотят, подавай им муравьиные яйца! Вот я их и балую. А что прикажете делать? Беру мешок побольше и отправляюсь в лес. Принесу оттуда целый муравейник и высыпаю его во дворе. У меня там специальная площадочка есть, сам утрамбовал, а по краям канавка. Прикрою канавку всякой ветошью, а кучу поджигаю. Мураши, понятно, давай стаскивать свои коконы в ямку. Тут кипятком их ошпаришь и доставай яйца хоть пригоршнями!

— Господи помилуй, так ведь кусаются, наверно?

— Еще как, Александр Львович, еще как! Искусают чуть ли не до смерти! Лицо все опухнет, смотреть на себя страшно. А что делать?

И Пятов заливался улыбкой, покручивая длинный волосок, росший из черной родинки на шее.

Когда Кострицкий, почт-чиновник, служивший при канцелярии, вдруг предложил мне провести пятничный вечер за карточкой, я охотно согласился, и это удивило меня самого.

Я явился в назначенное время, но Кострицкий встретил меня еще в халате. Этот человек имел чудачество говорить иногда что-нибудь в сторону, как говорят на театре, причем делал это неожиданно густым басом. Извинившись за свой наряд, он вдруг сказал, прикрыв рот ладонью:

— И черт тебя дернул притащиться в такую рань!

Потом, подмигнув, засмеялся и зашаркал к себе в комнату переодеваться.

Меня, столь неловко пришедшего вовремя, вышла развлекать госпожа Кострицкая, полная дама не первой молодости, явно злоупотреблявшая духами с запахом фиалки.

Она сразу вызвалась мне погадать, усадила на потертый кожаный диван, испустивший при этом дух из прорехи в обивке, придвинулась поближе, так что от нее сразу повеяло жаром, и стала водить пухлым пальчиком по моей ладони.

— Анна Васильевна, — улыбнулся я. — Должен предупредить вас заранее, что ни в какие гадания я не верю.

— А как же Ленорман, — удивилась она, — ведь она же предсказала поручику по чертам ладони, что он выиграет не одно сраженье, покорит не одно царство, будет владычествовать и удивит мир!

Я пожал плечами, на это мне нечего было возразить.

— Вот и посмотрим, Александр Львович, все ли, что написано на вашей ладони, правда.

— И что же вы видите? Будет ли у меня в жизни счастье?

Она долго всматривалась в линии на моей руке, потом закачала головой.

— Увы, природа оказалась к вам щедрее судьбы. Но счастливым вы будете, и причем непременно.

Пятничные карты, которые я стал прилежно посещать, были для этих людей, казалось, даже впитавших в себя запах слежавшихся бумаг и отсыревшей побелки, какой-то отдушиной, развлечением, маленьким праздником. Играли обычно у Кострицкого. Он готовился к этому дню, предвкушал его уже чуть ли не за неделю, вспоминал на службе часами, у кого когда вышел какой-нибудь необычный расклад, причем самому ему все время на удивление не везло. Он выходил всегда к игральному столу свежий, подтянутый, надушенный, с графинчиком какой-нибудь наливки, и по мере того как счастливая карта все убегала от него, графинчик опорожнялся. Во время игры Кострицкий делался серьезен, нервничал, кусал губы, барабанил пальцами по столу. Проигрывая, злился, рвал на себе галстук, сбрасывал сюртук, грыз ногти, и «в сторону» летели уже проклятья и пьяная брань.

Иногда приезжал Нольде. Он пыхтел, слюнявил карты, чесал желтыми ногтями красную, покрывшуюся от волнения испариной плешь и все время пасовал.

— Нет, господа, не доверяю я этим коварным гостям с Александровской мануфактуры!

Анна Васильевна садилась за фортепьяно и тихонько наигрывала, глядя за окно и напевая что-то.

Позже всех приходил Барадулин, коллежский секретарь, большой, шумный, с уродливым лицом, покрытым угрями. На руках и пальцах росла густая шерсть. Волосы курчавились из-за воротничка на шее и далее лезли из ушей.

— Богиня Анна! — кричал он с порога. — С таким умом, красотой и талантом зачем вы губите себя в этом болоте?!

Он громко чмокал каждый пальчик на обеих руках Анны Васильевны, та смеялась и дергала его за кисточки, росшие из ушей. Нянька приводила детей Кострицких, жирного мальчика лет пяти и худую девочку чуть постарше, чтобы маменька и папенька благословили их перед сном. Барадулин хватал мальчишку в охапку и с хохотом подбрасывал к потолку. Ребенок ревел от страха и колотил кулаком по его грушевидному, обсыпанному прыщами носу.

Когда усаживались к игре, Барадулин заставлял всех передвинуть стол и устроиться так, чтобы Кострицкий оказался в углу под обшарпанными ветвистыми рогами, что висели в простенке. Он хохотал, а Анна Васильевна, глядя на нас, только вздыхала:

— Что дети малые...

Барадулин всегда рассказывал истории, где и как он пил, с подробностями, вроде той, что в трактире кому-то заснувшему припечатали бороду к столу сургучом.

Анна Васильевна уходила, оборвав пьесу на середине.

Каждое утро меня будил протяжный заунывный возглас с улицы:

— Воды кабанной! Воды!

За дверью слышалось тяжелое сиплое дыхание и вежливое покашливание Нольде.

— Александр Львович, пора! Не ровен час проспите!

К длинному ряду присутственных мест, что тянутся в крепости до самой консистории, торопились в предрассветных сумерках чиновники, кутаясь в шинели, невыспавшиеся, злые. Хоть топили с самого утра, в канцелярии всегда было зябко, все слонялись без дела до прихода начальства, грели пальцы под мышками и вели сонные, вялые разговоры. Этот утренний час был наполнен вздохами, кашлем, позевыванием, сплетнями, нюханьем табачку, злыми, грубыми остротами в адрес Крылосова, управлявшего делами канцелярии и метившего на место Паренсова. Но стоило только ему появиться в дверях, как почтенные отцы семейства разбегались к своим столам с озабоченным видом, будто нашкодившие школьники.

Вицмундирная пара при узких панталонах со штрипками, орден на шее, туго накрахмаленная манишка — Крылосов стоял в неожиданно распахнувшихся дверях, чуть приподняв одну бровь, другую сгустив к переносице. Жест его говорил — ну вот, бездельники, я и вывел вас на чистую воду! С появлением начальства начиналась служба. Тянулись томительные часы. Пропажа черной коленкоровой тряпицы для вытирания перьев превращалась в событие. Если же кто-то оттузит кантониста, прикрепленного к чертежной, что песку нет в песочнице, разговоров хватало на целый день.

Паренсов появлялся лишь раз или два в неделю подписывать бумаги. Бывший кавалерист презрительно называл это «ходить на каракули». Илья Ильич врывался в душные затхлые комнаты стремительно, зажав пальцами нос, и приказывал распахнуть окна.

— Ну и дух от вас, чернильные души! Ей-богу, крепче, чем в эскадронной конюшне!

Начинался переполох, поднимался сквозняк, не убранные вовремя бумаги взмывали в воздух, носились по комнатам, выделывая вензели. Чиновники бросались в погоню за бумагами, стулья скакали по полу, двери хлопали, а Илья Ильич хохотал до слез. Крылосов бесстрастно пережидал это буйство на пороге своего кабинета, устало склонив чело и рассматривая ногти. Паренсов вытирал глаза платком, сморкался:

— Ну, чудики, право слово, насмешили!

Он здоровался с каждым за руку, даже с Пятовым, дарил кантонистам петушков на палочках и гладил их стриженые, видно, никем, кроме него, не приласканные головы. Потом Илья Ильич тяжело вздыхал и отправлялся к Крылосову «на каракули».

На стене, прямо над моей головой, висел план Казанской губернии. Сколько ни высчитывал я прогоны самых замысловатых губернских странствий, все казалось, что три часа никогда не наступят.

Иногда заглядывал сторож, старый солдат с культяпкой вместо руки. Он отдавал своим обрубком честь и просил на водку к именинам, божась всякий раз, что он Николай, или Петр, или Михаил.

Третий удар часов заставал всех уже на лестнице. Обратно я долго брел кружной дорогой мимо стен крепости, чтобы отдышаться свежим сильным ветром с Казанки.

После обеда я ложился. Иногда ко мне поднимался Евгений Карлович, всякий раз останавливаясь на середине лестницы, чтобы успокоилось дыхание. Он клал на стол мешочек с лото:

— Так, на всякий случай.

Нольде долго усаживался, откашливаясь, поглаживая плешь. Ему приносили на подносе огромную чашку, и он пил свой зеленый чай с молоком, громко прихлебывая.

— Ну что вы, так же любил покойный Александр Павлович, а вы разве не знали?

Нольде любил говорить о каких-нибудь необыкновенных событиях, простым житейским умом необъяснимых.

— Вот взять, к примеру, Суворова. Князь Рымникский! А сын его в том же Рымнике ровно через тридцать лет утонул! Ну как, спрашиваю вас, как это объяснить?

За Евгением Карловичем приходила Амалия Петровна.

— Вот несносный человек, — набрасывалась она на мужа. — Неужели не видишь, что Александр Львович устал, ему нужно отдохнуть!

— Ну что вы, Амалия Петровна, беседовать с Евгением Карловичем одно удовольствие!

Амалия Петровна пыталась увести мужа не очень настойчиво и сама присаживалась в уголке. Она наматывала шерсть на перегнутую карту или вязала и, когда зевала, защищала рот, крестясь.

Однажды она поднялась одна.

— Ради Бога, Александр Львович, простите нас, стариков. Мы ведь с вами друг другу никто, а вы нам что родной сын! Вот даже гоголь-моголь любите, как наш Сереженька.

Чтобы сделать ей приятное, я стал расспрашивать Амалию Петровну про сына, в каком полку он служит и т.п.

— Да не слушайте вы старика! У нас ведь такое горе! Сереженька с детства был непутевый. Я недоглядела, так он пуговицы проглотил, еле отходили. А в армии связался с какой-то дурной женщиной. Вы извините, что я плачу. В полку открылась большая недостача. Сереженька сам не мог, поверьте, это она научила. Было следствие, суд, его разжаловали. Куда мы только не писали, что только не делали! Наконец его простили. Господи, как я была счастлива, что все снова хорошо! И что же вы думаете, какие-то злые люди опоили Сереженьку, и он опять набедокурил. Снова суд, и бедного мальчика отправили в кандалах в Вилюйск! И вот мы опять пишем, пишем. А он такой слабый, болезненный, он не выдержит!

Иногда, когда приходил Нольде, я притворялся спящим, и Евгений Карлович, посидев немного и осторожно покашляв, забирал свой мешочек с лото и шаркал вниз.

Я лежал и слушал, как из прихожей доносился монотонный голос Михайлы, который читал газеты. Его постоянной слушательницей была Улька, прислуга Нольде, здоровенная девка с головой, вымазанной маслом и приглаженной квасом, от которого ее волосы рыжели. Она была хорошая горничная, но неприятная лицом, вся в бородавках. За пристрастие к газетам я прозвал Михайлу ami de peuple*, а Ульку величал девицей Эврар, на что она невероятно обижалась, подразумевая невесть что.

Из комнаты слепого, прямо подо мной, доносился скрип кресла-качалки. В окно было видно, как во дворе шевелит на ветру рукавами мундир, будто шагает куда-то сам по себе.

Каждую почту я получал письма от Нины. В тот год матушка и тетка остались в деревне и готовились к переезду по зимнику в Казань.

Эти листки, исписанные старательным детским почерком, представляли собой подробный отчет о том, что происходило в их жизни, начиная от беспокойства за всход озимых и кончая подгоревшими пирогами с вязигой. Она писала мне обо всем на свете, о том, что скотник Илья упал с лошади и сломал ребро, и о том, что разродилась наша кошка, и о том, что был дождь и сейчас все еще накрапывает. Она пересказывала мне каждый свой сон. Ей все время снилось, что со мной что-то произошло. В каждом письме она писала, что любит меня и ждет, когда мы снова будем вместе, что только с моим отъездом поняла, что я для нее значу и что, кроме меня, у нее ничего в жизни нет. В одном из писем была приписка, что она перебирала в гардеробе мои вещи и оказалось, что они еще сохранили мой запах. Она так и написала: «Представь себе, я проревела целое утро».

Я написал ей два или три коротких письма. В них я сообщал, что все хорошо, что со службой дело уладилось и что дом я уже присмотрел. Только в нем нужно будет сделать небольшой ремонт. Я да-

---

* Друг народа *(фр.)*.

же спрашивал Нину, хочет ли она, чтобы в гостиной было солнце или чтобы окна выходили в сад.

Сколько раз я заставлял себя сесть за письмо, чтобы наконец объясниться! Сколько раз я принимался уже писать его, но худо очиненное перо рвало бумагу, увязало в ней, и скомканные листы летели в огонь.

Прошел месяц, второй, третий, а я все еще ничего не мог для себя решить. Я знал только, что к Нине я не вернусь.

В половине декабря вдруг перестали приходить от нее письма. Я не встревожился, нет. Я даже почувствовал, что испытываю нечто вроде облегчения. Наконец пришло известие от матушки. Она сообщала, что Нина слегла, что доктора опасаются за ее здоровье. Почти одновременно я получил письмо от Нины. Оно было коротким, всего несколько строк. Она написала, что так дальше жить не может, что она сойдет с ума, что я не люблю ее и никогда не любил, что она это всегда знала и только обманывала зачем-то себя. Еще она приписала, что ей ничего от меня не надо, но что все равно она будет любить меня.

На следующий день мне пришлось заехать с какими-то бумагами к Крылосову. После рождественских праздников в канцелярии накопилось много дел, он сидел в простуде дома и принимал чиновников у себя.

В домашней обстановке этот человек сделался каким-то другим. Как сейчас вижу его в ярком бухарском халате, в турецких туфлях без задника. Крылосов суетливо копался в ящиках своего стола, шмыгал носом, ворчал:

— Им там лишь бы циркуляр пустить, а то, что здесь его кому-то исполнять надо, это их не касается! Да вы присаживайтесь, присаживайтесь, Александр Львович, что ж вы стоите!

Его позвали обедать, я хотел уйти, но он взял меня под руку.

— Идемте, идемте, я познакомлю вас с моей Катей.

Что я знал до того о Екатерине Алексеевне?

Миниатюрный портрет дочки стоял у Крылосова в его кабинете на столе, и часто, заходя к нему, я видел эту прилежную работу, сделанную, когда Екатерина Алексеевна была еще девочкой. Ангелоподобный ребенок, завитый барашком, невольно отвлекал взгляд от бумаг, принесенных на подпись.

В ту пору ей было уже около двадцати пяти. Она все еще не была замужем, хотя ничто не препятствовало ее замужеству, более того, говорили, что она красива. Из разговоров канцелярских я знал, что с ней была связана какая-то история, закончившаяся скандально, будто бы дело дошло уже до венчания, но человек, которого она любила, оказался проходимцем.

Помню, как она вошла, в узком темном домашнем платье с белыми кружевами, с ниткой жемчуга на шее, и длинными тонкими пальцами подтянула гирьки огромных напольных часов.

Она действительно была красива.

Черты лица ее были какими-то южными. Позже я узнал, что бабка ее по матери была турчанка. Отсюда происходила смуглость ее кожи, чернота вьющихся волос. От той же бабки, писаной красавицы, которую привез с Дуная дед Екатерины Алексеевны, свитский офицер Потемкина, достались ей карие, восточной формы глаза, глядевшие резко, с вызовом. Забывшись, я по трактирной привычке принялся вытирать тарелку салфеткой, и Екатерина Алексеевна, которая, когда ее отец представил меня, кажется, даже не обратила на меня внимания, вдруг засмеялась.

— Поверьте, Александр Львович, тарелки у нас чистые!

От стыда я готов был провалиться сквозь землю.

Крылосов тоже рассмеялся, захохотала прислуга у дверей, и мне самому в конце концов стало смешно.

За столом шел какой-то необязательный разговор. Екатерина Алексеевна большей частью молчала. Я лишь изредка бросал на нее взгляд, и мне все больше казалось странным, что такая женщина, достойная быть равной среди первых и в Петербурге, сидит напротив меня в не лучшем чиновничьем доме со штофными гостиными и загаженной передней, обедает щами с кулебякою и в большом окне за ее спиной — ранние казанские сумерки.

Мы встретились с ней через день, совершенно случайно, столкнулись нос к носу на Воскресенской, она выходила из Гостиного двора, а я шел со службы.

Ударили крещенские морозы. Дымы поднимались к небу замерзшими твердыми столбами. Лошади и извозчики — все обросли инеем.

Помню, когда я поклонился ей, Екатерина Алексеевна удивленно на меня взглянула, не узнав, так я закутался в шарф, да еще нахлобучил шапку на самые глаза, а когда узнала, сразу вспомнила злополучную тарелку. Ей надо было зачем-то на Малую

Проломную, и я вызвался проводить ее, горничная с покупками шла за нами. Екатерина Алексеевна говорила, что у нее стынут от мороза зубы, и смеялась.

Был солнечный звонкий морозный день. Снег под полозьями даже не скрипел, а звенел.

Не помню почему, разговор зашел о книгах. Я сказал, что не читаю новых литераторов.

— Отчего же?

— В нынешних слишком много суеты, — отвечал я. — К тому же в обманы ушедших верится легче, тогда как и те и другие пытаются обмануть в одном и том же, будто бы человек должен жить ради чего-то истинного и высокого.

— А вы в это не верите?

— Почему же, верю. Но только возвышенные труды хороши в трагедии, а в жизни вас примут за выскочку, который спешит выслужиться, или за дурака, а ваши старания и самопожертвование — за недомыслие или помешательство.

— Вы, я вижу, не из числа этих безумцев.

— Среди великих обманщиков их тоже было немного. Цицерон в кругу друзей сам смеялся над пафосом своих обличений. Творец Гамлета был скоморохом. Корнель призывал к мужеству, непреклонности, а сам лебезил перед Ришелье. Сумароков первый заговорил по-русски о чести, а сам спился, умер в скотстве.

Я говорил еще что-то в том же роде, а сам все смотрел на ее удивительное нездешнее лицо, на белые от инея волосы, выбившиеся из-под котиковой шапки, на то, как она прятала губы и нос в муфту, от этого ворс муфты тоже заиндевел, на то, как она улыбалась чему-то, совсем меня не слушая, как щурила глаза на яркое морозное солнце, как переливалась по ее лицу тень от дыхания.

Когда мы прощались, она вдруг сказала:

— Вам, наверно, скучно здесь. Знаете что, приходите к нам запросто, по-домашнему. Придете?

Иногда вечерами я стал приходить в особняк на Грузинской. Помню, как в первый раз я переступил порог той гостиной с высокими окнами в заснеженный яблоневый сад, с богатыми старинными мебелями красного дерева, со стульями, у которых спинки были в виде лиры с лебедиными, согнутыми крючком головками. Вся комната была полна всевозможными petits riens*, не гостиная, а музей, всюду мраморные статуйки, бронзы, фарфоровые табакерки, свечки, камушки из разных монастырей, китайские веера, коллекция чудных саксов. Все это досталось Екатерине Алексеевне от матери, и она бережно сохраняла эти безделушки в память о покойнице.

Люди, которых я встречал у нее, были разными.

Первым, кого я увидел у Екатерины Алексеевны, был Шрайбер. Мы столкнулись с ним в прихожей.

— Александр Львович! — воскликнул он, вытирая мокрые от снега руки платком. — То-то Екатерина Алексеевна грозилась познакомить с каким-то милым молодым человеком. Я ломаю голову, кто бы это мог быть, а это, оказывается, вы.

В первый же вечер он затеял со мной разговор о казанских древностях.

— Бог ты мой, о каких достопримечательностях вы толкуете, если главная казанская святыня есть

---

* Безделушки *(фр.)*.

гробница завоевателей! Да к тому же в нее собрали с окрестных полей истлевшие кости — неизвестно чьи, то ли славных покорителей ханства, то ли поганых! И это мрачное подземелье вам предложат посмотреть здесь вместо музеума. Это, любезный Александр Львович, в Италии что ни деревушка, то наглядное пособие по истории человеческой культуры, а тут вместо статуй вам покажут каменные ядра, которыми стреляли русские в осажденную крепость.

Вообще надо сказать, что Шрайбер ругал Казань беспрестанно, но при этом, как я позднее узнал, он усердно собирал сведения о ее истории, записывал татарские легенды, выискивал в монастырях какие-то грамоты. Шрайбер много ездил по заволжским лесам, исследуя нравы черемисов, чувашей, вотяков, старательно изучал зачем-то их дикие наречия, пытался писать словарь, составлял классификацию их бесчисленных божков. Было удивительно, что этому немцу наши древности, все эти us et coutumes* наших вымирающих народцев были важнее, чем русским.

Шрайбер отличался едким умом, обо всем судил как бы в шутку, говорил насмешливо, в речь свою любил иногда вставить какое-нибудь черемисское словечко, а себя называл не иначе как табиб. В обхождении он был человеком желчным, малоприятным, и больше всех от него доставалось Иванову, студенту, которого прочили в поэтические знаменитости и которого я часто встречал у Екатерины Алексеевны.

Иванов был еще совсем мальчик, который то и дело краснел и смущался. На мизинце он отрас-

---

* Обычаи и нравы *(фр.)*.

тил длиннющий кривой ноготь, очевидно, в подражание Пушкину. Помню, как в первый мой вечер у Екатерины Алексеевны Иванов сел рядом со столиком, на котором стояло блюдо с крымскими яблоками, и грыз их одно за другим с какой-то детской жадностью. В тот раз он преподнес Екатерине Алексеевне тетрадку своих стихов, переписанных искусно на веленевой бумаге и переплетенных в тафту. Она просила его почитать, но юноша залился краской, стал мычать что-то в ответ, размахивая недогрызанным яблоком в руке.

— Ну что вы ломаетесь как красна девица! — строго сказал Шрайбер. — Нельзя ж так, право!

От волнения Иванов даже раздавил в кулаке свой огрызок. Наконец принялся декламировать. Читал он вяло, шепелявил и задыхался. Шрайбер еле сдерживал себя на месте, раскачивался на стуле, хлопал ладонями по коленкам, без конца протирал стекла очков фуляром и разглядывал их на свет. Когда Иванов закончил, доктор громко зевнул и сказал:

— Отчего это, Владимир Игнатьевич, у вас все про смерть да про смерть, а намедни видел вас гуляющим на Черном озере, так вы под все шляпки заглядывали, ни одной не пропустили.

Впрочем, одно стихотворение мне поневоле запомнилось. Оно посвящено было числу двенадцать, имевшему роковое значение в жизни покойного императора. Родился Александр 12-го числа 12-го месяца. Шведы подступили к Кронштадту в 1789 году, в год французской революции, на двенадцатом году его жизни — вот первый раз двенадцать. Взошел он на престол 12 марта на 24-м году от рождения, что составляет второй раз по двенадцать. Нашествие французов было в 1812 году, на 36-м году его жизни, вот третий раз по двенадцать. Скончался он в 1825 году на 48-м году от рождения, вот четвертый раз, причем проболел 12 дней и царствовал 24 года, снова два раза двенадцать. Иванов изучал точные науки и учился у казанского ректора Лобачевского.

Екатерина Алексеевна защищала юношу от нападок доктора.

— Не слушайте никого, Володенька, — как-то сказала она. — Все старые люди — неудачники и просто завидуют вашей молодости. Вы умны и талантливы, и все остальное приложится. А я буду вашей Аспазией, и дайте слово, что будете слушаться только меня!

Часто я встречался у Екатерины Алексеевны и с Ореховым, богатым казанским помещиком, человеком со странностями. Она представила мне его так:

— А это господин Орехов, единственный в Казани, кто способен на сильные чувства и безрассудные поступки.

Ему было на вид лет сорок пять, одет он всегда был во фрак, но выглядел каким-то неряшливым, всклокоченным. Целый вечер он мог просидеть в углу комнаты на оттоманке и не произнести ни слова. Орехов вертел в руках кисть от шторы или какой-нибудь китайский веер и время от времени принимался с остервенением грызть ногти.

Приятным исключением был, пожалуй, лишь Белолобов, подпоручик, служивший в учебном батальоне кантонистов. Он был моих лет, щуплый, небольшого роста, смешливый, с приподнятыми вечно бровями, отчего все время казался удивленным.

Страстью его был театр, и даже со своими кантонистами он пытался устраивать спектакли.

— Где, ну скажите, где, — кричал он, хватая меня за коленку, — кроме этого звериного края, еще может быть такое, чтобы в огромном дворянском городе, столице губернии, величиной с половину Европы, не было бы театра?! Как есиповский театр в пятнадцатом году сгорел, так никто и не почешется, ни власти, ни общество! Сгорел, ну и Аллах с ним, и никому нет до того никакого дела! Да о каком театре, ну скажите, может идти речь, если тут на улицу-то не хочется выходить — хари, одни хари кругом! А без театра, Александр Львович, разве жизнь? Ну что еще может побороть наше средневековье, наше невежество, нашу дикость? Вы представьте себе только, давал Есипов трагедию «Магомет»...

Екатерина Алексеевна делала слабую попытку прервать его:

— Белолобов, милый, мы же слышали это уже дюжину раз!

— Так ведь вот Александр Львович не слышал! — И он рассказывал про то, что когда татары, полюбившие театр и ходившие на все представления, увидели на сцене чалму Магомета и произнеслось его имя, в зале произошел страшный переполох, одни правоверные побежали в ужасе из театра, другие благоговейно пали ниц и, сбросив туфли, вопили: «Алла!». Белолобов так уморительно изображал повергнутых в священный ужас татар, что все готовы были рассмеяться и в тринадцатый раз. Вообще Белолобов всегда придумывал что-нибудь. Однажды он появился на пороге комнаты весь в снегу. Екатерина Алексеевна вскочила и хотела подойти к нему.

— Божественная, — закричал он, — отойдите от двери, простудитесь!

Он осторожно расстегнул шинель и достал из-за пазухи попугая. Полупридушенная птица испуганно дергала головой и трепыхалась. Екатерина Алексеевна захлопала в ладоши.

— Что это? Боже, что это?

Белолобов стал уверять, что попугай говорящий, и после долгих усилий действительно в его невнятном щебетании мы не без труда различили vita brevis ars longa*. Вспотевший от усердия Белолобов был совершенно счастлив.

— Вы не поверите, господа, три месяца долбил с ним одно и то же, три месяца!

Помню, в один вечер Екатерина Алексеевна была не в духе, сидела грустная, скучная, куталась в шаль и ни на кого не смотрела. Белолобов сказал, что знает средство победить ее хандру.

— Господа! — закричал он, вскочив на стул. — Мы сейчас устроим tableaux vivant!**

Оставив Екатерину Алексеевну в одиночестве в гостиной, мы вышли в пустую столовую и стали совещаться. В конце концов решили изобразить «Мать Гракхов». Белолобов настаивал, чтобы матерью был Орехов, но тот наотрез отказывался. Он вообще терпел все эти затеи, что называется, со скрежетом зубовным. В конце концов его уломали. Белолобов велел комнатной девушке принести простыни, и мы стали наряжаться.

Несколько раз Екатерина Алексеевна принималась стучать в дверь:

---

* Жизнь коротка, искусство долговечно *(лат.)*.
** Живые картины *(фр.)*.

— Ну, скоро вы там? Да пустите же! Более, чему можно так дико смеяться?

Белолобов бросался к дверям.

— Еще мгновение, Екатерина Алексеевна! Минуту терпения, только минуту!

Наконец, краснея, хихикая, прячась друг за друга, мы вышли в гостиную. Там ее не было. Только сползла при нашем появлении с кресла на пол, будто живая, оставленная шаль.

Комнатная девушка сказала, что у Екатерины Алексеевны разболелась голова и что она больше не выйдет.

Разошлись молча, не глядя друг на друга. Белолобов был обиженный, злой и, когда срывал с себя одеяние Гракха, разодрал кожу на руке о булавку.

Иногда с Екатериной Алексеевной было легко, но часто на нее что-то нападало, и она делалась невыносимой. Она жаловалась, что зимой все время зябнет и никак не может согреться в этом городе, где сугробы да кабаки, в церквах сырость и холод. В такие дни она становилась капризна, позволяла себе безобразные вещи. Помню, как при мне, лежа на диване с платком на лбу, она выбила у горничной стакан с водой, которая показалась ей теплой, и стакан разбился вдребезги на паркете. В такие минуты это был совсем другой человек, от нее веяло холодом, она отталкивала, пугала. Движения ее становились нервны, слова резки, злы, и рядом с ней делалось тревожно, неуютно.

Часто она заставляла меня что-нибудь рассказывать и почему-то любила слушать про мою женитьбу. Представляя себе мою тетушку с лорнетом, костылем и табакеркой, пышную и убогую свадьбу, нашу жизнь в деревне, а главное, ее, мою симбирскую сиротку с вечной крошкой на губе, Екатерина Алексеевна смеялась, а я радовался, что мне удалось хоть как-то ее развлечь. Помню, я курил тогда трубку с предлинным чубуком, таких у ее отца была целая коллекция, и Екатерина Алексеевна тоже попробовала, втянув дым в щеки, но поперхнулась, закашлялась и спросила, какого черта я вообще женился в мои лета.

Она то приближала меня к себе, не отпуская ни на минуту, заставляла водить себя на прогулки, читать вслух что-нибудь или просто сидеть рядом и молчать, то, внезапно нахмурившись, устало прогоняла и не звала к себе целую неделю. Потом я снова получал от нее записку, исчерканную ее pattes de mouche*, в которой она просила не обижаться и снова прийти.

Редко когда я заставал ее одну. Эти люди были мне мало приятны, но их общество зачем-то было нужно ей.

Чаще других я встречал у Екатерины Алексеевны Орехова. Этот человек был влюблен в нее до беспамятства и плохо скрывал свою страсть. Я знал, что Орехов делал ей предложение, ему было отказано, но он отчаянно продолжал преследовать Екатерину Алексеевну и сопровождал ее повсюду. Он на что-то надеялся, не понимая, что смешон. Екатерина Алексеевна относилась к нему пренебрежительно, смеялась над ним, и подчас жестоко. Он делал вид, будто не понимал, что она держала его рядом с собой на положении шута, а может, и действительно не понимал этого. L'esprit est toujour la dupe

---

* Каракули (*фр.*).

du coeur* — так, кажется, у Ларошфуко. Как-то я спросил у Екатерины Алексеевны, отчего она так жестока к Орехову:

— Ведь вся его вина лишь в том, что он любит вас!

— Вот, Александр Львович, и вы заговорили, как мой отец. А меня, поверьте, начинает тошнить, когда вижу, как он за столом катает из хлеба шарики, и они черные от его рук! Он безвкусно одевается, у него запонка на галстуке точно фермуар, у него сюртук цвета puce évanonie**. А вы говорите про любовь!

И Екатерина Алексеевна засмеялась.

Она всякий раз просила Орехова очинить ей перья, и тот усердно очинивал целые пуки.

Пожалуй, единственный человек, к которому она относилась хоть с каким-то уважением, был Шрайбер. От нее я узнал про несчастье, которое случилось с ним. За несколько лет до этого доктор женился на немолодой уже женщине. Семейная жизнь их складывалась счастливо, но жена его вдруг заболела. Лечил ее сам Шрайбер и по необъяснимой неосторожности дал ей не то лекарство. Эта страшная ошибка послужила причиной ее смерти. Шрайбер относился к той породе людей, которые переживают все в себе, и в обществе он и после смерти жены был насмешлив и в бодром настроении. Иногда он вдруг начинал кашлять. Екатерина Алексеевна боялась, что у него откроется чахотка, и упрашивала его ехать лечиться.

---

* Ум всегда в дураках у сердца *(фр.)*.
** Блоха, упавшая в обморок *(фр.)*.

— Бог с вами, матушка Екатерина Алексеевна, мне виднее, — отговаривался Шрайбер. — Но чтобы не огорчать вас, обещаю через месяц уехать куда-нибудь на юг, в Крым, чтобы купаться, жиреть и молиться за вас Магомету с какой-нибудь крымчанкой.

Однако месяц проходил за месяцем, а Шрайбер никуда и не думал ехать.

Хорошо помню тот пасмурный январский день с вялым снежком, когда получил от нее записку — ей вздумалось поехать кататься. Она никогда ничего не объясняла, и я только покорно подчинялся всем ее капризам, ничего не спрашивая и ничему не удивляясь. Мы мчались под звон бубенцов по пустынному Арскому полю в разбитых, нанятых за полтину санках, укрытые деревенскими домоткаными коврами. Екатерина Алексеевна сидела молча, спрятавшись в пушистый воротник, безучастно глядела по сторонам, и я не понимал, в чем удовольствие от подобных катаний. У Арского моста мы остановились, дальше начинался Сибирский тракт, и ехать было некуда. Тогда мы повернули и отправились мимо дачи Депрейса в немецкое собрание. Летом это был чудный сад с цветниками и беседками, который устроили себе трудолюбивые казанские немцы в двух верстах от города. Теперь же все было под снегом, и странно было видеть среди нашей зимы опрятный немецкий гастхаус.

Нас провели в небольшую залу, где сидели какие-то немцы, пили пиво и ели жирные айсбайны. Нам принесли горячего шоколада.

— Что с вами нынче? — спросил я. — Что-нибудь случилось?

Она не отвечала и водила ложечкой в чашке. Потом вдруг стала расспрашивать меня про мою матушку. Я с неохотой отвечал ей.

— Да любите ли вы ее? — спросила она.

Я не понимал, к чему подобный разговор, и это злило меня.

— Послушайте, зачем вам это знать? — раздраженно сказал я.

Екатерина Алексеевна пожала плечами, а потом стала рассказывать, как умерла ее мать. Это случилось, когда они переезжали на лето в деревню.

— Мне только исполнилось восемь. Она подарила мне тогда колечко с рубином, а я из-за чего-то обиделась на нее и выбросила его, вернее, спрятала, а сказала, что выбросила. Она наказала меня, я сказала, что не буду с ней разговаривать, и вот мы ехали в открытой коляске и дулись друг на друга. Когда подъезжали к усадьбе, на спуске с горы лошади вдруг стали беситься. Они понесли и, когда въезжали в ворота, разбили коляску о столб. Ее выбросило и ударило о землю. У нее пошла горлом кровь, и она в тот же вечер умерла. А я отделалась только шишкой на лбу да царапиной.

Потом мы долго сидели с ней молча, слушая, как немцы стучали кружками и пели что-то. В залу пришли еще какие-то немцы, завели музыкальный ящик, устроили танцы, и мы, посидев еще немного, поехали домой.

Когда санки катили уже по Грузинской, она сказала:

— Вы извините, что я потащила вас туда. Думаете, я знаю сама, зачем? Так, взбрело что-то в голову. Только замерзла и вас заморозила.

Екатерина Алексеевна довольно неплохо рисовала карандашом. Как-то она заставила меня напялить на голову турецкую феску и стала делать с меня скиццы. Это было мучительным занятием. Стоило мне пошевелиться, как она начинала сердиться, говорила, что я все ей порчу, один раз далее разорвала почти законченный рисунок.

— Как страшно все понимать. Вот вы, Александр Львович, меня любите. А что в том проку? Зачем? Вы милый, добрый. Да только я-то вас не люблю. И вообще, невозможно, чтобы я вас полюбила.

— С чего вы взяли, что я вас люблю? — спросил я.

Она посмотрела на меня с удивлением.

— Да с того, что вы меня любите. С чего же еще?

— Отчего же тогда невозможно, чтобы вы меня полюбили?

— Отчего? — она сделала карандашом еще несколько штрихов. — Да оттого, что вы какой-то обыкновенный. Вот вы мне про себя рассказывали, а я и без всяких рассказов все про вас знаю. На человека только посмотришь и все про него уже знаешь. И чего он хочет, и чего боится. Эта наука, поверьте, несложная. Все одного и того же хотят, все одного и того же боятся.

Она засмеялась, сорвала и скомкала листок.

— Умный, взрослый человек, зачем вы слушаете меня с таким серьезным видом? Идемте к фортепьяно, я хочу петь!

У нее действительно был чудный голос, тонкий, чистый.

Наконец я написал Нине.

Письмо мое было коротким. Я написал ей, что она во всем права, что брак наш был ошибкой, потому что я не люблю ее и, наверно, не любил. Я написал, что в Казани я встретил женщину, которую полюбил, и что это — первое истинное в моей жизни чувство. Закончил я так: «Ты вправе думать обо мне самое дурное. Прощения мне нет, да я и не прошу его».

Весною я был откомандирован инспектировать симбирских лашманов и вернулся в Казань уже в исходе мая.

На следующий день по приезде я отправился к Екатерине Алексеевне. Город, который я оставил еще в снегу, было не узнать. В каждом дворе цвела сирень. Улицы были выстланы опавшим черемуховым цветом. Тени от деревьев переливались на дощатых заборах. Пойма Казанки, еще не вошедшей в берега, казалась настоящим морем, и далее было видно начало и конец дождя, приближавшегося к Казани темным густым пологом.

Весь двор загромоздили подводы. Крылосовы переезжали в деревню, и я обрадовался, когда мне сказали, что барышня еще дома.

Всюду была суета, прислуга таскала барские вещи, свои пожитки, на телегах привязывали мебели. В доме по пустым комнатам сновали мужики в сапогах, на паркете валялись клоки сена, веревки.

Еще издали я услышал ее голос. Екатерина Алексеевна отчитывала за что-то буфетчика, который укладывал в ящики посуду. В дорожном платье она стояла посреди пустынной комнаты, по которой сквозняк гонял сено, обрывки бумаг, залетавшие с открытого балкона лепестки яблонь, и пересчитывала ящики, а кругом сверкала в солнечных лучах поднятая сапогами пыль. Я окликнул ее. Екатерина Алексеевна обернулась и, увидев меня, обрадовалась больше, чем я мог ожидать. Она подбежала ко мне, обняла, поцеловала в щеку.

— Ну вот и вы! — засмеялась она. — А я уж боялась, что мы не свидимся! Где вы пропадали столько? Я так скучала без вас! Честное слово!

— Вы извините, Екатерина Алексеевна, я не вовремя.

— Ах, замолчите, милый Ларионов! Как можете вы быть не вовремя? Идемте скорее в сад, а то у меня от этих сборов голова идет кругом! Это не люди, а бестолочи, чуть недогляди, и все разобьют, испортят или оставят что-нибудь!

Мы вышли в сад. Здесь было свежо, при малейшем ветерке с яблонь валило, как из подушки, и воздух звенел от пчел. Она взяла меня под руку, и мы пошли по песчаной дорожке.

Она рассмеялась.

— А вы знаете, Александр Львович, ведь я выхожу замуж за Орехова.

Я остановился.

— Более, смотрите, какая тут красота, в этом саду, даже не хочется уезжать!

Наконец я пришел в себя.

— Что вы делаете, Екатерина Алексеевна, зачем, опомнитесь!

Она стала трясти яблоневые ветки, и ее обсыпало лепестками. Она снова рассмеялась.

— Что ж в том такого? Буду помещицей, вроде вашей сиротки. По крайней мере этот сумасшедший меня любит.

Я схватил ее за руку.

— Это невозможно! Что вы такое говорите? Зачем вам это!

Екатерина Алексеевна вырвала руку, лицо ее вдруг сделалось злым.

— Замолчите сейчас же! Что вы понимаете? Что вы вообще можете понимать?!

Она взбежала по лестнице в дом.

Я постоял немного, потом отправился к себе, на Нагорную, уже грозился пойти дождь.

Сна нет и не будет, а уже пробило три.

Вот и подходит к концу, Алексей Алексеевич, первая моя, а вернее сказать, Ваша тетрадь. Испишу сейчас две последних страницы, а завтра, с Божьей помощью, возьмусь за вторую.

Завтра снова пятница. Ваша пятница, милый мой человек, и я уже жду Вас не дождусь.

Лежу в темноте и вижу, как Вы входите, потирая руки, и вертите головой, ничего не видя, потому что запотели стекла очков.

Вы сказали, что едете в Петербург в начале поста, значит, у нас с Вами, считая завтрашний день, еще две пятницы. Что ж, наговоримся напоследок вдоволь, как старые друзья, и — в добрый путь!

Как-то Вы завтра доберетесь? Вдруг стала оттепель. Михайла говорит, дорога дурная, множество снега сверху, а под исподом вода.

Лежал и полночи слушал, как капает с крыши.

Потом насилу разбудил Михайлу. Старый дурень тоже взял манеру спать с подушкой на голове. Заспанный, вонючий, очумелый, одел меня и вывел на крыльцо подышать. А там настоящая весна. Все течет, и воздух теплый, парной. С поля приполз туман, плотный, ночной, только и видно, что кусок забора, а края растаяли, исчезли в этом молоке. Стоял и дышал. А кругом все будто шевелится в тумане, шорохи, капель. Откуда-то еще вынырнула нездешняя собачонка, увидела меня, замерла. Я на нее смотрю, она на меня, так и стояли. Потом она зевнула и дальше трусцой в туман. И я постоял еще немного и тоже к себе заковылял.

Думал, теперь засну, да куда там.

Вот так сюрприз приготовили Вы мне на прощанье! Ждал Вас, ждал, а Вы, оказывается, уже в Петербурге, любезный Алексей Алексеевич, уехали и даже не попрощались.

Только не подумайте, что я на Вас в обиде. Я ведь все понимаю. В хлопотах по отъезду мудрено ли забыть черкнуть пару слов на прощанье? И вообще, давно бы Вам нужно было бежать из нашей дыры. Что за жизнь у уездного доктора, которого и держат-то не столько для помощи больным, сколько для участия в полицейских следствиях.

В последний раз, осмотрев меня, Вы сказали, что все идет хорошо. Что ж, спасибо и на том. Это ведь первейшая заповедь всякого эскулапа — дурачить нашего брата, безропотного, легковерного, подслащивать пилюлю, как дитяти, словом, вселять надежду. К тому же, Алексей Алексеевич, по Вашей теории (помните ли: эмбрион — водичка, старость есть высыхание организма), в моем нынешнем жидком состоянии я и так сущий младенец.

Этой ночью я чувствовал себя ужасно, почти не спал. Да и как тут уснешь? Ноги горят. В углу что-то шебуршится. За стеной храпит Михайла. В трубе гудит. Часы тикают невыносимо. И еще все время душно. Дышать — пытка; хочешь глотнуть побольше воздуха, а глотаешь дух сырых дров, лекарств и несвежей постели. Велишь открыть фрамугу — оттуда валит снег.

Но все это было ночью, а сейчас, выпив запретный стакан утреннего чая, любезный мой доктор, снова я в моем кресле за столом. От вчерашнего осталась лишь боль в висках. В морозных окнах февральское солнце, в комнатах так жарко натоплено, что уши щиплет, в чернильнице чернила, в песочнице песок, перьев наточил по-римски, calamus'ом, на целую канцелярию.

То лето стояло сухое и жаркое. Над Казанью висела дымка, пахло гарью. Где-то горели высохшие леса. Саранча залетала даже в город.

Вдруг в конце июля в Казань перестали приходить французские газеты. "Северная пчела", сообщив о королевских ордонансах, замолчала, будто воды в рот набрала, сделала вид, что Франции никогда и не было. Казанские французы высыпали на Большую Проломную с трехцветными флажками, бумажками, у кого что было трехцветного, пели "La parisienne"* Лавиня и кричали в двери каждой лавки: "Révolution! Révolution!"** Их тут же отвели на съезжую, и как они ни убеждали начальство, что во Франции произошла революция, были взяты под стражу за разглашение ложных слухов.

_____

* Парижанка *(фр.)*.
** Революция! Революция! *(фр.)*

Все эти события в бурлившей где-то Европе неминуемо должны были сказаться на нас.

В августе царским указом объявили новый рекрутский набор. Были прекращены отпуска для военных. Говорили, что войска срочно переводятся из-за Дуная в Литву. Всем было ясно, что новой войны не миновать.

Но войну отодвинула холера.

Опустошив Азию, болезнь проникла из Персии в Баку и Ширвань. В июле холера свирепствовала по обе стороны Кавказа, морем пришла в Астрахань и поползла вверх по Волге.

Газеты, стараясь предотвратить панику, писали, что холеры почти нет, что, где и была, уже прошла и все, что говорят, то вредные слухи. В правительственных бюллетенях медики печатали объяснение заразы и способы, как предохраниться от нее. Располагающими причинами к холере назывались сырой воздух, особенно после теплых дней, жирная пища, а также сырая капуста и репа, недоброкачественное питье в виде кваса и меда, неумеренность в пище, низкие болотные места, легкая одежда, не защищающая от простуды, уныние и беспокойство духа и еще Бог знает что. Население призывали избегать излишнего употребления муки и чеснока, не пить кислых щей, молодого квасу. Чтобы уберечься от заразы, советовали пить вместо чая ромашку или мяту, тереть ежедневно все тело, а особенно ноги, теплыми суконками, расставлять в жилищах в разных местах раствор хлорной извести. Действительно, во всех домах курили ладан, и всюду был запах хлора.

Страну изрезали карантины. Письмо от матушки я еле-еле смог прочитать — пакет так обработали хлорным раствором, что расползлись все строки. Матушка писала, что в Симбирске холеры еще нет, но они переезжают в деревню, будут пережидать там. Еще матушка писала, что прощает мне все: «Противно, конечно, умереть не по-людски, а вот так, в корчах да неприглядности, но что поделаешь, все под Богом ходим, а я уже, сыночек мой, ко всему приготовилась».

Во всех церквах шла служба. У Петропавловского собора я столкнулся со Шрайбером. Он сказал, что все болезни в Казани стали заметно уменьшаться.

— Поразительное дело, Александр Львович! За неделю принял только роды, и все. Люди со страху перестали болеть!

В канцелярии в те дни было особенно душно, и время тянулось медленней. Все слонялись из комнаты в комнату, говорили вполголоса. Холеру в городе ждали со дня на день.

Генерал Паренсов стал приходить на службу ежедневно и сам весь переменился. Благодушный старик подтянулся, стал жестким, хмурым, следил, чтобы все были на местах, требовал, чтобы строго соблюдались все противохолерные предписания. Паренсов шагал по своему кабинету как заведенный, изредка лишь останавливался у окна и крестился на собор. Там беспрестанно звонили колокола. Когда кто-то из чиновников под предлогом недомогания хотел отпроситься, чтобы вывезти семью из Казани, Илья Ильич набросился на него:

— Вы, уважаемый, на государевой службе! Извольте иметь в себе достоинство!

Шепотом рассказывали страшные случаи про беспорядки в местах, куда уже пришла холера. Говорили, что мужики, эти безмозглые животные, привязывали докторов к холерным трупам и бросали их так умирать в ямах.

Беду ждали с низу Волги, но холера, перескочив сотни верст, открылась в самом конце августа в Нижнем. Едва в первых числах сентября первые барки с купеческими товарами приплыли с Макарьевской ярмарки в казанскую волжскую гавань Бакалду, уже распространился слух о внезапной смерти там нескольких бурлаков. Туда сразу послали полицейского чиновника для надзора над бурлаками и для того, чтобы не допустить их в город, но чиновник этот, посетив барки, в несколько минут скончался в страшных корчах тут же, на пристани, а с ним и еще несколько бурлаков. Смерть их, чтобы сдержать панику, уже начавшуюся в городе, приписали погоде, сырой и холодной, что наступила внезапно после трех месяцев жары.

На следующий день прямо на Воскресенской упал калачник из Бакалды, и его тотчас отвезли во временную больницу, заранее приготовленную по предписанию губернских властей в Адмиралтейской слободе.

Скрывать болезнь было уже бесполезно, и 9 сентября власти объявили, что в Казани холера.

В городе началась паника, говорили невесть что, и нигде невозможно было выяснить истинное положение дел. В тот день я зашел к Солнцевым, чтобы узнать хоть что-то вразумительное.

Дом губернского прокурора я посещал нечасто, но регулярно, нанося визиты на все большие праздники. Ходить туда было неприятно, и не только потому, что разбитая параличом старуха не отпускала меня без партии в мушку, но прежде всего неприязнь во мне вызывал сам Гавриил Ильич, напыщенный, чопорный, весь проникнутый своей значительностью и относившийся к любимцу тещи с презрительным снисхождением. Всякий раз он принимался расспрашивать меня о службе, задавал одни и те же два-три вопроса и, мало интересуясь моими ответами, более на меня не обращал уже никакого внимания.

Тогда, в первый день холеры, в доме все было вверх дном, бегала прислуга, плакали дети, Татьяна Николаевна сама собирала в суматохе вещи. Они намеревались уезжать в тот же день. Я старался успокоить ее как мог. Татьяна Николаевна только качала растерянно головой и глядела кругом заплаканными глазами.

— За что все это? За что? — все время повторяла она.

Старуху два мужика вынесли на улицу прямо в кресле.

Я уже собирался уходить, когда приехал Гавриил Ильич. Он сказал, что только что из Суконной. Рабочие разбили там кабак и пошли, пьяные, громить устроенную холерную больницу. Я спросил его о начальстве. Он ответил очень зло:

— Начальство! Пирхушка наделал в штаны от страха! Сказался больным и перестал вовсе появляться у себя в канцелярии! — Барон Пирх был в то время губернатором Казани. — Мерзавец! Я был у него сегодня, так он заперся и никому не велел открывать!

Солнцев наскоро простился с женой и снова куда-то уехал.

По улицам прочь из города уезжали экипажи, из которых выглядывали перепуганные люди.

Два дня ничего не было слышно о новых больных, и полицейские власти объявили, что то был ложный слух. Даже 12 сентября будочники раздавали объявления, в которых утверждалось, что город находится в благополучном состоянии, но в этот день холера сразу открылась на Сенной площади, в Ямской и Мокрой слободах, а оттуда уже рассеялась во все концы Казани. 13 сентября начальство закрыло все присутственные места и учебные заведения.

Нольде собирались целый день. Все что-то кричали, бегали по комнатам. Отец Амалии Петровны, слепой старик, отказывался куда-либо ехать, как его ни уговаривали. В конце концов его оставили на попечение Ульки. Я поцеловал на прощание мягкую морщинистую руку Амалии Петровны, она плакала без конца.

— Куда мы едем, зачем? — причитала она.

Они звали меня с собой, в деревню, но я сказал, что пересижу заразу в четырех стенах.

Нольде уехали на двух подводах, нагруженных с верхом. Я помахал им вслед и вернулся к себе. Внизу качался в своем кресле старик, и скрип разносился по всему дому.

На следующий день я снова отправился к Солнцевым. Там уже никого не было, дом был пуст. Кто-то испуганным голосом сказал мне, не открывая двери, что Татьяна Николаевна с детьми уехала в деревню, а Гавриил Ильич с утра отправился по больницам и до сих пор не возвращался.

Казань показалась мне каким-то вымершим городом. На улицах почти никого не было, ни пешеходов, ни экипажей, куда-то спешили редкие прохожие, в основном простолюдины.

Я велел Михайле запереться и никого не впускать. С утра до ночи он сидел у Ульки и пил водку, а она зачем-то все время мыла полы. По ночам старик начинал бродить по комнатам, и было слышно, как он шаркает ногами и натыкается на стулья. Я пробовал читать, но ничего не получалось. От запаха ладана и хлорной извести болела голова. Я часами смотрел в окно на пустынную улицу, по которой торопились лишь редкие прохожие да иногда дребезжали холерные возки.

Однажды я увидел Шрайбера, который проезжал мимо в своих дрожках. Доктор осунулся, выглядел усталым, помятым и дремал. Я окликнул его в открытое окно. Он вскинул голову и, увидев меня, велел своему рыжему кучеру остановиться.

Я спустился вниз. Шрайбер уже стоял на крыльце. Я хотел поговорить с ним через замочную скважину, но он рассмеялся своим сухим смешком:

— Не валяйте дурака, открывайте!

Я не открывал.

— Да бросьте вы, Александр Львович, кому суждено быть повешенным — сами знаете. Неужели вы так боитесь умереть?

Я открыл. От него пахнуло каким-то неприятным резким запахом холерного барака. Он прошел в комнату и сел в кресло.

— Представьте себе, я две ночи не спал, — заговорил он. — Все мотаюсь по больницам, а их открыли в доме Меча, в Ямской, в Подлужной — сами видите, какие концы. К тому же все их рекомендации — дерьмо! Смею вас заверить, что эту гадость ничего не берет. А сейчас только что прихожу в один дом, здесь у вас за углом, а хозяева, муж и жена, валяются на полу, все кругом в блевотине и испражнениях. На моих глазах оба и отошли. Еду от них, а тут вы. Право, очень рад, что хоть вы в добром здравии!

— Вы, верно, голодны, — сказал я. — Я пойду скажу, чтобы вам что-нибудь приготовили да чтобы накормили вашего кучера на кухне.

Когда я вернулся, Шрайбер уже спал прямо в кресле. Я накрыл его пледом.

Когда же через некоторое время Улька принесла щи, я разбудил доктора и мы сели обедать, в комнату вбежал перепуганный Михайла, весь бледный, руки его тряслись.

— У Дмитрия началось! — пролепетал он, заикаясь. — Стали кормить, а его вырвало!

В комнату Михайлы, куда отнесли рыжего кучера, нельзя было войти от зловония. Дмитрий уже не мог сам выйти во двор. Он кричал, корчился на полу, и жидкость выходила у него всевозможно. Шрайбер велел приготовить горячую ванну, и Улька бросилась греть воду. Когда все было готово, Дмитрия ослабило в четвертый раз. Все вместе мы посадили его в горячую воду, но он не смог просидеть в ней и четверти часа, хотя чувствовал заметное облегчение от судорог. Шрайбер заставлял говорить его все, что тот ощущает, и записывал в свою книжечку. Мы вытащили Дмитрия, обсушили и положили в нагретую постель. Теперь он стал пускать под себя, не имея сил встать. Лицо и все тело его посинели, ноги казались отмороженными. Прошло два часа с небольшим, как началась болезнь. Почти мраморного холода рук и ног он сам не чувствовал, напротив, ему казалось жарко. Пульс скоро вовсе пропал, голос его переменился и охрип. Дмитрий все время просил кваса, которого ему Шрайбер давать не велел. Доктор все подносил руку к искаженному от судорог рту кучера.

— Попробуйте! — обратился он ко мне. — Холодом несет, как из погреба.

Еще через час Дмитрий сказал, что ему лучше и что он будет спать. Он действительно казался спящим, но более уже не просыпался.

Шрайбер уехал, сам взявшись за вожжи.

К вечеру за Дмитрием пришли будочники, одетые в длинные балахоны, пропитанные дегтем, и в рукавицах. Они взяли его за руки и за ноги, вынесли на улицу, где ждал возок — большой ящик с крышкой, установленный на телеге, — раскачали покойника и забросили наверх. Ящик был почти полон, и Дмитрий упал мягко. Потом кто-то залез наверх, принял от другого ведро, окатил содержимое известью и захлопнул крышку.

Это была страшная бесконечная ночь. Я все не мог заснуть. Мне казалось, что я уже заразился, что я болен. Тошнота несколько раз подкатывала к горлу. Я испытывал все признаки болезни: и головную боль, и неутолимую жажду, и холодный липкий пот. Несколько раз я вставал и зажигал свет, чтобы посмотреть, не желтеет ли кожа.

Вечерами ко мне стал заходить Шрайбер. Он был уставший, злой, ругался по-татарски и все время повторял: "Vivere in sperando, morire in cacando"*. Он усаживался в кресло, пил какую-то настойку, которую привозил с собой во фляге, и иногда молчал целыми часами. Изредка он предлагал:

---

* Жить в надежде — умереть в дерьме *(ит.)*.

— Давайте играть в карты, что ли... — и мы садились за маленьким столиком. Он выучил меня играть в какую-то немецкую игру, которая называлась тойфельхерц. За картами он принимался ругать больницы, в которые везли всех без разбора, даже пьяных, которым там нещадно пускали кровь. Все цирюльники и сиделки тоже были пьяны от дармовой или, как говорили, холерной водки. Шрайбер рассказывал, как люди, не веря в медицину, сами принимались лечить себя от холеры: кто натирал тело жиром кошки, кто пил деготь, а один пил сам и заставлял выпивать всю семью по три стакана бычачьей крови в день. Еще Шрайбер говорил, что, по всей видимости, мужчины больше подвержены опасности заболевания, чем женщины, и что морозы должны на зимние месяцы приостановить эпидемию. Уходил он поздно, когда глаза его уже сами закрывались от усталости. Один раз доктор появился у меня какой-то радостно возбужденный. Он рассказал, что сыновья учителя гимназии играли взаперти и один из них глупо сошкольничал. Мальчик беззаботно с размаха садился на стул, а старший брат его подставил палочку из слоновой кости для надевания рисовальных кисточек. Палочка длиною в три вершка прошла в таз и переломалась на две части. Пришлось срочно делать операцию. Шрайбер взял вынутый обломок на память. Он вертел им перед собой и все никак не мог успокоиться:

— Нет, вы только представьте себе! Кругом холера, а тут вот эта палочка!

В октябре холера пошла на убыль, хотя случаи заболевания продолжались до самой зимы.

В самом начале ноября я получил письмо из дома. Холера, слава Богу, прошла стороной. Матушка написала мне втайне от сестры и невестки, а может, и по их наущению. Она написала, что Нина ждет меня и будет ждать. Я ответил несколькими строками, что я жив-здоров, что Бог зачем-то бережет меня и что к Нине не вернусь никогда.

Потихоньку жизнь в Казани оживала. В город возвращались те, кто спасался от заразы в деревнях.

Предметом разговоров сделался Кострицкий. Он тоже заболел холерой, но через три дня мучений вдруг выздоровел. Его все поздравляли с возвращением с того света, но он ходил как во сне, испуганно озираясь по сторонам, осунувшийся, бледный, никого не узнавал.

Вернулись Нольде и рассказывали про безобразия, творившиеся на карантинных заставах, про лихоимство и тупость чиновников, про дикость народа, не желавшего исполнять спасительные предписания, про то, что от двухнедельной задержки всякий мог откупиться.

С наступившими холодами холера притихла.

Служба засасывает, отравляет мозги. Я заметил, что чтение и сочинение всех этих входящих и исходящих уже не вызывает во мне прежнего живого отвращения. Бумаги жили какой-то своей, стройной, разумной, чернильной жизнью с непреложными законами и верой в свою необходимость. Я ловил себя на том, что иногда на меня стало находить даже своеобразное вдохновение при сочинении бесчисленных резолюций, отношений, выписок, и, разогнав перо, я уже не мог остановиться и мчался по листам, будто по льду на коньках. А потом наступало отрезвление. Труд мой, только что доставлявший мне удовольствие, делался постыдным, отвратительным, и, отдавая написанное перебелить, разминая уставшие пальцы, я с ужасом думал о том, что бумаги эти залетят в какие-нибудь Столбищи и будут храниться там и после моей смерти, если их не спасет пожар.

На мой стол слетались и заплутавшие жалобы, доносы, прошения. Отчаявшиеся добиться справедливости люди начинали писать во все существующие и несуществующие учреждения и инстанции, и часто мне приходилось читать и отвечать на бумаги, ни с какого бока с корабельными лесами не связанные. О чем только не взывали к вселенской пустоте эти несчастные! Помню страшное письмо, каким-то чудом переданное из заключения. Один соликамский чиновник был оклеветан и безвинно посажен в тюрьму, из которой живым он уже не чаял выбраться, поскольку надзиратели натравливали на него убийц и насильников. Он умолял снарядить комиссию и разобрать его дело, а не то он не выдержит издевательств и наложит на себя руки. Какая-то вдова продала весь свой скарб, чтобы дать взятку для выигрыша дела о домике, но ее обманули. Исправник в Урюме, вместо того чтобы ловить безобразничавших там разбойников, сам наводил шайки на купцов и брал себе мзду. Какой-то учитель из Арска ослеп и просил отправить его на казенный счет в Петербург к глазному врачу Лерхе, снимавшему катаракту.

Бумаги взывали, возмущались, жаловались, просили, требовали. Казалось, губернию населяют сплошь обиженные, убогие, обманутые, одним словом, страдальцы. Все их отчаянные крики о помощи, излитые чернилами на бумагу и отправленные

Бог знает куда, лишь бы в Казань да в столицы, были совершенно бессмысленны. Все эти мольбы, жалобы прямиком отсылались обратно на места, чтобы с ними разбирались те самые взяточники, притеснители и казнокрады, на которых и жаловались несчастные, ибо кому какое дело в Казани или в столицах до ограбленного в Урюме или до слепого учителя в Арске?

Я отсылал подобные послания обратно во все эти Урюмы, Пестрецы, Морки с просьбой к местным властям разобраться, прекрасно отдавая себе отчет в том, что толку никакого не будет, даже если я сам, возмущенный попранием справедливости, брошусь черт знает куда и буду добиваться освобождения безвинно посаженного за решетку соликамского чиновника. Судья найдет еще десять резонов, за что стоит посадить этого беднягу, ибо будет спасать свою шкуру, да к тому же еще выяснится, что этот чиновник и в самом деле преступник. И я, хорош был бы я в роли казанского Донкишота! Тот окончил дни свои по крайней мере в собственной постели, а мне бы пришлось коротать денечки в сумасшедшем доме на Успенской, откуда по ночам разносились по всей Казани истошные крики.

В первых числах декабря до Казани дошли известия о восстании в Польше.

Сперва это были смутные слухи об убийствах в Варшаве, потом короткие официальные сообщения, из которых трудно было понять, что происходило там на самом деле. Было ясно одно — то, что было расстреляно и повешено на Украине и в Петербурге пять лет назад, поднималось теперь в Польше и Литве.

В те первые, особенно тревожные дни, когда ничего не было ясно, я набрасывался на газеты, старался в нескольких трусливых фразах отыскать крупицы правды, жадно прислушивался к разговорам, которые снова, как той зимой, велись испуганным шепотом.

Слухи ходили самые противоречивые, все казалось неправдоподобным, невозможным, и все могло оказаться правдой.

Говорили, что в заговоре весь польский гарнизон Варшавы со всеми офицерами. Заговорщики подняли на ноги город, возмущая жителей тем, что русские будто бы начали резню. Ненависть к русскому царю была такая, что для возмущения достаточно было любой, самой бессмысленной лжи. Во главе бунтовщиков были школы подпрапорщиков и студенты. Русские полки были окружены прямо в казармах, и огонь обрушился на сонных. К своим соплеменникам, оставшимся верными русской присяге, восставшие были безжалостны, даже более жестоки, чем к русским. Рассказывали, и это подтверждали газеты, что были убиты польские генералы, не пожелавшие примкнуть к восстанию. У всех на слуху были имена этих людей: Гауке, Трембицкий, Жандр, — они пытались образумить прапорщиков и студентов и были растерзаны толпой. Еще говорили, что все варшавяне вооружаются, готовясь умереть с оружием в руках, но не сдаваться русским войскам, и что на стенах они пишут по-русски: «За нашу и вашу свободу!»

Нольде приходил ко мне каждый вечер, долго откашливался, отдувался, пил свой зеленый чай с молоком и принимался уверять, что поляки бесятся с жиру. От своей бурды он делался весь мокрый, с висков текли капли, и старик не успевал промокать их платком.

— Поверьте мне, Александр Львович, это взбалмошный, вздорный народец! Еще Фридрих II сказал, что нет подлости, какой бы ни сделал поляк, чтобы добыть сто червонцев, которые он выбросит потом за окно! У них и слова-то такого в языке нет — честь, у них не честь, а гонор! Ничего, ничего, вот увидите, Александр Львович, они свое получат!

Я смотрел на Евгения Карловича, на этого доброго, в сущности, старика, к которому я относился чуть ли не с сыновней нежностью, и не понимал, что вдруг произошло с ним, будто передо мной сидел совсем другой человек. Казалось, будь Нольде помоложе, он сам бы ринулся добровольцем усмирять поляков. Это превращение так меня поразило, что я лишь молча выслушивал Евгения Карловича и ничего не говорил в ответ, видя всю бессмысленность и бесполезность любых моих доводов и суждений.

Мне стало страшно приходить в канцелярию. Я думал встретить в моих сослуживцах, людях недалеких, но незлых, если не сочувствие к восставшим, то хотя бы понимание. Какое там! Среди людей я вдруг оказался как на необитаемом острове. Вернее, я вдруг почувствовал на себе какое-то клеймо, постыдную и опасную отметину, которую я должен был ото всех скрывать. Во время разгоравшихся обсуждений у печки, где собирались греться, бросив свои заваленные стылыми бумагами столы, я еле сдерживался, чтобы не выдать себя ничем, ни словом, ни тоном. Патриотические чувства затмили людям и разум, и сердце. Их больше всего возмущало, что поляки, разбойничавшие с Наполеоном в России и прощенные нами, приняли дарованные им права, о которых мы, победители, и мечтать не смели, как должное, — и все им было мало! Загибая пальцы, они перечисляли все несправедливости, которые вынуждены были терпеть русские: и то, что срок службы у поляков всего восемь лет, а наш несчастный мужик тянет лямку четверть века, и то, что войскам их положено такое жалованье, которое нашим и не снилось, и то, что пошлины на их товары снижены, а Россия от этого терпит убытки, и то, что Польша — завоеванная нами страна, а земледелие, промышленность, торговля — все в цветущем состоянии, а у нас что ни урожай, то голод.

Илья Ильич Паренсов, обычно такой добродушный, тут весь принимался трястись от ярости. Он багровел, на глаза наворачивались слезы.

— Какая низость! Какая черная неблагодарность! — кричал он. — Ну, чего им недоставало! Конституции? У России ее нет, а Польше — пожалуйста! Сейм? Будьте любезны! Права? Какие, панове, угодно? А теперь по заслугам мы, русаки-дураки, и получили. Они все, все нас ненавидят! А мы их и тогда рубили, и сейчас порубим! Вот увидите, как еще порубим! Чтобы неповадно было! Неблагодарные мерзавцы!

Один раз он так разнервничался, что кровь ударила ему в голову. Он схватился руками за голову и чуть не упал. Его подхватили, хотели послать за доктором, но Илья Ильич только сказал принести снега, подержал его на лбу, на висках, и все обошлось.

Паренсов брал Варшаву с Суворовым и был ранен при штурме под стенами Праги.

Все жили в те дни тревожным ожиданием войны. Польша, как еще казалось тогда, не представляла для гигантской империи серьезного противника. Но за восставший против царя народ должна была вступиться Франция, Европа. После европейской войны выросло новое поколение, и для него заваривалась своя кровавая каша.

Войны страшились, да и как могло быть иначе, но что поляков нужно наказать, привести их в повиновение, в том ни у кого не было сомнений. В народе уже тогда, в первые же дни Варшавского восстания, стали говорить, что это поляки навели на Россию мор. В холеру наши простолюдины никак не могли поверить, а в то, что поляки отравляли их самих, жен их, детей, поверили сразу.

Иногда мне начинало казаться, что я живу среди сумасшедших. Люди, окружавшие меня, не понимали совершенно искренне, почему не может быть доволен сытой жизнью угнетенный народ! Им все казалось, что если кто-то богаче и образованней наших вотяков, то он непременно должен быть счастлив. Само слово «свобода» — что еще оно могло вызвать в их крови, если не леденящий ужас воспоминаний о пугачевщине, о кровавом половодье, о диких зверствах башкирцев.

С первого дня Варшавского восстания я ни минуты не сомневался в том, что оно обречено, что этот пожар будет потушен обильной кровью поляков и русских, но я преклонялся перед мужеством народа этой маленькой растоптанной страны, который поднимался безоружный, но гордый против величайшей армии Европы — «за нашу и вашу свободу».

Господи, думал ли польский сейм, отслужив молебен по русским — казненным участникам декабрьского возмущения двадцать пятого года, как отзовется в России эта благородная панихида по пяти повешенным! Поляки молились за своих русских братьев и возмутили этим всю Россию, ибо в редком русском доме матери не проклинали цареубийц.

В связках старых немецких журналов в гостинодворской лавке я наткнулся каким-то чудом на гравированный портрет Костюшки и повесил его у себя в комнате в рамке над столом. Амалия Петровна, принеся мне кофе, спросила:

— Кто это?

Я отвечал, что это великий творец «Мессиады».

Что бы сделалось с этой милой доброй женщиной, скажи я ей правду! Как я вдруг возненавидел добрейшую Амалию Петровну, ее недоуменный лепет, это искреннее удивление, смешанное с ужасом в глазах!

— Александр Львович, миленький, объясните хоть вы мне, — говорила она, сжимая свои желтенькие кулачки, — ну, чего им не хватало? И за что только император Александр их так любил? А Николай! Что только он для них не делал! И вот результат! Боже мой, какая низость!..

Никогда еще я не испытывал большего унижения. Что может быть отвратительней этого безысходного двуличия, этого оскорбительного бессилия: радоваться малейшему успеху восставших и присоединяться к общему возмущению вслух! Никогда еще я так не презирал себя за то, что я — русский, за то, что отечество мое — отечество палачей, за то, что язык мой — язык завоевателей.

Я стыдился быть русским.

Я ненавидел и проклинал эту волчью, безмозглую страну до помешательства, до боли в челюстях.

На службе я еле сдерживался, чтобы не сорваться и не наговорить в пылу лишнего.

Но все же подчас ненависть захлестывала меня. Когда Нольде в очередной раз притащился ко мне со своей лоханью александровского чая и принялся, громко прихлебывая, говорить, что все войска стягиваются к польским границам и что эскадрон его Сережи теперь тоже где-нибудь в Литве, я неожиданно для самого себя прервал его и стал кричать в лицо старику, что он смешон, что все кругом знают о его сыне.

— О какой Литве вы говорите, Боже мой! Да ваш же сын на каторге за растраты! Вы, седой, старый человек, зачем, скажите, зачем вы ломаете эту комедию? Вы — посмешище, понимаете или нет?

Евгений Карлович смотрел на меня, хлопая глазами и задыхаясь. Он сипел, как меха. Потом что-то забормотал, стал почему-то просить прощения, осекся, принялся дуть на чай, опрокинул чашку, встал и зашаркал к себе, мелко тряся разлохмаченной седой головой.

После этого случая старики дулись на меня. Мы почти не разговаривали.

У Кострицкого возобновились пятничные робберты, но я не ходил туда, хотя и звали. Вообще, как-то сами собой прекратились все мои казанские знакомства. Я поругался даже с Солнцевыми, придя обедать к ним на Николу.

Помню, никаких гостей у них в тот день не было. Мне обрадовались. Прикованная к креслу старуха сказала, когда я подошел поцеловать ее иссохшую руку с желтыми когтями:

— Вот, думала, от заразы помру и не придется мне с вами, милый Александр Львович, уже сыграть в мушку. А вот живу, небо копчу.

Сонечка, младшая дочка, которой я принес леденцы, сразу полезла ко мне на руки. Татьяна Николаевна принялась рассказывать мне о своих переживаниях во время холеры, как она боялась за детей, особенно когда скрутило в одночасье их дворника. Еще она сказала, что накануне на улице простолюдины избили нашего казанского поляка-лавочника Гунгемуса.

— Какой ужас! — вздохнула она. — Но этого и следовало ожидать.

Гавриил Ильич сидел напротив меня. Он обедал молча и много пил. Было видно, что он раздражен, зол. Рыхлая, красноватая кожа на лице еще больше краснела с каждой рюмкой. Одутловатое пористое лицо делалось угрюмей. Глаза под обвисшими веками смотрели зло и цепко. В конце обеда язык его развязался и гнев вылился в адрес губернатора, вора и взяточника, которого Солнцев ездил только что поздравлять.

— На всем, мерзавец, наживается! Война начинается, так он уже и на провианте и на рекрутах руки нагрел! Нет, в этой стране никогда ничего не будет! В России честно жить и учиться-то не у кого.

Он устало махнул рукой и опрокинул еще одну рюмку.

— Плетью обуха не перешибешь!

Я взорвался:

— Так на то, Гавриил Ильич, прокурор и существует, чтобы бороться с беззакониями, невзирая на чины! Вы прекрасно знаете, что все эти господа — казнокрады, негодяи и взяточники, и вместо того, чтобы засадить их в тюрьму, вы обедаете с ними, улыбаетесь им, ездите к ним в гости! Вы сетуете, что нет честных людей, а сами плодите безнравственность!

Я на какое-то мгновение осекся. Татьяна Николаевна смотрела на меня с испугом, не донеся куска до открытого рта. Но меня поразили глаза Солнцева. Они смотрели на меня насмешливо и с любопытством.

— Что же вы остановились, Александр Львович? Продолжайте, продолжайте, сделайте милость!

Я скомкал салфетку, бросил ее на стол и ушел, хлопнув дверью. Я забыл в прихожей шапку, но, вспомнив о ней на улице, в метель, все равно не стал возвращаться. Мне прислали ее на следующий день. Я дал себе слово, что ноги моей больше в том доме не будет.

Тогда же я получил записку от Екатерины Алексеевны. Она только что вернулась в Казань и прислала ко мне своего человека с просьбой прийти. В первое мгновение я хотел бросить все и бежать к ней. Помню, тогда я подумал, что она — то единственное, что у меня было в жизни. Но потом я велел Михайле отвечать, что я сплю, и приказал себя не будить, что бы тут ни стряслось.

На следующий, кажется, вечер внизу, в прихожей, несмотря на поздний час, вдруг раздался стук в дверь, послышался какой-то шум, чей-то хохот, и на пороге моей комнаты появился Барадулин.

Не снимая шубы, на которой еще не растаял снег, он уселся прямо ко мне на кровать. На лбу у него была ссадина, на исцарапанной щеке запеклась кровь. Язык его заплетался, изо рта несло водкой.

— Ты не смотри, брат, что я пьян, — зарычал он, — ты одевайся поскорей да поедем!

— Что с вами, Николай Сергеевич? Куда ехать? Зачем? Да объясните вы толком, что стряслось?

— По дороге все объясню! Ты, брат, поторапливайся, а то я в шубе-то весь взопрел.

— Я никуда не поеду. Я приболел. Мне холодный воздух вреден. Да объяснитесь вы наконец или нет?

— Вот и поедем, брат, лечиться! — захохотал Барадулин и стал бросать мне мои вещи. — Пожалей извозчика, нам еще ехать, а там буран.

Толку от него было не добиться. Сам не понимая почему, я стал одеваться.

Внизу стояла со свечой испуганная Амалия Петровна в ночном капоте. Я растерянно ей улыбнулся.

За воротами нас ждал заснеженный возок. На улице действительно начиналась сильная метель.

Мы поехали, закутавшись в волчью полость. Барадулин достал начатую бутылку, отхлебнул прямо из горлышка и заставил выпить меня.

— Думаешь, брат, я не вижу, как ты все время на меня смотришь?

— О чем вы, Николай Сергеевич? Я ничего не понимаю.

Барадулин захохотал.

— Не понимаешь? Да я тебя насквозь вижу. Ты, брат, меня презираешь. Да и всех кругом!

— Помилуйте, с чего вы взяли?

— Ты сейчас ничего не говори! Ты лучше выпей со мной! — Он снова заставил меня пить из горлышка и опять захохотал. Крепкое вино ударило мне в голову, и я тоже вдруг засмеялся.

— Я, брат, человечков изнутри вижу! Ты, Ларионов, не гордись! Ты, брат, ничем нас не лучше! Ты, может, такой же подлец, как и я, а нос от меня воротишь. Не надо, зачем?

Я хотел что-то сказать, но он замахал рукой.

— А ты молчи, ничего не говори и ничего не спрашивай и пей со мной. Мы ведь с тобой брататься едем.

Санки мчались по темному городу. Сквозь метель я видел, что проехали мимо Черного озера, поднялись на Воскресенскую, спустились к Булаку, перелетели через мост. Долго петляли по кривым улочкам татарской слободы. Наконец остановились у каких-то ворот.

Нам открыл заспанный татарин в исподнем, в наброшенном на плечи тулупе и с лампой в руке. Увидев Барадулина, он заулыбался беззубым ртом и задергал своей куцей бородкой. Мы сбросили шубы, сняли сапоги и в одних чулках пошли куда-то по темному коридору. Татарин лепетал что-то, называл Барадулина эффенди, все время говорил о какой-то Михри. В большой комнате, увешанной коврами, мы уселись по-татарски прямо на пол. Хозяин суетился, подкладывал под спины подушки, кричал на кого-то в приоткрытую дверь. Жирная старуха с густыми, сросшимися бровями принесла блюдо с кушаньями, графины. Барадулин снова заставил всех пить: и меня, и татарина, и старуху. За стеной бегали, кто-то все время заглядывал в дверь. Принесли балиш и учпишмяк, мы принялись есть прямо руками. Я был уже совсем пьян, когда в комнату вошла молодая маленькая татарка с миской для полоскания рук и подала мне полотенце. Барадулин что-то пел, хохотал, плескал ей в лицо водой из миски. Потом он обнял ее, поцеловал в губы и толкнул ко мне.

— Это, брат, Михри. На, люби ее!

Михри взяла меня за руку и куда-то повела. Ноги мои заплетались, перед глазами все скакало. Я еле шел. Она смеялась и спрашивала меня что-то. Я никак не мог понять, о чем она говорит, и на все отвечал:

— Якши!

От выпитого мне сделалось совсем плохо. Я помню только ее крашеные черные зубы и сильный мускусный запах.

Под утро я проснулся один в той же большой комнате, где мы были сначала. Я лежал на ковре, кругом были разбросаны подушки. За окном только светало. Все в доме еще спали. Я никак не мог найти выход. Открыл в полумраке какую-то дверь, но оттуда на меня зашипела вчерашняя жирная старуха. Наконец я выбрался на улицу. Там все еще была метель. Я плутал по сугробам, не зная, как выйти к Кабану, пока не поймал чудом извозчика.

День был воскресный, неприсутственный. Сам не зная почему, я отправился в Мокрую слободу, где не без труда разыскал занесенный снегом домик Пятова.

Землемер удивился моему приходу, несказанно обрадовался и торопливо принялся наводить порядок в своем логове, иначе трудно было назвать его запущенную каморку, где неосторожное прикосновение ко всякой вещи оставляло след в толстом слое пыли. В комнате было холодно. Пятов был закутан в какую-то шаль поверх невероятного драного халата. Он суетливо переставлял клетки с места на место, стирал со стульев рукавом пыль и причитал без конца:

— Эх, Александр Львович, кабы знал, что вы придете, сбегал бы в трактир, а то и угостить вас нечем!

Я послал хозяйского мальчишку, чтобы он принес из трактира напротив чаю, булок, колбасы.

Кругом все трепыхалось и свиристело. Соловьи, непривычные к гостям, встревоженно метались в своих клетках, и землемер успокаивал их.

— Тише, тише, бесенята! Вы что, не узнали? Это же Александр Львович к нам пришел!

Мы сели пить чай, и он все говорил мне:

— Да что же вы не едите, Александр Львович, вы ешьте!

Я пересвистывался с соловьями, пока Пятов торопливо глотал хлеб и колбасу, и потом часа два слушал про нравы соловьев, про скудное жалованье, про больных родителей в Свияжске, про слабоумную сестру. Пятов говорил сбивчиво, глотая слова, будто боялся, что я вот-вот уйду, так что я даже рассмеялся:

— Да куда вы торопитесь, Аркадий Петрович? Сейчас снова за чаем пошлем. Еще наговоримся.

Я сидел в комнате у этого сумасшедшего, кормил его птиц крошками и думал о том, что не понимаю, зачем я живу в этом занесенном сугробами чужом городе, зачем бреду каждое утро по темным еще улицам на службу, зачем говорю с людьми, с которыми меня ничего не связывает. Еще я думал о том, что не знаю, чего я здесь выжидаю, от кого и от чего прячусь. Дома, среди родных, мне было одиноко.

Вот я бежал от этого одиночества в Казань. И что же? Я жил здесь уже второй год и не знал, куда бежать теперь.

Вот и пришла пора писать мне про Степана Ивановича Ситникова.

Я знал этого человека недолго, каких-нибудь несколько месяцев, а потом пытался забыть его и все, что с ним было связано, всю жизнь. А теперь жизнь прошла, и я вывел имя его пером совершенно спокойно, ничто не дрогнуло в душе моей. Да и почему должно быть иначе? Совесть моя чиста. Я ничем не виноват перед ним. А в том, что тогда в Казани произошло, некого винить, кроме него самого.

Нет-нет, я вовсе не собираюсь оправдываться, как это может показаться. Видит Бог, вины на мне нет. Просто я пишу обо всем, что было в жизни моей, ничего не пропуская, ничего не утаивая. Напишу и об этом. И ничего больше.

В половине декабря в канцелярии появился новый служащий, штабс-капитан Генерального штаба Ситников.

Это был немолодой уже человек с ранней лысинкой, русый, невысокого роста, грузный, даже мешковатый. На груди у него был крестик за турецкую кампанию.

Не могу сказать, чтобы я сразу обратил на него внимание. Тем более невозможно было предположить, что мы как-то сойдемся, сблизимся, будем считать друг друга друзьями. Это был человек скорее неприятный. Всякого общения с сослуживцами, выходившего за рамки дел, он избегал, здоровался со всеми сухо, на вопросы, располагавшие к беседе, отвечал односложно, давая понять, что не имеет никакого желания разговаривать с вами. Его назначили на вакантную должность начальника чертежной, и целыми днями он просиживал там, закрывшись, и сверял съемки заволжских корабельных рощ.

Вообще в этом человеке было многое непонятно. Ситников снял квартиру на Большой Казанской. Жил один и ни с кем не хотел знаться. Даже когда в канцелярии разгорались разговоры о том, что происходило на Висле, Ситников не вступал в них, предпочитая отмалчиваться.

После отступления великого князя из Варшавы революция в 24 часа распространилась по всей Польше. Только что все переживали за его участь, и вот уже всех возмущало его поведение. Рассказывали, что Константин отпустил к восставшим польские части, которые остались у него под командованием. Более того, встречая во время отступления польских солдат, спешивших на воссоединение к мятежным войскам, он приказывал им построиться, производил мелочный осмотр, просил не забывать его добрых советов и повторял все время:

— Это мои дети. Ведь это я обучал их военным приемам.

Офицерам он говорил:

— Я более поляк, чем все вы. Я женат на польке. Я так долго говорил на вашем языке, что с трудом изъясняюсь теперь по-русски.

После Вислы Константин перешел и Буг. Всеобщая ненависть к великому князю началась уже тогда. Позже, когда открылись военные действия, она росла чуть ли не с каждым днем. Рассказывали, что при виде русской кавалерии, отброшенной польскими уланами, Константин не мог удержаться, захлопал в ладоши и воскликнул:

— Браво, дети мои! Польские солдаты — первые солдаты в мире!

Он так радовался неудачам Дибича, напевая под его окнами «Еще Польска не сгинела», что фельдмаршал попросил императора отозвать великого князя из армии. Когда в разгар боевых действий, следующим летом, он стал жертвой холеры, которая шла вместе с русской армией, без преувеличения скажу, что Россия вздохнула с облегчением. Даже последние слова его, обращенные к княгине Лович, были оскорбительны для патриотов:

— Скажи императору, что, умирая, я заклинаю его простить поляков.

17 декабря Николай обратился к полякам с воззванием. Он обещал прощение всем, кто одумается. Воззвание это возымело обратный эффект. «Отеческое обращение» в Польше было воспринято как еще одно оскорбление со стороны империи. Теперь уже не было никакой надежды на то, что удастся хоть как-нибудь избежать войны.

Наступило Рождество. Был снежный тусклый день. С утра я валялся на диване и все никак не мог заставить себя встать. Я лежал в каком-то тяжелом полусне, и до меня еле доносились звон колоколов и гром пушек из крепости: победный салют в годовщину изгнания французов из России. В доме была суета, хлопали двери, все кричали. Вечером Нольде ждали в гости Баевских, такую же одинокую старческую чету.

Помню, как с улицы раздались нестройные крики, и я выглянул в окно. Это пришли подростки, которые, вооружившись звездой из картона, изображали волхвов, хотя напоминали скорее баскаков, взимающих с мирных жителей Нагорной свой ясак. Амалия Петровна, закутавшись в шаль, сама вышла к воротам и стала раздавать пряники, крестя каждого и целуя в лоб. Когда она возвращалась к крыльцу, мальчишки в благодарность швырнули ей в спину снежок.

Я снова было лег спать, но тут неожиданно пришел Белолобов.

— Ба, да вы еще спите! Вот не предполагал! — закричал он с порога. — Я на минутку. Вот, приехал поздравить вас с Рождеством Христовым и проститься. Рапорт мой удовлетворили! Уезжаю к Дибичу в действующую армию. Пролог, как говорится, закончен. Еду играть роль совсем на другом театре!

— Как в армию? Да подождите вы, право, дайте мне хоть одеться!

Белолобов засмеялся и сел ко мне на кровать.

— Да вы спите, спите, Александр Львович, я ведь действительно на минуту. Всех объезжаю, вот и к вам решил заглянуть. Проститься. Мало ли что. Может, и не придется нам с вами никогда больше увидеться. Может, схвачу пулю от какого-нибудь пана-добродзея.

Он достал из кармана шинели бутылку.

— Где тут у вас бокалы? Давайте выпьем за помин моей души!

— Что вы несете? С чего, черт возьми, вы взяли, что вас убьют? Вы, Белолобов, возьмете Варшаву и дослужитесь до генеральства!

Он захохотал. Вино налили в чашки, оказавшиеся под рукой, и выпили. Лицо его сделалось серьезным.

— Вы знаете, — сказал он мне на прощание, — я тоже чувствую, что ничего страшного со мной не случится. Ну, прощайте, пора.

Перед тем как убежать, он стиснул меня в объятиях и прижался к лицу своей щекой.

Помню, в ту минуту, глядя в окно, как Белолобов бежал к санкам, я подумал, что не знаю, ненавидеть или жалеть этого слепца. Скольких людей, повинных лишь в том, что не хотят жить рабами, убьет его рука, которую я только что пожимал? И если суждено ему быть убитым, он и умрет-то в счастливом неведении, думая, что умирает за отечество! Что за Богом проклятая страна, где зло творят милые, хорошие люди!

То, что в тот рождественский вечер я столкнулся с Ситниковым на Рыбнорядской, было, конечно, простой случайностью, как и то, что он тоже был выпускником Дворянского полка, что поневоле нас сблизило. С другой стороны, было бы странно, чтобы два человека, ненавидевшие одно и то же, рано или поздно не сошлись.

В тот вечер какая-то тоска погнала меня на улицу. Извозчики, кучера, все были пьяны и носились сломя голову с истошными криками. Я бродил среди праздничного хмельного люда, пока не стемнело. У ворот каждого дома зажглись подслеповатые плошки, наша казанская иллюминация. На Рыбнорядской горели костры. Там толпился народ, было шумно, что-то кричали, пели. Помню, как старик с клюкой и медалями на армяке убеждал кого-то, что самого Наполеона одолели, а уж с поляками царь и подавно управится. Рядом люди толпились у ширмы, над которой Петрушка бодро дубасил какого-то урода в чалме, причем называл его паном. Из толпы его подзадоривали:

— А ну-ка наподдай, наподдай-ка ему еще! Бей, не жалей!

Пан в чалме верещал и скулил, а Петрушка все сыпал ему одну затрещину за другой. Все лица кругом были в красных отблесках от костра.

Там, в этой толпе, мы и столкнулись. Ничего приятного в такой встрече я для себя не находил. На службе с этим человеком мы, кажется, и парой слов не обменялись. Как-то раз случайно столкнулись в гостинодворской книжной лавке: тогда он сухо ответил на мой поклон, с трудом признав во мне знакомого.

То, что мы оказались однокашниками — Ситников был выпущен в тот самый год, когда я поступил в полк, — обрадовало его, но не меня. Общее прошлое к чему-то обязывает. Только не хватало быть связанным с этим человеком, неприятным мне, и этими узами. На меня вдруг пахнуло, казалось, давным-давно истлевшим в памяти духом холодного, неуютного дортуара, шумной удушливой столовой залы, дождливого осеннего плаца. Мы вспоминали наших учителей, давнишние проказы, общие у всех выпусков, знаменитые полковые анекдоты, обычаи. Расхохотались, вспомнив «мороженое». По воскресеньям оставшиеся в корпусе кадеты устраивали себе пиршество: в ведро выжимали через простыню клюкву, размешивали сок с патокой, а потом клали туда снег — и мороженое было готово. За неимением ложек ведро без церемоний в мгновение ока вычерпывалось руками.

За разговорами, вспоминая то, что было давно забыто, мы незаметно подошли к его дому. На втором этаже, где он снимал квартиру, было темно.

Я хотел проститься, но Ситников сказал:

— Идемте, я провожу вас. В такую ночь как-то глупо ложиться спать.

Я пригласил его к себе распить бутылку вина.

На лице Нольде изобразилось крайнее удивление, когда он увидел в дверях вместе со мной нашего нового сослуживца-нелюдима. Евгений Карлович был красный, распаренный, пыхтел громче обычного, видно, уже выпил рюмку, и не одну. С тех пор как я зачем-то обидел его, он больше не поднимался ко мне, мы лишь молча раскланивались при встрече, а теперь опьяневший старик принялся лобызать и меня, и Ситникова и, хотя мы хотели подняться ко мне наверх, насильно усадил нас за стол.

Старики Баевские были умилительно похожи друг на друга, как все люди, прожившие долго вместе, и казались копией один другого и жестами, и словечками, и чертами лица. Весь вечер Баевский никому не давал вставить слова и рассказывал про польскую кампанию, когда служил у Суворова гусаром.

— А я вам говорю: доверять полякам — ни-ни, ни в коем случае! — кричал он, тряся складками кожи под подбородком. В этом тучном, обрюзгшем старике трудно было признать кавалериста. — Сколько у нас так вот погибло — чуть отстал от эскадрона, замешкался, а потом находят тебя с вилами в боку! В Мциевцах, как раз накануне того боя, когда был пленен Костюшка, устроился я на дворе бриться, а напротив была цирюльня. И вот стоит в дверях фризёр, на меня смотрит и посмеивается, мерзавец. «Прошу, — кричит, — пана гусара до голения!» И наших кругом, как назло, никого! Я на него ноль внимания. Одной ведь Матке Боске известно, что там этот негодяй задумал. Полоснет бритвой по горлу, и голоса подать не успеешь. А он за свое, и так с ухмылочкой говорит: «Може, пан россиянин струсил?» Тут я вскипел, кровь ударила в голову. Плюнул на все, думаю, будь что будет, но чтобы я, русский человек, перед этим наглым полячишкой дрожал? Не бывать тому! Сел к нему в кресло, саблю поставил поближе к себе, а он, подлец, смеется. И то правда, думаю, теперь и сабля не поможет! Этот хам вокруг меня крутится, завязывает салфетку, точит бритву, а я уже и не рад своей дурости. Сижу и жду, когда меня, как поросенка, зарежут. Он уже мне пену по шее размазал, а я все никак не решусь бежать. Все-таки дело чести! Никогда мне еще так жить не хотелось. Наконец стал меня этот черт брить. Бреет-бреет, конца нет, а я весь мокрый сижу, с жизнью прощаюсь. Он смотрит на меня и подло так улыбается. Думаю, решил покуражиться, а потом уже прикончить. Тут он вдруг снимает салфетку и хихикает: «Готово, пан». А я сижу ни жив ни мертв. Он даже денег не хотел с меня брать. «Мне, — так и сказал, — вас голить была велька пшиемношчь!»

Все хохотали над подобными историями, которые лились из уст Баевского потоком, и только Ситников сидел мрачный, угрюмый, и я видел, как с каждой минутой он все больше хмурился, комкал салфетку, раздраженно смахивал крошки.

Баевский так размахивал руками, что опрокинул бокал с вином, и красное пятно побежало по скатерти. Старик на минуту замолк, и, воспользовавшись этим, Ситников откланялся. Я вышел проводить его в прихожую.

— Вы, верно, еще не познакомились с нашими достопримечательностями? — спросил я.

Ситников пожал плечами. Сам не зная почему, я вызвался показать ему наши казанские древности. Мы договорились, что на следующий день я зайду за ним. Он улыбнулся мне устало и холодно.

Утром, к намеченному сроку, я отправился на Большую Казанскую. Стоял рождественский морозец, ночью выпал снег, и у тюрьмы арестанты, обмотанные в тряпье, разгребали лопатами сугробы. Они щурились на солнце, били себя по бокам, подпрыгивали, терли щеки и жалобно поздравляли прохожих, выклянчивая копеечку. Если кто-то не подавал, того осыпали ругательствами и злыми насмешками. Солдат, охранявший арестантов, не обращал на это внимания, видно, был с ними заодно, имея потом с этих копеечек свою долю.

Ситников жил в Кафтыревских домах, уцелевших от пожара. Вход к нему был отдельный, и дворник провел меня к крыльцу со двора.

К моему удивлению, дома Ситникова не оказалось. Встретил меня его человек, литвин, плохо понимавший по-русски. Этот белобрысый юноша, щегольски одетый, с яркой шейной косынкой, в вышитой манишке с розовой подкладкой, говорил со мной сквозь зубы и вообще всячески подчеркивал свое неудовольствие моим приходом. Видно, он сам собирался куда-то идти, а я ему помешал. На все мои расспросы, куда ушел его хозяин и когда вернется, он лишь пожимал плечами. Я решил подождать, снял шубу и прошел в комнату.

Здесь был полный беспорядок, всюду валялись неубранные вещи, книги были разбросаны на стульях и на диване, стол был засыпан пеплом и табаком. Было жарко натоплено, и стоял тяжелый дух, пропитанный дымом. С утра не проветривали, и вообще было видно, что хозяин мало трепал своего слугу. На полу у печки разлилась лужа. Очевидно, гордый литвин, когда топил, нанес на сапогах снег и не удосужился за собой подтереть. Я снял с кресла халат, бросил его на диван и присел. Хозяйская обстановка была неуютной: громоздкие допотопные мебели, треснувшие кафли на печи, закопченный, давно не беленный потолок.

Я просидел так с полчаса, сам понимая глупость своего положения. В соседней комнате шаркал литвин, бросая на меня сквозь открытые двери злые взгляды, и недовольно что-то бурчал на своем шепелявом наречии.

Я сел за стол, чтобы оставить записку и уйти, когда Ситников вдруг появился в дверях. Он смутился, стал извиняться. Забыл ли он просто о нашей встрече или хотел отделаться подобным образом от назойливого знакомца — все это было неприлично и даже оскорбительно. Но я, вместо того чтобы уйти, сказал:

— Пустое, я не придал этому значения. Так что же, мы идем?

Первым делом мы отправились в университет. Студенты были распущены на рождественские каникулы, часть из них разъехались, кто-то остался, но занятий не было, и в огромном здании было пустынно, шаги наши звучали гулко, и в метлахских плитках, которыми там вымощен пол, отражались замерзшие окна. В естественном кабинете, открытом по праздничным дням для посещения публики, мы осмотрели всякие чучела и каких-то уродцев в банках, костюмы диких народов и прочую дрянь. Потом мы поехали в татарскую слободу смотреть мечети.

По дороге я принялся рассказывать всевозможные истории о казанской старине, слышанные мною от Шрайбера.

Истории, казавшиеся мне забавными. Ситников слушал невнимательно и явно тяготился нашей прогулкой.

— Вы, я вижу, не большой любитель древностей, — сказал я.

— Увы, — ответил он. — Я не понимаю, как древности могут быть важнее настоящего. Камни мертвы.

— Что вы хотите этим сказать?

— Вам разве не мешает восторгаться памятниками прошлого то, что происходит вокруг них сейчас? Право, при всем желании у меня не выходит любоваться пейзажем, если я знаю, что в живописном селении живут рабы...

— Что же получается, музеи, памятники не нужны вовсе?

— Отчего же. Надо лишь, чтобы ничто не отвлекало от наслаждения прекрасным. А для этого нужно всего-то быть свободным человеком в свободной стране.

— Вы верите, что Россия станет когда-нибудь свободной? — спросил я.

Он пожал плечами и ничего не ответил. На том мы и расстались в тот день. Этот разговор впервые заставил меня посмотреть на Степана Ивановича другими глазами.

То была ирония судьбы, что я сам познакомил его с Екатериной Алексеевной. С того майского дня мы не виделись с ней. После холеры она давно уже вернулась в Казань, но я не был у нее ни разу, потому что решил забыть ее, и я уже думал, что мне это удастся, но тут пришел Новый год, и в благородном собрании был костюмированный бал.

Встречать Новый год в обществе задыхающегося Нольде за партией в лото было бы невыносимо, и я отправился в дом Дряблова, не позаботившись ни о каком маскарадном костюме: решил, что и так буду хорош.

Характерных масок было мало. По какому-то провинциальному жеманству костюмироваться считалось чуть ли не неприличным, и хотя в собрание съехался почти весь город, приезжали только, чтобы посмотреть, а потом обругать да посмеяться. Редкие капуцины, турки, мавры и еще не поймешь кто растерянно бродили под веселые мотивы гарнизонного оркестра мимо мундиров и фраков. Казанские дамы, вооружившись лорнетами, сидели по стенам. Публика угрюмо протискивалась из залы в залу, ища обещанного веселья, все перешептывались, усмехались над нашим казанским маскарадом, имевшим мало что общего с бесшабашным праздником итальянцев, на которых так хотелось быть похожими. Когда предводитель в трико, с венком из роз на голове, весь обшитый трефовыми валетами, и его супруга, звякая бубенцами на своей фригийской шапочке, начали полонез, я спустился в буфет. Там было шумно, душно, летели пробки от шампанского, в углу уже кого-то разнимали. Я сразу заметил Барадулина, которого после нашего визита в татарский бардак всячески избегал. Тот, увидев меня, полез целоваться и потащил в свою уже изрядно подогретую вином компанию. Тут пили за Новый год, который уже наступил в Японии, и ссорились, у кого точнее часы.

В танцевальную залу я вышел, когда уже гремел вальс. Стремительно кружились пары, публики заметно прибавилось. Сделалось душно, меня обдал приторный запах духов, увлажнившейся пудры, взмокших тел и свечного чада.

Взгляд мой сразу нашел ту, которую безуспешно искал с самого начала. Екатерина Алексеевна была в розовом домино. Вокруг нее увивались какие-то господа в масках и офицеры. Она звонко хохотала и вальсировала без передышки, меняя после каждого круга кавалера. Отчего-то я не решался подойти и наблюдал за ней из-за колонны. Наконец она упала в кресло, распустив юбку веером, прямо в двух шагах от меня и отправила своего кавалера в буфет за мороженым. Потом обернулась и сказала:

— Ну, что же вы там прячетесь, Ларионов! — она поманила меня пальцем.

Я подошел.

— Бессовестный Александр Львович! — она улыбнулась и укоризненно покачала головой. На лбу и ключицах капельки пота сверкали в огне сотен свечей. — Как вам не стыдно! Вы в Казани, но куда-то пропали, живете Робинзоном. Не появляетесь, не пришлете весточки. Даже не нанесли визит на Святки. В конце концов это просто неприлично!

— А где же господин Орехов? — спросил я.

Улыбка на лице ее вдруг застыла. Екатерина Алексеевна сделалась серьезной.

— А разве вы ничего не знаете?

— С ним что-то случилось?

Она снова рассмеялась.

— Нет-нет, что вы! Ему ничего не сделается. Просто в одно прекрасное утро я сказала этому человеку, в общем-то хорошему и доброму, что никогда не стану его женой. Вот и все. Так и сказала: никогда.

Между нами вырос турок с ятаганом за поясом и, качнув чалмой и щелкнув каблуками, пригласил ее "пурунтурдевальс". Видно, в пику гарнизонному натиску Екатерина Алексеевна неожиданно сказала:

— Я уже ангажирована.

Набросив розовый капюшон, она протянула руку в длинной перчатке мне, и мы закружились по залу.

— Милый Ларионов, — шепнула она мне на ухо, коснувшись губами кожи. — Вы вальсируете отвратительно.

Екатерина Алексеевна танцевала, закрывая глаза, запрокидывая голову, смеялась, подпевала. Только сейчас я заметил, что она немного пьяна.

— А правда ли, что ваш новый сослуживец — человек с причудами? — вдруг спросила она. — Ни с кем не встречается, всех презирает?

— Неправда, — ответил я. — Господин Ситников интересуется казанскими древностями, и я даже был его чичероне.

— Вот как? Тогда сделайте милость, если еще помните дорогу к нашему крыльцу, приходите ко мне, Александр Львович, по старой дружбе да приводите с собой вашего анахорета. Придете? Впрочем, какие глупости я спрашиваю. Ради Бога, не обращайте на меня внимания, я выпила шампанского. И потом, я же вижу, милый Ларионов, что вы меня более не любите.

Она снова засмеялась.

— А сумасшедший Орехов, представляете, все равно ходит ко мне по пятницам на журфиксы, потому что в другие дни я не велела его пускать. Приходит и сидит в углу, а все над ним смеются. А он сидит и все смотрит, смотрит на меня.

Мы танцевали, пока она вдруг не остановилась.

— Ах нет, вы вальсер никудышный!

Екатерина Алексеевна бросила меня посреди залы и ушла в дамскую уборную.

Я терпеливо ждал, пока она выйдет, но Екатерина Алексеевна, даже не взглянув на меня, сразу прошла вниз. В окно я видел, как кучер сложил за ней подножку и захлопнул дверь. Пока длился бал в собрании, на улице пошел снег и на крыше кареты намело целый сугроб.

Тут часы, встречавшие своим боем еще Екатерину Великую, стали бить двенадцать, все закричали "ура", стали разбирать с подносов бокалы с шампанским.

Помню, в ту минуту я подумал о том, что вот зачем-то люблю эту женщину, но она не моя и моей никогда не будет, но, кроме нее, у меня в этой жизни, в общем-то, ничего и нет.

В первую же пятницу я отправился к Екатерине Алексеевне и взял с собой Ситникова.

После морозов неожиданно началась сильная оттепель, с Волги дул мягкий, парной ветер. Дороги развезло, то и дело моросил дождь, сугробы почернели и осели, улицы были залиты снежной жижей. Мы ехали на извозчике, и мокрая лошаденка еле тащила санки по слякоти.

Я не был в доме на Грузинской с прошлой весны. С невольным трепетом снова я вошел в ту гостиную, где жил запах ее духов, где повсюду были заботливо расставлены бесчисленные ее безделушки, фигурки, саксы, где в окна лезли ветви черных мокрых яблонь, окутанных паром от таявшего в саду снега.

Екатерина Алексеевна была в белоснежном шуршащем платье с обнаженными плечами, на которые она набросила прозрачный невесомый вуаль. Вокруг шеи бежала нитка жемчуга. На руках были короткие белые перчатки. Она сидела, закрыв юбками весь диван, в голубой полутени от зонтика, поднятого над свечами. В воздухе стоял запах туберозов и нарциссов — ее любимых духов.

— Вот и Ларионов, — сказала она, когда я поцеловал ей руку. — А я все думаю, где-то мой Александр Львович, верно, лежит на диване, дуется на человечество и киснет, как капуста. Вот вы уже и обиделись. Не стоит, милый Ларионов, обижаться на глупости. Это еще глупее, чем говорить их.

Она была капризна, зла, раздражительна. Все время вспоминала Белолобова, который единственный умел развлечь ее. Была со всеми подчеркнуто нелюбезна. К Степану Ивановичу, о котором сама расспрашивала, отнеслась холодно, почти не обращала на него внимания. Тот сидел мрачный и, я чувствовал, злился на меня за то, что я привел его сюда.

Кроме нас был, разумеется, Шрайбер, который в тот вечер не пикировался, как обычно, с Екатериной Алексеевной, а сидел в задумчивости и беспрестанно катал шарики из оплывшего свечного воска. Пришел и Иванов, вернее сказать, прибежал с последним нумером «Заволжского муравья», в котором напечатали его стишок в два куплета. Он бросался всем на шею и весь вечер ходил именинником. Казалось, он и действительно верил, что занял местечко среди бессмертных. Во всяком случае, смотрел на всех откуда-то издалека, как будто с другого берега.

В углу как ни в чем не бывало сидел Орехов. Он небрежно кивнул мне и снова принялся листать какой-то волюм.

Екатерине Алексеевне вздумалось играть в фанты. Шрайберу с Ивановым выпало провальсировать пять кругов по зале. Они проделали это стоически, с невозмутимыми лицами. Орехов должен был, забравшись на стул, продекламировать что-нибудь про любовь. Он прочитал несколько стихов из Малерба. При этом глядел ей в глаза, и во взгляде его была ненависть. Мне пришлось трижды крикнуть петухом в открытую форточку. В пустом саду даже некому было испугаться этих криков. Там, в темноте, снова шел дождь, и голова моя в одно мгновение сделалась мокрой.

Когда на столике остался лишь один фант, перстень с печаткой, принадлежавший Степану Ивановичу, Екатерина Алексеевна назначила:

— А этому фанту поцеловать меня.

Она села на диван, расправив юбки, и посмотрела на Ситникова с насмешкой. Тот вздрогнул, покраснел, но не тронулся с места.

Неловкое молчание все продолжалось. И тут я впервые увидел, что Екатерина Алексеевна смутилась.

— Что ж, вы правы, — сказала она. — Последнее дело потакать взбалмошным провинциальным барышням.

— Я вовсе не имел намерения обидеть вас, — сухо ответил Ситников.

— Мне просто хотелось посмеяться над вами. И ничего более.

Потом она, кажется, даже не взглянула в его сторону.

Мы пили чай из тонких фарфоровых чашек с виноградными гроздьями и листвой. Разговор как-то сам собой зашел о том, что происходило в Польше.

— Вы задумайтесь, господа, — говорил Иванов, — отчего вообще случаются мятежи? Отчего добропорядочные отцы семейств вдруг оставляют всякий свое занятие и бросаются вместе с уличными мальчишками крушить, бить и ломать все подряд: и окна, и государственный порядок? Чего им недостает? Да покажите первому нашему лапотнику усадьбу последнего польского крестьянина, и он скажет вам, что поляки зажрались, — и будет прав! В том-то и дело, господа, что чем больше у народа есть, тем он развратнее! Голодный не пойдет бунтовать и безобразничать, потому что будет думать, как поработать и накормить своих детей. А вот пресыщение рождает идеи. А чем кончаются все идеи? Не было еще и не будет такой идеи, которая не вела бы в конечном счете к беспорядку и резне, потому что любая идея, пусть и самая замечательная, противна природе. В природе-то идей нет! Идея отрицает сложившийся порядок, а значит, природу ради идеи. Как только торжествует идея, общество повергается в хаос, сытые становятся голодными. А голодный человек снова хочет порядка. И все возвращается на круги своя. Возьмите французов. Лавочникам захотелось привилегий и гражданских свобод. И что же? Они залили всю страну кровью, и первый же проходимец приструнил этих революционеров, объявив себя императором! Прошло пятнадцать лет, новое поколение отрастило себе брюшко, и, пожалуйте вам, все сначала. Это еще французы! А не дай Бог русский человек наестся досыта!..

— А что же Пугачев? — усмехнулся Шрайбер. — Или от сытости вырезали всех подряд казаки да калмыки?

Иванов снисходительно улыбнулся в ответ.

— Боюсь, доктор, что нашу пугачевщину и мятежом-то не назовешь. Мятеж есть некое сотрясение устоев, отрицание природы вещей, если хотите. Так сказать, плод цивилизации. А наши дикари не жалели живота своего ради законного государя! И поднимались с вилами отстаивать свой порядок вещей против узурпаторши и цареубийцы. А мятежниками в их куриных мозгах были мы с вами, любезный Петр Иванович!

— Все же посмею с вами не согласиться, — возразил Шрайбер. — Уверяю вас, что любые мятежи, революции, бунты — все эти кровавые игрища слеплены из одной глины. И глина эта — безнравственность. Если хотите, элементарная дикость. Мы привыкли считать себя верхом цивилизации, потому что обуздали пар, окружили себя книгами, изобрели громоотвод и представительную систему. Что ж из того? Увы, образование не ходит в ногу с нравственностью. Среди людей, призывавших, и с успехом, к убийствам, было полно образованнейших людей, возьмите Эбера, Карне или того же Лелевеля. Религиозные, социальные предрассудки, служившие поводами для всевозможных бесчинств, действительно в какой-то мере порождение образованности, но Варшавская революция есть порождение дикости уже потому, что созрела на национальной почве, ибо наиболее примитивный образ мыслей — образ мыслей патриотический. Чем больше в нации патриотизма, тем ближе она в нравственном отношении к варварскому состоянию. В поляке больше пыла, нежели резона. Народ этот, подобно незрелому юноше, пьяному своей первой преглупой любовью, пьян от любви к своей собственной национальности. С каким жаром побежали они за Наполеоном, с какой готовностью лезли на испанские ножи в Пиренеях только потому, что император умел бряцать на этой сладкой для польского уха струне. Попросту говоря, не глупость ли вступать в войну с Россией, заранее проигранную? И не безнравственно ли звать свой народ на это самоубийство? В конце концов, поляки живут в своей стране, не буйствуют, пользуются всеми правами и даже льготами, имеют даже свою конституцию — что еще нужно народу для благоденствия? Не безнравственно ли приносить в жертву жизнь, и свою и своих близких, только потому, что им не нравится считать себя подданными чужого царя? Будто это важнее, чем жить.

— А вы не допускаете мысли, — вдруг сказал Степан Иванович, который до этого только хмуро следил за разговором, — что их отчаянный мятеж есть порождение не глупости, не безнравственности, а оскорбленного человеческого достоинства? Не кажется ли вам, что безнравственность как раз в том, чтобы народ, будь то поляки, французы или русские, принадлежал одному лицу, или семейству, или касте? Дикость как раз в том, что народ существует для прихоти правителей, вместо того чтобы самому выбирать себе правительство, какое ему заблагорассудится. И если у народа это естественное изначальное право отнимается, я не вижу ничего предосудительного в том, чтобы народ отстаивал справедливость, пусть и с оружием в руках. Ведь вы же, если на вас нападут какие-нибудь мерзавцы и станут унижать вас, возьметесь в конце концов за палку, не так ли?

— Браво, — сказал Шрайбер. — Вы проповедуете народоправие. Но народ-то — дитятя. Оставьте детей без присмотра, предоставьте им самим возможность жить как им вздумается, а им наверняка вздумается играть с острыми предметами, — далеко ли до беды? Нет, боюсь, что здесь не обойтись без отеческой твердой руки. Народу нужно вырасти, достичь совершеннолетия, тогда и можно его предоставить самому себе. Взгляните на древние европейские народы, в них чувствуется взрослая разумность. А Россия хоть и на двенадцать дней моложе, но нагнать их тяжело. А Польшу сгубил Александр Павлович. Он вздумал лечить ее патриотический недуг свободой. И вот залечил. Это снадобье сильнодействующее, и пользовать им нужно осторожно. Даже в самых гомеопатических приемах оно вызывает к себе болезненную страсть, подобно опиуму. Чем больше общество дышит этим дурманом, тем больше зелья ему надобно.

— Что ж в том такого? — перебил его Ситников. — Болезнь эта здоровая, швейцарцы доживают с ней до самой смерти. И поляки, не сомневаюсь в том, смогли бы с ней сладить, коли бы им не мешали.

— Каждый народ имеет ту форму правления, которая ему естественна, и не более того. Швейцария — республика, потому что в ней и последний пастух ощущает себя гражданином. Но вспомните — «мое учреждение лучшее, но только для Афин». Вы хотите попробовать учредить представительное правление в России, в стране, где сам воздух пропитан неуважением к личности, где народ темен и туп, где рабство не только узаконено, но впитано с материнским молоком, где, наконец, свободные — тоже рабы, если не по убеждению, то по воспитанию. Даю вам мою седую голову на отсечение, но то изнеженное семечко не взойдет в таком климате. А коли и примется, так mutatis mutandis*. В этом уродце вряд ли вы найдете желанные черты.

— И тем не менее до татар и Москвы славянами правило вече. Человеческой природе естественно жить своим умом. И вообще, существу, наделенному собственным разумом, душой, волею, недостойно и неприлично жить, ежесекундно подчиняя себя произволу.

— Вече! Так ведь черемисы тоже решают, чью дочку подсовывать на ночь исправнику, на общей сходке. Что же из этого следует? Беда не в отсутствии парламента, конституции, а в невозможности их. Возьмите последнюю заразу. Отчего по России прокатились бунты? От бесправия? Какое там! Оттого, что в кармане у бабы холеру нашли! Народ этот нуждается не в республике, а в строгом правильном уходе. Вот вам Яблочный Спас. Как просто и как мудро: есть яблоки до Преображения — грех. А почему? Да потому, что ведь зеленые еще. Но зато в Спас эти взрослые дитяти обжираются до того, что у всей России животы болят.

_____

* Сообразно с обстоятельствами *(лат.)*.

Разговор этот прервала Екатерина Алексеевна:

— Довольно, господа, — сказала она. — В конце концов, вы не на римском рынке. Вы рассуждаете о народной свободе, а вам самим нельзя давать никаких прав: вы ведь готовы растерзать друг друга из-за двух десятков слов! И все ваши рассуждения не стоят выеденного яйца, потому что каждый живет так, как ему удобней. Одному легче ежиться со всем и плодить себе подобных, другому легче разбить себе голову о стену. Жертвуют собой, как любят, не для чего-то, не для достижения каких-то целей, а просто так, из внутренней потребности. Вот и все.

Потом она села за фортепьяно и стала играть что-то, глядя на свечи. Мы возвращались со Степаном Ивановичем на одном извозчике. Дождь все еще продолжался, кое-где сугробы совсем сошли. Заборы еле виднелись в тумане и темноте.

— Вы простите меня, что потащил вас туда, — сказал я. — Думал развеять вас, и вот что получилось.

Он будто очнулся и закивал головой невпопад.

— Да-да.

Потом он сказал:

— Знаете, этот доктор тысячу раз прав.

— О чем вы?

— Да о том, что мы с вами хуже черемисов. Эти несчастные холопствуют от невежества. А мы-то почему терпим все это? Повесили, сослали на каторгу честнейших, достойнейших из нас — мы стерпели. Теперь идут убивать целый народ, который не желает быть, подобно нашему, рабом, — мы снова терпим!

Какое-то время мы ехали молча. Потом он тихо добавил:

— Вы знаете, иногда больше всего на свете я ненавижу и презираю самого себя.

— Вы просто устали, Степан Иванович, — сказал я. — Посмотрите, на вас лица нет. Приедете домой и ложитесь спать. Все пройдет.

Он действительно был бледен, дрожал, кутался в шинель.

Я завез его на Большую Казанскую и отправился к себе, на Нагорную, утонувшую в грязи.

На следующий день на службу Ситников не пришел, прислал только сказать, что нездоров. Из канцелярии я сразу направился к нему. У Степана Ивановича был сильный жар, он лежал в жестокой лихорадке. Он выглядел осунувшимся, измученным приступами, следовавшими один за другим.

Когда я вошел, он попытался улыбнуться и прошептал бескровными губами:

— Ну вот, видите, что со мной, никуда не гожусь. Проклятая валахская лихорадка. За Дунаем от нее погибло больше людей, чем от турецких пуль. Третий год уже пошел, а все не отпускает.

— Был ли доктор? — спросил я.

— Что толку в нем? Он пропишет мне хины, а она, как видите, помогает мало. Да вы присядьте!

— Где ваш человек? Надо послать его немедленно за доктором!

Я вышел в другую комнату, где столкнулся тут же с литвином. Тот суетливо захлопнул створку буфета и, смахнув со рта крошки, сделал вид, будто протирает пыль. Я велел ему сейчас же отправляться к Шрайберу и написал на листке бумаги адрес и несколько слов с просьбой сразу же приехать.

Когда я вернулся в комнату, Степана Ивановича снова начало трясти. Лицо его было все в поту, губы дрожали. Он кутался в одеяло, все никак не мог согреться, и я накрыл его еще шинелью.

Через какое-то время лихорадка отпустила, и он, измученный пароксизмами, заснул.

Я просидел у него до самого вечера.

Пришел Шрайбер, но, увидев, что Ситников спит, не велел будить его и сказал, что зайдет на следующий день.

— Пусть спит, — сказал он, уходя. — Сон лечит лучше всякого доктора. А доктор что? Он перед природой бессилен. Представьте, принимал вчера роды, очень тяжелые. Ребенок родился здоровенький, а мать сейчас умерла. Хорошенькая такая мещаночка из Подслужной. Вот так-то.

Он тяжело вздохнул, потом усмехнулся:

— Поеду ужинать. Доктору ведь чья-то смерть не может испортить аппетита. Иначе какой же это доктор?

И он сказал еще что-то по-татарски.

Приступы лихорадки продолжались три дня, и каждый раз после службы я отправлялся к Степану Ивановичу и сидел у него до позднего вечера.

Мы говорили.

Я вспоминаю наши болезненные, безоглядные, бесконечные, бессмысленные споры.

Ничто не может так сблизить чужих, далеких людей, как ненависть. Мы ненавидели с ним одно и то же до ярости, до бешенства: узаконенное рабство и холопство от души, дикость мужиков и хамство властителей, государственную страсть загнать свой народ в казарму, а соседние придушить и, главное, невозможность жить в России достойно, без постоянных, от рождения до смерти, унижений. Кто не родился русским, тот не знает, что значит жить и носить эту ненависть в себе, как нарыв, терпеть эту муку в одиночку. Кто не жил в России, тот не знает, как изъедает эта ненависть изнутри, как выедает душу, как отравляет мозг. Кто, кроме русских, умеет так ненавидеть свою страну?

Нас сближала ненависть, но не более того.

Разговоры наши были безумными, мучительными. Мы спорили изо дня в день об одном и том же, не умея ни убедить друг друга, ни хотя бы понять. Его суждения казались мне наивными, а вернее, губительными. Он же злился, что я не могу понять вещей, для него очевидных. Между нами была стена утомительного, искреннего непонимания. Эти бесплодные споры доводили нас до ожесточения, до досады.

Он ненавидел Николая, видел в нем палача, не мог простить ему тех пяти повешенных, сожалел, что заговорщики не довели намерений своих до конца.

— Хорошо, представьте себе на минуту невероятное, фантастическое, — убеждал я его, — что русский трон достался порядочному человеку. Он полон негодования, пыла, усердия, любви. Он всей душой хочет распутать наконец этот узел, и ему даже кажется, что он знает, как подступиться к нему, видит тот самый конец, за который нужно тянуть. И вот он тянет, а толку нет. Тащит что есть силы за другую веревочку, третью, а узел все туже. И не дай Бог еще рубить сгоряча начнет. В конце концов он плюнет, смирится и станет делать лишь то, что от него требует должность: расширять границы да поддерживать дисциплину в разболтанном отечестве, потому что в России чем больше у тебя власть, тем ты бессильней. Русский государь, пусть свирепый самодур, пусть ученый немец, всегда будет только петрушкой в этом балагане.

— Но почему, почему, — прерывал меня Степан Иванович, — это ничтожество, этот выскочка, дорвавшийся до короны через голову брата, этот недоучка с амбициями капрала должен править мною, вами?! Порядочного человека палками не загонишь на русский трон! Теперь по его приказу будут вешать поляков, вся вина которых состоит лишь в том, что они не растоптали в себе, подобно нам, чувства собственного достоинства. Как, скажите, как жить в стране, где на троне преступник?

Я убеждал его, что мысль о цареубийстве приходит хоть раз, но каждому русскому, и главное — преодолеть, отбросить ее, потому что они посадят себе на шею еще кого-нибудь, в десять раз хуже.

Но он не слушал меня.

— Да ведь я, я тоже живу в России, я тоже русский! И никто меня никогда не убедит, что я рожден для скотской жизни! Ну почему я, одаренный в той же степени собственным разумом, волею, чувствами, должен подчинять и тело мое, и душу произволу другого существа, отличающегося от меня только властью? Вы, я, тысячи людей в России готовы хоть с завтрашнего дня начать человеческую жизнь. Нас держат здесь всех в мешке. Эта шайка безнаказанно душит нас, а мы только мычим, потому что не верим в собственные силы. В России достаточно образованных, честных, совестливых людей, которые не могут мириться с произволом, пусть даже это будет стоить им жизни. Вспомните 14 декабря. На каторгу пошли сотни, а в России их тысячи. В конце концов, в России есть общество. Оно безгласно, оно парализовано страхом, но надо только начать! Если телегу не толкать, она и не поедет.

— Opinion publique* — понимаю. Там, в Париже, правят журналисты. Но общество, общественное мнение — пустой звук, абракадабра, нонсенс. Здесь какое прикажут, такое мнение и будет. В телегу надо запрягать образование, и тогда дело рано или поздно двинется само собой.

— Восстание в Варшаве начала школа прапорщиков, а поднялся за несколько дней весь народ.

— Из-за нескольких горячих голов, которые потом и раскаиваться не будут, в тысячи домов войдет смерть. Это все просто самоубийство. Это уже не геройство, а безумство, глупость.

— Но и жить так невозможно, вы понимаете? Невозможно!

Так часами мы говорили, как выражаются немцы, мимо друг друга. Помню тот вечер, когда после болезни Степан Иванович впервые вышел на свежий воздух. Мы гуляли вокруг Черного озера, делая круг за кругом.

Шел сильный снег, валил огромными хлопьями, цеплялся к ворсу шинели, и приходилось все время стряхивать его с рукавов, с плеч, но снежные погоны снова вырастали за одно мгновение.

Я убеждал его, что человеческое счастье или несчастье зависит не от общественного устройства, а от личной судьбы.

---

* Общественное мнение *(фр.)*.

— Да-да, — кивал он головой. — Надо что-то делать, надо что-то делать.

На Масленицу Екатерине Алексеевне взбрело в голову кататься на татарах. Катания эти были казанским дополнением к обычным русским блинам, и я отправился нанимать пошевни на Рыбный рынок, куда из окрестных деревень к Масленице съезжались на своих лубяных санках возчики. Ночью накануне шел снег, с утра немного подморозило, деревья стояли заснеженные. На улицах было людно. На Рыбнорядской с самого утра стоял гомон от масленичного столпотворения. Я сторговался за пять рублей ассигнациями с каким-то татарином, который приехал в Казань с сыном. Он все гундосил:

— Не обмани, бачка! — и скалил сгнившие зубы.

На сиденье и на задок санок были накинуты яркие домотканые ковры. Лошадям в гриву и хвост вплетены были разноцветные ленты. Воздух звенел от колокольчиков.

Катались сперва вчетвером. В санки к старику села Екатерина Алексеевна с Ивановым, во вторых пошевнях ехал со мной Шрайбер. Молодой татарин в озяме из белого домашнего сукна с ярлыком на спине, в бараньей шапке визжал беспрестанно и немилосердно сек своих лошадок, стараясь заработать побольше на водку.

Сперва мы помчались через весь город в Мокрую слободу. Пар вырывался из лошадиных ноздрей белыми клоками. Сухой мерзлый снег скрипел и визжал под полозьями не хуже татарина, брызгал из-под копыт.

Потом Екатерине Алексеевне вздумалось взять с собой кататься Ситникова. Это было тем более странно, что после того визита она даже не вспоминала о нем. Я стал говорить, что выйдет неловко, что он и не поедет с нами, что не стоит его беспокоить, он только оправился после болезни, но в глазах ее уже было какое-то злое упрямство.

Мне казалось невозможным, чтобы он дурачился вместе с нами, и я надеялся, что мы не застанем его дома. Но все вышло совсем не так, как я ожидал. Увидев шумную компанию на пороге, Степан Иванович вдруг преобразился, будто в один момент натянул на себя маску добродушного весельчака, масленичного гуляки, которая вовсе не шла к нему, и я не сразу понял, зачем это ему. Он быстро оделся, и мы поехали впятером, распив прямо в пошевнях бутылку шампанского.

Иванов свистел, выхватив у татарина кнут, хлестал им пьяный гулящий люд, так и бросавшийся под копыта, и выкрикивал в морозный воздух вирши. Екатерина Алексеевна смеялась, срывала на лету снег с сугробов, бросалась снежками, которые рассыпались в воздухе и осыпали нас, ехавших следом, снежной колкой пылью.

Шрайбер повез нас на Кабан, где на Масленицу каждый день шли кулачные бои между татарской слободой и русской суконной. Насладиться этим диким зрелищем нам не удалось в полной мере, потому что приехали мы, что называется, к шапочному разбору. По истоптанному заснеженному льду разбросаны были рукавицы, драные армяки, кое-где виднелись на снегу алые точки. Кучками дрались еще мальчишки. Зеваки, которых набиралось на берегу достаточно, уже разошлись. С татарской стороны возвращались зарвавшиеся бойцы, преследовавшие поверженных врагов до самого их берега.

Помню, как Екатерина Алексеевна стояла, прислонившись к стволу столетней ивы, которая летом поднималась из воды, а тогда была вся в снегу.

— Они дерутся так всякий праздник, — рассказывал Шрайбер. — А самое интересное бывает, когда случается одолевать татарам. Они преследуют русских даже в их избах. Вот там-то начинается настоящая баталия. Там уже бьются чем ни попадя и старики, и бабы. В этом есть что-то здоровое. Эти люди настолько близки к природе, что в них клокочет чересчур много крови. Им время от времени необходимо спасительное кровопускание.

— Поедемте, господа, ко мне, — вдруг предложил Степан Иванович. — И приготовим жженку!

Все это было так не похоже на него, и то, что он поехал тогда с нами, и это его неожиданное предложение. Мне казалось, будто он хочет сыграть какую-то роль, сделаться таким же, как все они. Будто ему хотелось избавиться от самого себя.

На Воскресенской, во французском ресторане, мы купили фруктов, вина и специй, теперь мы сидели с Екатериной Алексеевной вдвоем, и я поставил в ноги корзинки с бутылками и апельсинами. По дороге, увидев, что у меня мерзнут уши, она стала оттирать их снегом, а потом вдруг поцеловала меня.

Мы поужинали холодной телятиной и сыром, потом принялись варить жженку. В медный тазик вылили две бутылки белого рома. Туда положили сахар, всякие пряности, подожгли. Литвин вынес из комнаты свечи, и комнату освещало только голубое мерцающее пламя. В его отблесках светились в полумраке лица. Екатерина Алексеевна положила мне голову на плечо. Руки ее пахли апельсинами, с которых она снимала кожуру. Потом залили пламя лафитом. Внесли свечи, и Екатерина Алексеевна стала разливать жженку в бокалы. Ситников поднял тост за Гебу, черпавшую вино на Олимпе, все кричали «ура» и пили. Огненное вино сразу ударило в голову. Екатерина Алексеевна сидела, забравшись с ногами, в глубоком кресле, а мы пили за нее бокал за бокалом и быстро пьянели.

Пустому разговору, больше похожему на сплетню, я не придал тогда никакого значения. У всех на устах была в Казани в то время фамилия Ивашева. В Сибирь к своим мужьям, участникам заговора двадцать пятого года, разделить тяготы каторги ехали одна за другой жены этих несчастных. Их жалели, им сочувствовали, если не открыто, то в гостиных. Вокруг же невесты Ивашева, моего симбирского земляка, снежным комом росли какие-то истории, домыслы, невероятные догадки.

Говорили, что старики Ивашевы, убитые горем, не зная, как утешить сына, который, по слухам, пытался и в крепости, и в Сибири наложить на себя руки, вспомнили о его юношеской любви, поехали сами в Москву, разыскали там бывшую гувернантку и предложили ей за дочь Камиллу, юношескую пассию их сына, большие деньги. Та вроде бы сначала и слушать ничего не хотела, а может, лишь набивала цену, и вот в конце концов Камилла была принесена в жертву ради младших сестер, которым обеспечено было теперь богатое приданое. Как бы то ни было, Камилла с матерью находились в Ундорах и готовились к долгой дороге.

Екатерина Алексеевна говорила об этой девушке уничижительно и называла ее презрительно Камишкой.

— Не понимаю, — сказал я, — почему вы так говорите о ней. Неужели подобный поступок не вызывает уважения? Ведь она жертвует собой, неважно, для сестер ли, для него.

— Смею вас уверить, — сказала Екатерина Алексеевна, — что она делает это не для него, тем более не для сестер, а для себя. А самое смешное то, что она вовсе не любила никогда этого Ивашева. Вернее, любила, но вовсе не того человека, к которому собирается. Если это правда, что она чахла по нему восемь лет, то он-то здесь, во всяком случае, ни при чем. Она не его любила, а саму идею — принести жизнь свою в жертву любви и, не сомневаюсь, была не на шутку счастлива, так и умерла бы в этом блаженстве, если бы не вся эта затея с каторжной женитьбой. Даже страшно себе представить, что будет с этой девочкой, когда они теперь наконец встретятся. Не приведи Господь жить одним домом и вести хозяйство с мечтой всей своей жизни, да еще при каторжных обстоятельствах! А вдруг она не узнает своего избранника через столько лет? Вдруг бросится при первом же свидании на шею кому-нибудь другому?

— Поступок этой девушки кажется вам глупостью? — вдруг спросил Степан Иванович.

— Если хотите, блажью. Во всяком случае, принесение себя в жертву людям ли, собственным ли выдумкам не требует благодарности, более того, не стоит ее. Самопожертвование сладостно, оно дает упоение, за что ж здесь благодарить?

— Похоже, вы не решились бы на такой поступок.

— Всякий человек способен и на любую подлость, и на беспримерный подвиг, но кто знает, что случится с нами завтра. Смертному не дано видеть дальше своего носа.

Она рассмеялась.

В тот вечер я отвозил ее домой.

На улице было холодно и светло от луны.

Я посадил ее в санки, укутал ноги шубой. Мы катили по пустынным улицам. В ночной тишине особенно звонко скрипели полозья, храпела лошадь, били о наезженный снег копыта.

Екатерина Алексеевна снова положила мне голову на плечо.

— Саша, скажите, что вы меня любите, — вдруг попросила она.

— Я люблю вас, — сказал я.

— Так чего же вы ждете, увезите меня куда-нибудь!

— Куда же мне везти вас, если вы никуда со мной не поедете?

— А вы не спрашивайте, увезите силой, куда-нибудь далеко, подальше от этой страшной Казани, украдите, в конце концов!

— Вы будете звать на помощь.

— Свяжите меня, заткните мне рот, черт возьми!

Я ничего не отвечал. Мы долго ехали в молчании. На сугробах лежали черные резкие тени домов. Следы полозьев ярко блестели в лучах месяца.

Потом я сказал:

— Зачем вы говорите мне все это? Вы не боитесь, что я и вправду украду вас?

— Нет, — она подняла голову и, вытащив из муфты руки, поправила свою шапочку. — Не боюсь.

Мы завернули на Грузинскую и подкатили к ее крыльцу. Я помог ей вылезти из санок и поцеловал ее озябшие руки.

— Вы смешны, Сашенька, — сказала она мне на прощание.

Настал Великий пост. Унылый звон колоколов призывал еще не протрезвевший люд к молитве. По домам ходили татары, выпрашивая «поганых» блинов, что оставались от праздника.

Неожиданно Степан Иванович уехал из Казани.

Еще во время его болезни я уговаривал его под видом командировки поехать полечиться на наши местные воды, хотя бы в те же ивашевские Ундоры, где были целебные, известные на всю округу источники, но он и слышать ни про какие лечебные ключи не хотел. А тут вдруг решился, выхлопотал себе, как я ему и советовал, назначение осматривать корабельный лес там, где его и в помине не было, выправил подорожную и уехал.

Накануне, перед самым отъездом, он зашел ко мне домой. Степан Иванович был какой-то рассеянный, не слышал, что я ему говорил, то и дело переспрашивал. Он попросил, чтобы я забирал с почты письма, которые будут приходить на его имя. Мне все казалось, что он пришел сказать что-то. Уже уходя, в дверях, Степан Иванович замешкался, остановился, будто решаясь, потом махнул рукой и, ничего не сказав, вышел на крыльцо.

Я пожелал ему счастливого пути, ничего не понимая в ту минуту и ни о чем не догадываясь. Тогда его еще можно было окликнуть, попытаться объяснить что-то, образумить, спасти.

Потянулись тоскливые великопостные недели. Как-то после обеда ко мне робко постучалась Улька, служанка Нольде, осыпанная бородавками. Не говоря ни слова, она разрыдалась, и я порядком намучился, прежде чем добился от нее, в чем же дело.

— Александр Львович, меня ваш Михайла обрюхатил! — она снова заголосила.

— Чего ж ты ревешь, дура? Вот мы вас и поженим! Свадьбу справим, погуляем. Я у вас посаженым отцом буду! Хочешь?

Она заревела еще пуще.

— Я-то хочу, а вот Михайла ни в какую. Я, говорит, на тебе не женюсь, и не думай. Любовь, говорит, любовью, а жить я с тобой не хочу.

То-то Михайла накануне ушел в запой, чего раньше за ним не замечалось, и валялся теперь на сундуке в прихожей, изредка издавая жалобные стоны.

Я пытался утешить бедную Ульку, как мог, и обещал, как только он протрезвеет, во всем разобраться.

На следующее утро я растолкал его и стал допрашивать еще очумелого, непроснувшегося.

— Да как же, Александр Львович, я на ней женюсь? — чуть не зарыдал в свою очередь теперь Михайла. — Вы только посмотрите на нее! Да чем с такой жить, лучше пойти сразу удавиться! Я ведь хочу, чтобы все по-людски было, чтобы девка красивая была, молодая!

— Так какого ж черта ты, сукин сын, сундук с ней давил?!

Михайла пожал плечами и, казалось, сам недоумевал теперь вполне искренне:

— Бес попутал, Александр Львович!

Я стал ему втолковывать про святость семьи, про силу брачных обязательств, про совесть, про достоинство и тому подобное. Он слушал, отвернувшись к стене и шмыгая носом. Потом буркнул сквозь зубы:

— Сами вы хороши, Александр Львович! Нина Ильинична дома хотела руки на себя наложить, а вам плевать.

Помню, в первое мгновение я рванулся ударить его, но сдержался, усмехнулся только и сказал ему:

— Ну что ты понимаешь! Иди лучше печку истопи, дурак!

В тот же день, когда я вернулся со службы, Михайла и Улька сидели вдвоем в людской за графинчиком, играли в подкидного и ворковали как два голубка.

На выходе из Кремля, у Ивановского монастыря, я столкнулся с Татьяной Николаевной, женой Солнцева, у которого не был с того самого дня, когда ушел из их дома, хлопнув дверью.

— Милый Александр Львович, что же вы нас совсем забыли, — защебетала она. — Куда ж вы пропали? Мы все время вас вспоминаем, а нашей старушке вы совсем вскружили голову. Все никак вас не дождется. Нехорошо, нехорошо!

— Право, — растерялся я, — не думаю, чтобы Гавриил Ильич был рад меня видеть. Я был несколько дерзок и наговорил в прошлый раз всякой всячины.

— Пустое! Гавриил Ильич очень вас любит! Вас вспоминая, говорит все время: какой горячий хороший юноша! Заходите, заходите к нам по-простому, как раньше!

Она отпустила меня лишь с тем условием, что я снова буду приходить к ним обедать.

На Благовещенье я опять отправился к Солнцевым. Помню, что по дороге мне встретилась партия рекрутов, перепуганных, сбившихся в кучу, большей частью состоявшая из черемисов и вотяков, которых гнали через всю Россию убивать поляков.

В доме было тихо. Увидев меня, Татьяна Николаевна замахала руками и зашептала:

— Ради Бога, Александр Львович, не обижайтесь! Все одно к одному, как что-то не заладится. Гавриилу Ильичу нездоровится, и мы никого не принимаем.

Только я хотел откланяться, как дверь в гостиную распахнулась и на пороге появился сам Солнцев. Он был пьян и страшен. Он подошел ко мне, шаркая турецкими туфлями, на нем были толстый татарский халат и вязаные чулки.

— Прошу за мной, — сказал он голосом, не терпящим возражений.

Татьяна Николаевна смотрела на нас испуганно. Я пожал плечами и прошел к нему в кабинет, который весь был в книгах. Он уселся на диван и уставился на меня тяжелым пьяным взглядом. Я сел в кресло напротив него.

— Что сегодня за день? — вдруг спросил Солнцев.

— Благовещенье.

Он захохотал.

— То-то полиции прибавится сегодня работы!

— Отчего же? — не понял я.

— А это поверье такое существует: кто в этот день удачно украдет что-нибудь между утренею и обеднею, то может потом целый год воровать, не опасаясь, что его поймают.

Он вздохнул.

— Вот так-то, юноша.

— Смею заметить, Гавриил Ильич, — сказал я, — что я уже давно не юноша.

Он махнул рукой.

— Да какая разница! Ты мне, свет Александр Львович, все одно в сыновья годишься.

Солнцев вдруг схватил меня за шею, привлек к себе, прижался своей мокрой колючей щекой и зашептал на ухо, обдавая меня пьяным дыханием:

— Да ты разве жил? Ты и не жил еще, свет Александр Львович! Тебя, юноша, еще жизнь на зуб не пробовала!

Я вырвался из его объятий.

Он снова захохотал.

— Пей со мной! Не хочешь? Чванишься? Ну так я один выпью!

Я хотел встать и уйти, но он не пустил меня.

Какое-то время мы сидели молча. Потом он вдруг стал рассказывать про то, как его изгоняли из университета. Магницкий, получив донос о том, что лекции Солнцева основаны на разрушительных началах, велел устроить над ним университетский публичный суд. У студентов отобрали тетради, и целая комиссия во главе с Лобачевским сверяла записи студентов с рукописями, которые были изъяты у Солнцева, чтобы уличить его, если он что-нибудь выбросил. Комиссия исполнила поручение добросовестно и подготовила донесение о том, что нашла много расхождений. Устроители суда, среди которых были все товарищи Солнцева, даже разыскали студентов, которые давно уже служили учителями кто в вятской, кто в пензенской гимназии, и допрашивали их под присягой.

— А суд-то, суд! — кричал Солнцев, бегая по комнате в распахнувшемся халате. — Пальмин, мерзавец, которого я продвигал, которому помогал, составил двести семнадцать вопросных пунктов. Двести семнадцать! А мне, юноша, представьте себе, даже забавно было! Да-да, забавно представить себе, как это я войду к ним туда и они посмеют смотреть мне в глаза. И ничего, и в глаза смотрели, и в лицо говорили все, что полагалось, и вышвырнули меня из университета единогласно! А потом, после суда, по одному приходили ко мне прощения просить. Гавриил Ильич, говорили, подлость простить невозможно, но вы хоть по старой дружбе поймите обстоятельства, жалованье, семейство. А я зла на них не держу, нет. Я им простил. Даже не знаю, кто тот донос написал из них, а простил. Потому что подлость-то как раз не простить!

— Что вы такое говорите, Гавриил Ильич? — не выдержал я. — Оттого и живем в подлости, что все друг другу прощаем!

— А я простил! И всю подлость человеческую прощаю! Всю, какая была, и всю будущую! Прощаю!

Я не мог больше слушать его пьяных криков, встал и ушел.

Известия из Польши становились все тревожнее. Вся Россия, затаив дыхание, следила за этой братоубийственной войной. Огромная русская армия перешла границы царства. Передавали слова Дибича, что кампания продлится ровно столько, сколько переходов от границы до Варшавы.

Вся польская армия была по крайней мере впятеро меньше русских войск.

Ненависть к русским была такая, что поляки вооружались всем, чем могли. Во всех кузницах оттачивали косы, ковали наконечники для пик.

Все сильнее ходили слухи о наших неудачах. Наконец пришло известие о разгроме корпуса Гюйсмара, а с ним и весть о гибели в этом деле Белолобова. Пуля попала ему в живот, и он промучился лишь до следующего утра.

В Казани, в Морской слободе, жила его мать. К ней стали ездить с соболезнованиями. Отправился к ней в Морскую и я.

Вся в черном, убитая горем, бедная женщина сидела на стуле посреди комнаты, прижав платок к губам и глядя куда-то за окно. Я поцеловал ей руку, сказал несколько слов, подобающих случаю. Она перевела взгляд на меня. Ее изможденное лицо выдавало бессонную, залитую слезами ночь.

— Вы были его другом? — вдруг спросила она.

Я замялся.

— Мы были с ним знакомы.

Она схватилась за голову.

— Какой ужас! Я ведь ничего, ничего о нем не знаю! Только придет и сразу убежит. Ничего про себя не рассказывал, все ему некогда было!

Она заплакала, и я поспешил перейти в соседнюю комнату, где какой-то прилизанный фиксатуаром господин предлагал всем помянуть погибшего. Вокруг столов, на которых была расставлена закуска, стояло несколько человек, в основном мне не знакомых. Там же я встретил Иванова, уже пьяного, который сообщил, что заехал еще утром и все никак не уедет. Он объяснил мне, что этот господин был вторым мужем Белолобовой, которого покойный ненавидел, что было у них взаимно.

Я выпил за бедного Белолобова рюмку водки, закусил маслятами и уехал домой.

Совершенно случайно я узнал, что в Казань вернулся Степан Иванович. Было странно, что он не зашел, не прислал записки, тем более что он собирался пробыть на источниках месяца два, а возвратился почти в половину срока. Я испугался, что с ним в дороге случился приступ болезни, и сразу поспешил на Большую Казанскую, прихватив с собой несколько писем, которые пришли на его имя за это время.

Мне открыл его слуга, заспанный, в одном исподнем, в наброшенном на плечи старом хозяйском халате, все это несмотря на то, что был пятый час пополудни.

— Барин дома? — спросил я.

Он прошепелявил в ответ, что Степан Иванович никого не велел принимать.

— Что с ним такое? Нездоров?

— Почем я знаю? — Литвин зевнул и пожал плечами. — Вторые сутки, как приехали, заперся у себя и бесится.

— Что ты мелешь? Пойди доложи обо мне!

— Не верите, поднимитесь к нему сами. Я больше туда не пойду. Рычит только да дерется.

Я отпихнул его и бегом поднялся по лестнице.

В первой комнате валялись на полу неразобранный саквояж, складной походный самовар, сапоги, заляпанная грязью шинель. Я осторожно приоткрыл дверь во вторую комнату. Там был полумрак. Степан Иванович одетый лежал на кровати, подложив руки под голову, и глядел на меня. Глаза мои привыкли к темноте. Я заметил, что он был небрит, исхудал, осунулся и вообще выглядел плохо.

Я вошел.

— Степан Иванович, что с вами?

Он молчал.

— Я как узнал, что вы вернулись, сразу к вам. Думаю, не дай Бог, опять заболел. А тут ваш слуга плетет сам не знает что.

Он, ни слова не говоря, отвернулся к стене. Все это было очень странно. Я подошел к нему.

— Да что с вами такое? Вам плохо? Я сейчас пошлю за врачом.

Он вдруг вскочил на кровати и взглянул на меня со злостью, даже с ненавистью.

— Господи, вам-то что от меня нужно!

Я растерялся от неожиданного тона.

— Я принес вам письма. Вы просили.

Я протянул ему их. Он выхватил письма у меня из рук и швырнул на стол.

— Подите вон! — вдруг крикнул он мне.

Опешив, я не знал, что сказать. Потом, пожав плечами, вышел. Я никак не мог прийти в себя и несколько раз прошагал улицу из конца в конец. Я был в ярости, в бешенстве, потому что ничего не понимал.

Потом был тот яркий апрельский день.

Воскресным солнечным утром я отправился на Булак. С крутого кремлевского спуска как-то неожиданно открылась вся казанская ярмарка, вереницы барж и лодок, бесчисленные лавки, яркие толпы на набережных. Головы в разноцветных тюрбанах, платках, шапках роились, ныряли, пестрели, как яблоки с упавшего в реку воза. Толпа подхватила меня и понесла к Кабану. Торговали и вразнос, и прямо с лодок. Над ярмаркой стоял гул, все кричали, расхваливая товар. В глазах рябило от глыб халвы, грудами лежал розовый, лимонный рахат-лукум, всюду были пирамиды засахаренных слив, вишен, груш.

Вдруг в самом людовороте я увидел Екатерину Алексеевну. Изо всех сил она дула в свистульку, но это пронзительное верещание тонуло в общем гаме. С ней был Степан Иванович. В руке он держал какой-то кулек. Она взяла его под руку, и они отправились дальше, тоже по направлению к Кабану, в нескольких шагах впереди меня. Нас сразу же разделила толпа. Сперва я даже хотел их окликнуть, догнать, но сразу же одумался и пошел сам по себе, проталкиваясь, заглядывая во все лавки, вырываясь из цепких рук татар-торговцев.

Я то терял их в этой оглушительной толчее, то чуть не наталкивался на них, прижатый людским потоком. У самого моста я увидел их в последний раз.

На обратном пути взял извозчика.

Я вдруг расхохотался и долго не мог остановиться, хотя извозчик оборачивался на меня все с большим беспокойством.

Расплатившись, я спросил, часто ли ему попадаются такие чудные седоки.

Он аккуратно спрятал деньги в мешочек, завязав его каким-то хитрым узелком, и потом, уже трогая, пробурчал:

— Да что, мил человек, ты один такой, что ли? Кто ни сядет, все какой-нибудь чудик! Вон вас сколько.

Я смеялся над самим собой.

Этот человек, которого я считал чуть ли не за друга, был мне гнусен и отвратителен.

Я умудрился простыть и всю Страстную неделю провалялся в постели, глядя на опостылевшую литографию над диваном, некогда приглянувшуюся мне, с видом какого-то Регенсбурга, в существование которого невозможно было поверить.

Амалия Петровна выхаживала меня всякими припарками и примочками, заставляла пить горячее масло, едва разведенное молоком. Она укутывала меня, баловала какими-то пирожками-шариками, приготовленными по одному известному лишь ей рецепту, и отчитывала, как дитятю, если я вставал с кровати. Несколько раз, обмолвившись, она назвала меня Сережей.

В пятницу во всем доме запахло ванилью и миндалем, пекли куличи, готовили пасху, варили луковую кожицу для крашения яиц.

В субботу мы отправились ко всенощной все вместе. Я вышел на улицу впервые за всю неделю.

Пасхальная ночь была свежая, ветреная. Еще днем, после полудня, прошел дождь, и к полуночи все еще капало с деревьев. Сквозь пятна облаков проступало звездное небо. Праздничные плошки у ворот мерцали в темноте.

На обратном пути и потом, дома, когда сели разговляться, старики все вспоминали своего Сереженьку, каким он был в детстве. Помню, что я сидел и слушал зачем-то все эти бесконечные истории, как ребенок ошпарил себя кипятком и тому подобное, и все почему-то не мог заставить себя уйти.

Заснуть в ту ночь я долго не мог и тогда впервые, кажется, за все это время вспомнил Нину. Мне вспомнилось, как в то первое наше лето нам вдруг вздумалось устроить пикник в лесу. Целую неделю шли дожди, и в тот день погода с утра стояла дурная, но мы все равно поехали, загадав, что к полудню проведрится. В лесу было сыро, и с деревьев нас шумно осыпало крупным дождем. Михайла сидел на козлах, и, помню, мы долго хохотали над тем, как веткой у него смахнуло картуз. За нашей коляской ехала телега с самоваром, угольями, всевозможными припасами, огромной величины астраханским арбузом и кадушкой со льдом, в которой стояла форма с мороженым. На поляне, на краю оврага, расстелили на траве большой персидский ковер, рядом развели огонь, чтобы дым отгонял от нас мошек и комаров. Пока мы ехали, ветер действительно разогнал тучи, и мокрый лес сверкал в ярком солнце. В другой яме развели еще один костер, в дым которого поставили лошадей для защиты от слепней и оводов. Самовар долго не разжигался, дымил и вовсе не хотел греть воду. Мы валялись на ковре, ели арбуз и смотрели, как клубы дыма сверкали в солнечных лучах, пробивавшихся сквозь ветви, и становились плотными, будто по лесу плыли куски полотна.

Было очень сыро, и скоро мы поехали домой. Нина положила голову мне на колени, и волосы ее пахли дымом.

До сих пор не могу понять, что заставило меня в тот день, когда я собирался на именины к Анне Васильевне, супруге Кострицкого, зайти к Солнцевым. Верно, есть какое-то высшее, не познанное еще чувство, которое ведет нас, слепых, туда, куда нам надо идти, ничего не объясняя, ничем не оправдываясь.

С самого утра моросил дождь. У ворот особняка Солнцева меня обогнала крытая коляска, в которой старуха ездила обычно в церковь, и у крыльца я наблюдал за сценой, как кучер и дворник вынимали неподвижную хозяйку. Горничная суетилась, не зная, где держать зонтик: над креслом или над старухой, у которой зацепилась за что-то юбка.

Сели пить чай. От дождя в комнате было темно, и внесли свечи. Татьяна Николаевна была одета неряшливо, разливала чай неаккуратно, чуть не опрокинула чашку и скоро ушла в детскую: опять болел кто-то из детей.

Гавриил Ильич был хмур, молчалив и не смотрел на меня.

Разговаривал без передышки некий Безносов, кряжистый, с обветренным лицом мужчина, один из степных родственников Татьяны Николаевны. От него, несмотря на видимую свежесть белья, исходил неистребимый запах навоза и конюшни. Помню, он рассказывал, как умер их сосед, подавившийся костью.

— Она ему горло прошила, как игла, и вот тут вышла, вот тут, — он тыкал бурым корявым пальцем в свою крепкую воловью шею. — Покойник как закричит: «Не вынимайте, не вынимайте!» Глаза из орбит лезут, изо рта пена, весь красный сидит, хрипит что-то. Доктор если и приедет, то только на следующий день. Решили: чего ждать? Схватили кончик пинцетом и выдернули с кровью. Тут он и помер у всех на глазах!

Так этот Безносов продолжал в том же духе, пока Солнцев вдруг не рассказал, что за несколько дней до того у него был генерал Ивашев, находившийся в Казани проездом в Петербург, куда он ехал по-прежнему хлопотать за сына.

— Возможно, это будет вам интересно, Александр Львович, — обратился он ко мне. — Вы человек горячий, с языком, а сейчас плохое время для речей. Будьте осмотрительней.

Ивашев рассказал ему, что жандармское ведомство подослало к нему в Ундоры провокатора, какого-то офицера, который, представившись последователем декабрьского дела, предложил план освобождения его сына и вообще возмущения там, в Сибири, и просил о содействии. Этот офицер убеждал старика, что нужно только начать и вспыхнет вся Сибирь и весь Урал. Возмущенный генерал прогнал его.

— Что с вами, Александр Львович? — закончил Солнцев.

— Нет-нет, ничего, — сказал я и поспешил уйти. Я вышел на улицу, не видя ничего кругом, как оглушенный.

Весь вечер у Кострицких я провел как в каком-то полусне.

Я пришел много позже назначенного времени, но за стол еще не садились, а гостей было всего несколько человек. Зала, в которой обычно играли в карты, преобразилась, была пуста, мебель всю из нее вынесли, оставив лишь фортепьяно. В столовой был накрыт длинный роскошный стол. Слуга Кострицких, неуклюжий, нечистый, всегда ходивший в засаленном сюртуке с голыми руками, вдруг вышел во фраке, в белых нитяных перчатках, с серебряным подносом.

Анна Васильевна была в голубом с кружевами платье с декольте. Белые длинные перчатки еле сходились на ее пухлых руках.

Кроме меня были еще Барадулин и Пятов, хотя на именины были приглашены все чиновники с женами. Мы кучкой стояли в углу большой залы, поглядывая украдкой на часы.

Наконец сели за стол впятером. Обилие лишних кувертов было неуютно и унизительно, но Анна Васильевна делала вид, что ничего особенного не происходит, что все так и должно быть, хохотала много, по всякому поводу и без причины, смех ее скорее был нервным, чем веселым.

Пили много. Беседа не клеилась, и тосты за здоровье именинницы следовали один за другим. Анна Васильевна строила всем глазки и пила с каждым по очереди на брудершафт. Меня она тоже облизнула своими горячими губами.

Старшую дочку, Сонечку, посадили за фортепьяно, и она стала играть по нотам вальсы, раскачиваясь, как метроном, и то и дело сбиваясь. Анна Васильевна вальсировала со всеми, даже вытащила из-за стола Пятова, которого громко чмокнула потом в плешь, исцарапанную птичьими коготками. Со мной она танцевала чаще других, напевала что-то и горячим шепотом щекотала мне ухо. Вдруг она заплакала и стала говорить, что чиновничьи жены устроили против нее заговор: каждая прислала сказать, что ей нездоровится, и мужей не пустили. Потом она снова захохотала.

— Ах, Александр Львович! Что вы со мной делаете? Вы меня совсем закружили!

Мою руку она сжимала так, что на коже оставались следы от ее ногтей. От голых пухлых плеч ее поднимался жар, как от печных кафлей.

Снова пили водку, только что принесенную с ледника, и бокалы запотевали.

Анна Васильевна хваталась руками за голову, вороша локоны, и, закрыв глаза, кружилась по зале одна, выставляя напоказ темные мокрые пятна под мышками, и повторяла:

— Ах, я совсем-совсем пьяна!

Было уже поздно. Пятов собрался уходить, но, совершенно одурев от водки, никак не мог попасть в рукав шинели и в конце концов свалился в дверях.

Я тоже был сильно пьян, все внутри горело, голова кружилась, в ушах стоял звон. Я сидел за столом, хватал маслины прямо пальцами и жевал их одну за другой. Анна Васильевна куда-то поманила меня. Я, ничего уже не соображая, послушно пошел, нетвердо держась на ногах. Она затащила меня в сени и, шумно сопя, стала вдруг целовать в губы. Потом крепко схватила мою голову руками и окунула лицом в свои распаренные скользкие груди. Я еле вырвался, отпихнув ее от себя. Она стала пудриться перед зеркалом и устало бросила мне:

— Дурак!

Я сдернул с вешалки свою шинель и вышел на крыльцо. Кругом была темнота, и все еще шел дождь. Дождь налетал порывами, окатывая меня с головы до ног. В непроглядной темноте я выбрался со двора на улицу, несколько раз провалившись чуть ли не по колено в лужи. Я стал звать извозчика и кричал долго и мог кричать так до утра. Из ночи выступали только мокрые гнилые заборы.

Я был так пьян, что ноги шли куда-то сами по себе, а руки только успевали цепляться то за какие-то ветки, хлеставшие по лбу и щекам, то за чьи-то калитки. Я не осознавал, что я делаю и зачем. В памяти от той ночи остались только какие-то обрывки.

Вот я стучу бесконечно долго, и мне не открывают. С крыши течет в переполненную бочку рядом с крыльцом, и я подставляю голову под струю. Наконец дверь отворяется, на пороге стоит литвин с ночником в руке. Он мямлит что-то, но я отпихиваю его и, как есть, весь мокрый, в грязи, поднимаюсь наверх.

Вот я вижу Степана Ивановича, его испуганное, заспанное лицо. Я хватаю стул и сажусь посреди комнаты. С одежды, с сапог течет. Голос его доходит до меня приглушенно, как через слой ваты. Мысли мои путаются, я кричу что-то, сам не понимая, что я делаю. Я кричу, что он сумасшедший, что он погубит себя, что невероятно, невозможно, как он мог решиться на такое, что это страшно, бессмысленно.

Он говорит, что не понимает меня, что я пьян.

Я кричу еще что-то, потом помню только, как меня тащит куда-то ненавистный литвин, а я вырываюсь, пытаюсь ударить его по лицу. Кругом стоят какие-то люди. Меня возмущает, что они смотрят на меня с презрением, говорят обо мне что-то обидное, а я их совсем не слышу, так заложены у меня уши. Меня сносят с крыльца и сажают в коляску. Мне вдруг снова видится жена Кострицкого, как она пудрится у зеркала, как засовывает обратно в платье свои груди и бросает мне: «Дурак!»

На следующее утро, неожиданно прозрачное, с солнечным лучом, отрезавшим наискось угол комнаты сквозь щель в гардинах, все случившееся накануне показалось мне каким-то бредом. Мне самому сделалось страшно своих вчерашних мыслей.

Когда я открыл глаза, на какое-то мгновение мне почудилось, что я дома, что если распахнуть окно, там будет сирень и что в приоткрытую дверь только что заглядывала матушка проверить, не проснулся ли я.

Я еле встал, все кружилось перед глазами, и кое-как поплелся на службу.

Буквы рябили, строчки расползались. Хотелось взять с подоконника пыльную, разбухшую, перевязанную бечевкой стопку бумаг, взбить ее, как подушку, и заснуть прямо за столом.

Степан Иванович не выходил из своей чертежной. Я не знал, как посмотрю ему в глаза после вчерашнего.

К полудню Крылосов куда-то уехал, и, как всегда в отсутствие начальства, все бросили свои дела, сошлись к печке, и начались обычные сплетни и пересуды. Я остался за своим столом, и до меня долетали только отдельные фразы. Слышнее других был Барадулин.

— Да-да, господа, — доносился его приглушенный голос, — а я совсем рядом стоял, вот как Пятов. Все кругом христосуются, и она к нашему Степану Ивановичу подходит. Я на них смотрю, а они ничего кругом не видят!

Я все порывался пойти и сказать Барадулину, что он не смеет вообще говорить о Екатерине Алексеевне, или просто дать ему при всех увесистую оплеуху, но меня удерживало то, что было глупо и унизительно связываться с этим ничтожеством.

Через день меня вызвал к себе Крылосов. Он встал из-за своего огромного стола, чего раньше никогда не случалось, вышел ко мне навстречу, протянул руку и предложил сесть. Крылосов походил по комнате, потирая руки, как бы готовясь начать со мной разговор, но все не произносил ни слова.

— Александр Львович, я хочу быть с вами откровенным, — начал он, но тут же осекся. — Вы простите меня, я несколько взволнован.

Действительно, я никогда не видел Крылосова в таком подавленном состоянии. На лице его проступили густые красные пятна, пальцы дрожали.

— Я хочу поговорить с вами о Екатерине Алексеевне, о Кате. Вы даже не можете себе представить, что она для меня значит. После смерти жены ближе Кати у меня никого нет на свете. Девочка осталась у меня на руках совсем крошкой. Она сама тогда чудом каким-то уцелела. Если бы не Катя, не эти бесконечные заботы о ребенке, я бы сошел тогда, в те дни, с ума. Я не знаю, откуда в Кате это упрямство, эта бешеная строптивость, мать ее была совсем не такой. Я баловал Катю как только мог, я знал все ее детские тайны, она верила мне! Несчастье началось, когда она полюбила. Поверьте, я не пожалел бы для дочери ничего, пожертвовал бы всем, только бы сделать ее счастливой, но избранник ее был мерзавец. Она не понимала этого, нет, не видела и не хотела видеть. Да и что можно понять в шестнадцать лет! Я сделал то же самое, что сделал бы любой отец, любящий свою дочь, на моем месте. Я отказал ему от дома, запретил Кате встречаться с ним. И что же? Они стали встречаться тайком, благо в сводних у нас недостатка никогда не будет. Я подстерег их у ее двоюродной тетки. Я отпускал к ней Катю со спокойной душой, мне и в голову не могло прийти, что моя сестра будет способствовать растлению моей дочери. Я ворвался в комнату в тот самый момент, когда моя Катя была в объятиях этого негодяя. Я хотел убить его, задушить тут же, собственными руками. Этот подлец еще имел наглость сказать, что он в любую минуту к моим услугам, если я захочу с ним стреляться! Мне стреляться с этим негодяем? Я был в бешенстве. Я схватил первое, что попалось под руку, тяжелые щипцы от камина, и бросился за ним, чтобы размозжить ему голову. Тут произошло ужасное. Катя, моя хорошая, дорогая моя Катя, вцепилась в меня. Она была вне себя, с ней сделалась истерика. Она кричала, что я хочу погубить ее, что я не отец ей, что она ненавидит меня. В ярости я ударил ее, и после этого наступило какое-то отрезвление. Она опустилась рядом со мной на пол и заплакала, тихо так, как щеночек. По лицу ее и по рукам текла кровь. Господи, не дай кому-нибудь пережить такую минуту. Я схватил ее на руки и бросился к доктору. Я сказал ему, что она споткнулась о порог. Я был весь в ее крови. Врач быстро остановил кровотечение, и все обошлось. На следующий же день я увез Катю в деревню. Ехать она не хотела ни в какую, и мне пришлось увезти ее силой. Я воспользовался моими связями и добился того, чтобы этого негодяя перевели из Казани. Она, моя дурочка, даже бежала к нему, но ее задержали дворовые. Дело было зимой, она чуть не замерзла. Она ничего не ела, била посуду. Иная на ее месте погоревала бы и успокоилась, еще и спасибо сказала бы отцу. Тем более что я показал ей кое-какие письма, бесспорные доказательства его подлости. В письмах этих, доставшихся мне с большим трудом, он отзывался своему приятелю о ней в гнусных, оскорбительных выражениях. Но Катя ничего не хотела видеть и слышать, в глазах ее была одна только ненависть ко мне! Два года она не разговаривала со мной! Два года! Она не сказала мне за два года ни единого слова!

Крылосов задохнулся, схватился руками за горло и какое-то время сидел молча, сгорбившись, теребя пальцами воротник.

— Я не совсем понимаю, Алексей Владимирович, зачем вы все это мне рассказываете, — сказал я. — Скажите, что я могу сделать для вас?

— Умоляю вас, поговорите с ней! Я для нее больше никто. Я будто умер для нее, вы понимаете? А вас она послушает, обязательно послушает! Вы ведь для нее близкий человек, я знаю, она к вам привязана! Помогите спасти ее!

— Да с чего вы взяли? Я действительно бывал у Екатерины Алексеевны, но что ж из того?

— Александр Львович, вы же видите, что происходит! Начались какие-то разговоры, ползут грязные сплетни, слухи! Я ведь ничего про нее, про мою дочь, не знаю! Что с ней, что у нее на уме?

— Я убежден, Алексей Владимирович, что между вашей дочерью и штабс-капитаном Ситниковым ничего нет. Степан Иванович — человек порядочный и ничего низкого себе не позволит.

— Поговорите с ней! Вас-то она послушает! Катя, поймите, для меня все!

— Да что я смогу ей объяснить? И вообще, захочет ли она меня слушать?

— Поговорите, Александр Львович, я прошу вас! Я хочу спасти ее, вы понимаете?

Я сидел молча, не зная, что сказать, куда смотреть.

Потом он прошептал:

— Извините. Извините меня ради Бога. Сам не знаю, что я тут говорил перед вами. Не обращайте внимания. Я в таком состоянии, что сам не понимаю, что делаю. Простите меня.

— Я могу идти? — спросил я.

Он устало кивнул головой и принялся очинивать перо.

Следующее воскресенье выдалось хмурое, и все предвещало дождь. Я проснулся позднее обычного, с тяжелой головой, в дурном настроении. За то, что, подавая мне умываться, Михайла расплескал воду из таза, я набросился на него.

Одевшись, спустился вниз. Нольде давно позавтракали. Улька смахивала крошки с уже пустого стола. Она раздобрела, живот ее округлился. Беременность сделала Ульку еще уродливее. Кожа ее, и без того нечистая, покрылась какими-то струпьями. Носила она тяжело, и доктор сказал, что она может выкинуть.

Нольде был у себя, было слышно, как он читал своему слепому отцу газеты. Амалия Петровна поила на кухне чаем с сухарями двух оборванных старух. Она вечно кормила каких-то погорельцев, странниц, нищих, сирот, слепых. Этот народец, пользуясь ее добротой и неосторожностью, не ограничивался одним чаепитием, и в доме то и дело пропадали какие-нибудь вещи. Как-то одна набожная старушка, крестившаяся каждую минуту, все благодарила Амалию Петровну за чай и бараночки и все уверяла, что за доброту ей будет уготовано царствие небесное, а потом выяснилось, что пропала какая-то шкатулка с кольцами и серьгами, доставшимися Амалии Петровне от ее матери. Бедная хозяйка моя плакала два дня подряд, но все равно продолжала принимать у себя всех без разбору.

Я послонялся по дому и снова поднялся к себе пить кофе.

Сидел у окна и смотрел на подметенный двор. Помню, что я вдруг подумал о том, что если мне придется в тот день умереть — мало ли что бывает, — то последнее в жизни моей будет все то, что и внимания-то не стоит: как с утра я повздорил с Михайлой; старуха, что сосала беззубым ртом сухарик и держала блюдечко на четырех растопыренных черных пальцах, вместо пятого был какой-то узелок; скрип лестницы; остывший кофе; хмурое небо; вот этот подметенный унылый двор да Улька, что вышла посидеть на лавке и задремала, держа руки на животе, в котором зрела еще одна бессмысленная лакейская жизнь.

То, что произошло потом, было для меня полной неожиданностью. К нашим воротам подкатила коляска, и из нее вышел Ситников. Увидев меня в окно, он как ни в чем не бывало улыбнулся, хотя последние дни мы с ним вовсе не разговаривали.

— А я к вам, Александр Львович! — крикнул он.

Он поднялся ко мне, сбросил накидку, снял фуражку и стал промокать платком вспотевшую пролысину.

— Что вы намереваетесь сегодня делать? — спросил он.

— Да так, ничего особенного.

— Ну вот и прекрасно, тогда поедемте со мной!

— Куда ж вы меня зовете?

— В здешнюю Швейцарию. Я езжу туда стрелять в оврагах. Но одному, знаете, это занятие быстро надоедает. Вы хорошо стреляете из пистолета?

— Когда-то стрелял недурно. Не знаю, что выйдет сейчас.

— Ну вот и посмотрим! Одевайтесь, а я подожду вас внизу.

Я хотел сперва отказаться от этого неожиданного предложения, но потом передумал и поехал с ним.

Тряская коляска покатила нас в сторону Арского поля. Задумавшись о чем-то, Степан Иванович рассеянно глядел по сторонам. В ногах у нас стоял ящик с пистолетами.

Мы проехали всю Грузинскую, перемахнули через Арский мост и покатили мимо полей. Несколько раз Ситников оглянулся, будто хотел посмотреть, не едет ли кто за нами. Наконец слева позади осталось Арское кладбище, и мы остановились на опушке леса. Степан Иванович, расплатившись, отпустил извозчика, и коляска уехала, легко подскакивая на корнях.

— Обратно лучше выйти пешком к немецкому трактиру, — сказал Ситников. — Там и пообедаем. А оттуда добраться до Казани пустяк.

В лесу было очень сыро. Влага, пропитавшая воздух, исходила отовсюду: из трухлявых, гниющих пней, которые сочились, если наступить на них ногой, от заросших мхом деревьев, от не высохшей еще земли. Пахло листвой прошлого года, слежавшейся, перепревшей. Снег уже сошел, но в оврагах, в густых ельниках то и дело встречались изъеденные, покрытые мерзлой коркой сугробы.

Мишенью были игральные карты, которые мы засовывали в трещины коры. Степан Иванович стрелял отменно, попадая с десяти шагов в сердце туза. Я, отвыкнув от пистолета, то и дело промахивался.

Там, в ложбинке, не было ни малейшего ветерка, и облачко дыма от каждого выстрела подолгу не расходилось.

Стрелять очень скоро мне наскучило, и я только заряжал пистолеты.

Ситников стрелял сосредоточенно, с каким-то хмурым упорством, подолгу целился, прищуриваясь, поджимая губы, и за все время не произнес ни слова.

После очередного выстрела я подошел к дубу, в который мы стреляли, чтобы сменить карты, и, когда обернулся, вдруг увидел, что Степан Иванович целится в меня.

— Что это с вами? — сказал я. — Верно, я похож на валета?

Ситников молчал. Глаз его был прищурен. Дуло глядело мне в лоб.

— Что означает эта дурная шутка? — крикнул я. Все это было дико, невозможно.

Рука его задрожала, и Степан Иванович опустил пистолет. Я сделал к нему несколько шагов. Он стоял бледный, на лице его выступил пот. Он нервно улыбнулся.

— Хорошо, считайте, что это была дурная шутка. Допустим, что мне хотелось посмотреть, как ведет себя человек перед смертью...

Степан Иванович как-то странно засмеялся. Все это было выше моего понимания. Я вне себя от злости швырнул остатки колоды в снег и зашагал прочь.

На несколько дней по делам службы мне пришлось выехать в Тетюши.

На обратном пути на одной из станций мне встретились пленные поляки, которых гнали по этапу в Нерчинскую каторгу. Было уже темно, их пересчитывали с фонарем и загоняли в сарай на

248

заднем дворе. Прапорщик, начальник этапа, рассказал мне, что двое из них уже умерли по дороге и неизвестно, скольких он приведет в Нерчинск. Когда им раздавали ужин, я зашел с прапорщиком в сарай, там были коптящий фонарь, чадящая печка, кашель, сырость, грязная одежда. Я попытался заговорить с ними, но поляки молчали. Я еще подумал, что они боятся прапорщика, и, когда мы выходили, незаметно бросил на лавку у самых дверей деньги, которые так могли им понадобиться. Там было около ста рублей ассигнациями. Но только мы вышли и солдат задвинул засов, как поляки стали стучаться в дверь. Им открыли, и кто-то из них швырнул ассигнации к моим ногам.

В первый же вечер по приезде я увидел на своем пороге Степана Ивановича.

— Что вам угодно? — холодно спросил я.

— Александр Львович, мне нужно поговорить с вами!

— Я устал с дороги. К тому же, признаюсь, у меня нет никакого желания беседовать с вами.

— И все-таки я должен вам кое-что объяснить...

Мы прошли в комнату.

— Я чувствую, как опять ко мне подступает эта проклятая лихорадка, — сказал он, — но прошу вас не объяснять болезнью то, что я сейчас скажу вам.

Вид у него действительно был болезненный. Похоже, скоро должны были начаться приступы.

Степан Иванович долго молчал, собираясь с мыслями. Потом сказал:

— Там, в лесу, я имел намерение убить вас, потому что это я был в Ундорах, это я имел неосторожность раскрыть перепуганному старику мой план.

Он принял меня за провокатора. Вы сами понимаете, что никто не должен был знать об этом. Но вы каким-то непонятным образом обо всем догадались.

— Что же вы не выстрелили?

— Александр Львович! Неужели вы не понимаете, что та жизнь, которой вы живете, недостойна вас?! Вы — человек с душой и совестью, зачем вашим молчанием, вашей бездеятельностью вы множите общую подлость? Я говорю все это только потому, что вижу — вы порядочный человек. Вы не должны унижать самого себя!

— Я не понимаю, о чем вы.

— Сейчас сидеть здесь и прозябать — подло! Всякий честный русский сейчас должен быть там, вы слышите, там!

— Вы собираетесь стрелять в русских?

— Страшно стрелять не в русских, страшно, когда русские стреляют в безвинных, а мы молчим и ничего не делаем, чтобы прекратить это. Нельзя больше так жить, в рабстве, подлости, унижении! Как вы не понимаете этого!

Он вскочил и стал кричать, что достаточно немного, одного примера, нескольких честных офицеров, и тогда русские солдаты вместе с поляками повернут оружие против своего действительного врага, что Россия не может больше терпеть, что она готова вспыхнуть в любую минуту, что свободу не даруют, за нее нужно сражаться.

— Степан Иванович, — сказал я, — вы сошли с ума.

Он остановился, взял голову в ладони, стал тереть виски. Несколько минут прошло в молчании.

— Я понимаю, — тихо сказал он. — Вы сейчас не готовы на что-либо решиться. Но я верю в вас. Я хочу, чтобы мы были вместе. А сейчас, я прошу вас, отвезите меня домой. Кажется, начинается.

Действительно, его уже знобило, лоб покрылся испариной, глаза горели.

Михайла пригнал извозчика. Мы посадили Степана Ивановича в коляску. Он откинулся назад и закрыл глаза.

Следующий день выдался душным и жарким, в воздухе парило, дышать было тяжело, и все предвещало первую майскую грозу.

На службе часы тянулись медленно от духоты и головной боли. Окна были открыты, но это помогало мало. Со двора, от нагревшихся на солнце стен, поднимался горячий воздух. Мальчишек-кантонистов то и дело посылали за квасом. Со стороны Казанки на самом горизонте собирались тучи.

Из канцелярии я зашел к Степану Ивановичу. Он был в очень плохом состоянии, лежал в беспамятстве, бредил. У него был сильный жар. Меня он не узнал. Я испугался, как бы все это не кончилось совсем плохо, и, взяв извозчика, поехал к Шрайберу.

Гроза была уже где-то близко. Среди бела дня стемнело. Кусок чистого неба еще оставался над Арским полем, но почти над всей Казанью уже нависла тяжелая, могучая темнота. Со стороны Казанки то и дело долетали раскаты грома и раскалывались прямо над головой, но молний еще не было видно. Резкие порывы ветра клубили по улицам казанскую пыль. Во дворах крутило сирень и надувало неубранное белье. Когда я остановился у дома Шрайбера, в песок упали первые редкие капли.

Мне открыла дородная неряшливая баба, его кухарка.

— Петра Ивановича нет, — сказала она, дожевывая что-то и глядя на небо. Ее руки были в тертой моркови, и она вытирала их о фартук. — С утра уехал на следствие. Сказал, что к обеду будет, а вот все нет и нет.

Я подумал, что он может быть у Екатерины Алексеевны, и поехал на Грузинскую. Мой возчик заартачился было:

— Бог с тобой, барин, не поеду дальше! Смотри, чего идет!

Он ткнул своим кривым черным пальцем в набегавший гром. Громыхало уже без остановки. В блесках молний воспламенялись кресты Петропавловского собора. Улицы опустели, то там, то здесь захлопывались ставни. Я сунул возчику полтину, и гроза стала ему нипочем. Мы резво поскакали в сторону Грузинской.

У дома Крылосова стояло несколько экипажей. Лакей провел меня в большую гостиную. На столе, в цветах, стоял портрет матери Екатерины Алексеевны, это был день ее смерти. В комнате были какие-то люди, большинство из них я не знал. Я подошел к Крылосову и пожал его мягкую, будто набитую ватой руку. Он посмотрел на меня невидящим взглядом и сухо кивнул. Екатерина Алексеевна сидела в углу дивана в черном шелковом платье, которое так шло ей. Я подошел к ней, поцеловал руку. Шрайбера не было. Посидев немного для приличия, я откланялся. Екатерина Алексеевна вышла за мной в прихожую.

— Спасибо, — сказала она, протягивая руку, — что вы пришли к нам сегодня.

Мы оба помолчали. Потом я спросил, не было ли у нее сегодня Шрайбера.

— Нет, — ответила она. — Что-нибудь случилось?

Я замялся.

— Степан Иванович нездоров, причем сильно. Мне кажется, что это серьезно.

Она переменилась в лице.

— Так что же вы стоите! Скорее поезжайте к Малинину, он живет здесь неподалеку, на Арской. Да бегите же вы!

Я вышел на крыльцо.

Гроза уже перезревала, и ливень вот-вот должен был обрушиться. Дождь шел уже где-то над крепостью, там все было черно. Мы ехали по пустынной Театральной, где стоял некогда театр Есипова. От всего, от деревьев, домов, неба, исходило какое-то предгрозовое свечение.

Малинин, к счастью, оказался дома. Он вышел ко мне в халате с кистями. От него пахло жареной уткой и чесноком.

— Ну-с, что стряслось, молодой человек?

Я коротко объяснил ему все. Малинин сразу мне не понравился. Все в нем отталкивало, особенно губы его, налитые кровью, которые были в постоянном движении: то сжимались, то растягивались, как лекарские пиявки. Выслушав меня, он скорчил кислую физиономию и всем своим видом показал, что не имеет никакого желания ехать куда-либо в такую погоду. В это время небо как раз будто прорвало и пошел оглушительный плотный ливень. Мы стояли с ним у окна, и было видно, как за дождевой стеной почти исчезли и забор, и заросли бузины и как шевелилась от капель размокшая земля на дворе. От ударов грома звенели стекла.

— Долг есть долг, — вздохнул Малинин. — Оставьте адрес. Сейчас поужинаю и приеду.

Я вскочил в коляску, и мы тронулись сквозь густой, шумный водопад. По поднятому верху колотило, как по барабану. Несмотря на застегнутую полость, дождевые потоки заливали меня. Извозчик, которого я подбодрил еще рублем, совершенно промок и пел что-то, стараясь перекричать грозу. При этом он нещадно сек свою грязную лошадь, у которой по крупу бегали фонтанчики от капель. По улицам с Воскресенской в сторону Булака неслись потоки воды. Мы спустились к Черному озеру. По поверхности его вспыхивали трещины отражавшихся молний.

Меня встретил литвин, которому я отдал сушить мой мокрый сюртук.

— Ну что, как он? — спросил я.

— Все то же, — прошепелявил в ответ. Он был в бухарском халате, в турецких тапках с гнутыми носами и с сеточкой на прилизанной голове.

Я подошел к комнате Ситникова и чуть приоткрыл дверь. Степан Иванович лежал в полумраке с закрытыми глазами, дыхание его было прерывисто, руки вздрагивали. Оставив дверь приоткрытой, я принялся шагать по гостиной. За окном лило не переставая. Под порывами ветра капли сыпали по стеклам градом. Литвин внес шандал с тремя свечами. От их пламени в комнате стало еще темнее.

Наконец, когда гроза немного утихла, послышалось, как к переднему крыльцу подъехала коляска. Кто-то резко задергал ручку звонка. Литвин открыл. На лестнице раздались быстрые шаги, и в комнату ворвалась Екатерина Алексеевна. Она сбросила дождевую накидку прямо на пол. Сорвала перчатки и швырнула их не глядя. Дождь успел намочить ее, мокрые волосы спадали на лоб, по лицу стекали капли.

Екатерина Алексеевна бросилась к Ситникову, опустилась у кровати на пол и стала целовать его руку, лоб, небритые, впавшие щеки. Степан Иванович открыл глаза. Я услышал его бессильный шепот:

— Вы? Здесь?

Она положила руку ему на губы.

— Ради Бога молчите, ничего не надо говорить!

Я закрыл дверь в комнату и отошел к окну. Как раз в ту минуту из-за угла показался докторский экипаж. От дождя Нагорная размокла, превратилась в болото, и пара лошадей с черными от грязи боками еле тащила коляску, которая так иногда увязала, что вода поднималась выше колесной ступки.

Малинин поднимался по лестнице, чертыхаясь и что-то недовольно бормоча себе под нос. Он кивнул мне и, когда литвин лил ему на руки, ворчал, что в такую погоду немудрено самому простудиться и схватить горячку.

Тут из комнаты Ситникова вышла Екатерина Алексеевна. Малинин от неожиданности видеть ее здесь замолчал на полуслове. Потом губы его сложились в кривую ухмылку.

— Вот так встреча! Рад видеть вас, Екатерина Алексеевна!

— Не паясничайте! Идите скорее осмотрите больного! — Она опустилась в кресло и устало откинулась на спинку.

Малинин долго выслушивал и выстукивал Ситникова, то и дело рыгал, и по комнате разливался жирный запах утки.

Когда мы вышли, Екатерина Алексеевна вскочила.

— Дело дрянь, — сказал Малинин серьезно. — Наш казанский климат для него губителен. Если он в ближайшее же время не поедет лечиться, то может окончательно расстроить свое здоровье.

Потом Малинин достал из своего чемоданчика банку с пиявицами. Он извлекал их по одной и приставлял к вискам больного, цокая языком. Сев за стол, он выписывал долго рецепты, добавляя про каждый, что толку от этого снадобья скорее всего не будет, но и вреда оно не принесет.

Когда отняли пиявиц, лицо Степана Ивановича все оказалось залито кровью, и Екатерина Алексеевна вытерла ее мокрой губкой. Ситников успокоился, дыхание его стало тише, он закрыл глаза и снова забылся.

Малинин сунул в карман конверт с ассигнациями, еще раз гнусно ухмыльнулся, поклонившись Екатерине Алексеевне, и стал спускаться по лестнице. Я спустился проводить его до дверей.

— И вот так вот изо дня в день, мороз ли, слякоть, — заговорил он вдруг, надевая калоши, — хочешь не хочешь, а иди! Не поверите, но иногда скажешь себе: да пусть там они все перемрут, только оставят в покое со своими простудами и запорами! А потом собираешься и идешь и в мороз, и в слякоть.

Он стоял уже одетый в дверях и все не уходил.

— Дочурку свою уже второй день только спящей вижу. Она со мной все в доктора играет. Я — больной, а она меня лечит. Говорит: вот это — порошки, а то — пилюли, — и протягивает мне на ладошке ничего, воздух. Я и глотаю.

Он постоял еще немного, потом вздохнул и наконец ушел.

Екатерина Алексеевна сидела за столом, положив голову на руки. Дверь в комнату Ситникова была приоткрыта.

Екатерина Алексеевна подняла голову и посмотрела на меня. В ту минуту она была удивительно некрасива, с кругами под глазами, с опухшим от слез лицом, с неряшливо рассыпанными волосами.

— Не смотрите на меня! — она схватила шандал и задула свечи. Комната погрузилась в темноту. Было очень тихо. Дождь почти перестал, и шорох его совсем не был слышен. Гроза ушла куда-то за Кабан, но от далеких молний то и дело вспыхивали разом все три окна с незадернутыми шторами. В эти мгновения были видны и пряди, упавшие на лицо, и дрожащие припухшие губы.

Она достала флакончик, обмакнула пальцы и потерла виски. Ее крестик на цепочке звякнул, ударившись о край оставшейся после ужина тарелки.

— Саша, — сказала она тихо, — что со мной? Там сейчас мама, а я здесь, у него. Я бросила ее там и прибежала сюда.

Я подошел к ней. Она вцепилась в мой рукав. Я обнял ее за плечи, они дрожали.

— Мне страшно, Саша! Я ничего не понимаю! Что происходит? Что теперь будет?

Она вскочила, обхватила мою шею вздрагивающими руками, уткнулась в плечо лицом. Я гладил ее по голове, по рассыпавшимся волосам.

— Екатерина Алексеевна, — сказал я. — Вы играете с этим человеком в дурную, жестокую игру. Вам нужно, чтобы он забыл ради вас обо всем на свете и сделался бы весь ваш, без остатка, чтобы он жил одним вашим словом, одним взглядом. Вы хотите превратить его в раба, в ничтожество не из любви и не из злобы, а просто от жалости к самой себе. Вам нужно, чтобы вас любили. Прошу вас, не делайте этого. Он полюбит вас, а потом вы посмеетесь над ним.

Она замерла. Потом оттолкнула меня.

— Боже, — прошептала она. — Вы или очень жестокий человек, или ничего не понимаете. Я люблю его. Вы, верно, просто не знаете, что это такое. Я люблю его.

Екатерина Алексеевна отвернулась от меня.

— Здесь очень душно, откройте окна.

В комнату ворвался свежий, мокрый воздух и шум омытой дождем листвы. Сразу сделалось сыро и зябко.

Екатерина Алексеевна села в кресло с ногами и положила голову себе на колени. Так прошло много времени. Мы ничего не говорили.

В комнатах первого этажа долго били часы.

С улицы послышались шлепанье подков по грязи, скрип колес. К дому подъехала крытая коляска. Звонок был подвязан, и в дверь постучали. Я зажег свечи и спустился, чтобы открыть. Литвин уже храпел у себя.

На крыльце стоял Крылосов. Он не ожидал увидеть меня и замялся. Потом спросил сквозь зубы, глядя куда-то в сторону:

— Она здесь?

Я молча пропустил его. Он поднялся и вошел в гостиную, не снимая плаща и цилиндра. Я остановился в дверях. Екатерина Алексеевна по-прежнему сидела в кресле и не смотрела ни на кого. Крылосов мельком оглядел комнату, подошел к столу и бросил на него перчатки.

Я приготовился к тому, что он будет сейчас кричать, топать ногами, стучать по столу. Но он все стоял и молчал, глядя на огоньки свечей, дрожавшие от сквозняка. Тень Крылосова дергалась на стенах и потолке. Он взял руку дочери и прижался к ней щекой.

— Поздно уже, Катенька, — шепотом произнес он. — Поедем домой.

Екатерина Алексеевна вдруг зарыдала, схватила его седую голову в ладони и, закрыв глаза, прижалась губами к его макушке. Так сидели они долго.

Я вышел в прихожую, где сопел во сне литвин. Там пахло смесью ваксы и помады.

Наконец, будто очнувшись, они стали собираться. Екатерина Алексеевна несколько раз перевязывала перед зеркалом длинный газовый шарф и долго натягивала узкие перчатки, пока их тонкая кожа не обрисовала ногти. Перед тем как уйти, она на минуту зашла с огнем к Степану Ивановичу, забывшемуся в беспокойном сне. В проем двери я видел, как она перекрестила его.

Я посмотрел, как они сели в коляску, как лошади тронули, и закрыл окна.

Брести домой по ночной, утонувшей в грязи и тьме Казани не было сил, и я устроился на диване. Было холодно, я скоро замерз, и пришлось укрыться шинелью. Лежать было неудобно, в бок впивалась какая-то пружина, ноги затекали, я вытянул их на подставленный стул. Я долго не мог заснуть, хотя очень устал. Несколько раз шинель с тяжелым шорохом сваливалась на пол. Я забывался ненадолго и снова просыпался, зажигал свет и глядел на часы.

Два дня Степан Иванович не вставал. Я посылал Михайлу справляться. На третий день заглянул на

Большую Казанскую. Ситников чувствовал себя заметно лучше.

— Пойдемте пройдемся, — предложил он. — Я уже ненавижу этот потолок и эти обои с зелеными попугаями.

Майское солнце было всюду: и в свежей зелени деревьев, и в соломенных шляпах, и в столбах пыли, поднимавшихся от каждой проехавшей коляски, и в самом воздухе, густом, плотном от насытившего его запаха отцветавшей черемухи. В аллеях у Черного озера было людно. В послеобеденные часы здесь гуляла казанская публика. В глазах пестрело от парасолек, цилиндров, фуражек. Иногда встречались знакомые чиновники, и приходилось здороваться.

Вдруг около нас остановился экипаж, и из него выскочил Орехов.

— А вот и вы, господа! — крикнул он нам. Всегда неопрятный, какой-то запущенный, теперь он был одет безукоризненно. На нем были фрак, тончайшая рубашка, застегнутая солитером. Орехов был красен, сопел и кусал губы.

— Что же это, господин Ситников, я, зная, что вы больны, каждый день справляюсь о вашем здоровье, приезжаю сегодня, а вас нет! Вы уже в полном здравии и фланируете. Рад, очень рад!

Тон его настораживал. Орехов был чем-то сильно взволнован и еле сдерживал себя.

— А я-то думаю, где вас искать? Хорошо еще, ваш слуга, изрядный, кстати, хам, сказал, что вы отправились сюда. И Ларионов здесь! Прекрасно, дело, значит, не обойдется без свидетелей.

— Что вам угодно? — сухо спросил Степан Иванович.

— Пару пустяков. Сделать вам одно признание. Должен вам сказать, господин Ситников, что я ненавижу мерзавцев! И считаю, что мерзавцев надобно учить!

Тут Орехов как-то неловко размахнулся и дал Ситникову пощечину. Удар пришелся куда-то в висок. Степан Иванович от неожиданности попятился, фуражка его упала на песок.

— Вы, милостивый государь, подлец и последний негодяй. Вы опорочили честь благороднейшей женщины. Вы низкий и недостойный человек, надеюсь лишь, что вы не трус и не будете бегать от моего секунданта.

Он повернулся, сел в экипаж и бросил кучеру:

— Пошел!

Все, кто были в ту минуту кругом, смотрели на нас. Ситников схватил фуражку и стал отряхивать ее от пыли. Потом сказал мне со злостью:

— Что же вы стоите, идемте!

Мы пошли обратно. Ситников молчал. Он то и дело снова нервно отряхивал свою фуражку и тер покрасневшую щеку. Когда мы подошли к самому дому, я спросил его:

— Что вы теперь намерены делать?

— Что я намерен? — переспросил он раздраженно. — Я намерен просить вас быть моим секундантом.

— Степан Иванович, но это же безумие, недоразумение! Орехов не в себе! Я поговорю с ним, все объясню ему!

Ситников посмотрел на меня с насмешкой.

— Александр Львович, — сказал он. — Я ценю ваше расположение ко мне. Но Орехов не сумасшедший.

— Степан Иванович, я прямо сейчас поеду к нему. Поверьте, дело разъяснится.

— Вот и поезжайте. Договоритесь там обо всем. Буду вам очень признателен.

Он поднялся по ступенькам крыльца и с силой захлопнул за собой дверь.

Я крикнул извозчика и поехал на Георгиевскую. Я знал, что Орехов жил там где-то в собственном доме. По дороге я складывал в голове слова, способные убедить Орехова, но фразы выходили какие-то вялые, беспомощные. Я был в растерянности, потому что видел: все, что я делаю, бесполезно.

За палисадником стоял старый двухэтажный, чудом уцелевший от пожара деревянный дом. Дверь была открыта. В сенях сидел седой швейцар-калмык и вязал чулок.

— Барин дома? — спросил я.

Старик, не отрываясь от вязания, покачал головой.

— А когда придет?

Он пожал плечами.

Видя, что толку от него не будет, я вышел и решил подождать Орехова на улице. Я загадал, что, если сейчас, за эти полчаса, он вдруг появится, все кончится хорошо.

Я шагал по залитой солнцем Георгиевской, мимо ветхих заборов, покосившихся от напора жимолости, мимо домов, утонувших в зелени. Через открытые окна до меня доносились обрывки разговоров, смех, звуки фортепьяно. Весеннее солнце припекало. Лужи пересохли, и застывшая корка грязи везде потрескалась. Я то и дело обгонял дворника, расчищавшего дощатый тротуар от облетавшего черемухового цвета. Стоило чуть подуть ветру, и только что подметенные мостки снова покрывались густой белой сыпью.

Я бросался к каждому редкому экипажу, заворачивавшему на улицу, но всякий раз обманывался. Прошло и полчаса, и больше, но Орехова не было. Наконец, когда я собрался уже уходить, его коляска вдруг показалась в конце улицы. Кучер остановился у ворот. Я подошел, но увидел, что коляска была пуста.

— А где же Дмитрий Аркадьевич? — спросил я.

— Известно где, у Лиможа, водку пьет, — был ответ кучера. — То все ждешь, ждешь его, пока не околеешь, а тут говорит: "Ты езжай, Илья!" И рубль дал. Чудной какой-то нынче!

Я поспешил на Проломную, во французский ресторан.

Распорядитель провел меня по мягким коврам на второй этаж, где в отдельном кабинете сидел в одиночестве Орехов. На столе перед ним стояла початая бутылка шампанского.

Орехов мрачно посмотрел на меня. Он был уже пьян.

— Ну вот, — как можно беззаботнее начал я, — а ваш кучер говорит, что вы тут хлещете водку!

— Вы-то здесь зачем, Ларионов? Я не имею никакого желания разговаривать с вами.

Он пнул что-то под столом, и к моим ногам по ковру мягко выкатился пустой графин.

— Да, я пьян, но это не имеет никакого значения!

— Дмитрий Аркадьевич, послушайте меня! Все это пустое недоразумение! Степан Иванович — благородный человек. Он выше того, чтобы позволить себе что-нибудь. Вы же знаете Екатерину Алексеевну, вы же знаете ее взбалмошный характер! У нее сегодня одно на уме, завтра другое. Нынче она выдумала, что любит его. А завтра все пройдет.

— Не трудитесь, — прервал меня Орехов. — Дело сделано. Все остальное узнаете у Шрайбера.

— Как, он ваш секундант?

— Что вас так удивляет?

— И Шрайбер согласился?

Орехов налил себе шампанского.

— Я предложил бы вам выпить со мной, Ларионов, но слишком вас для этого не люблю.

— Опомнитесь, что вы делаете! Степан Иванович — редкий стрелок, он убьет вас!

Орехов мрачно усмехнулся.

— Может, мне это и надо. Вам-то какое до этого до всего дело?

Он запрокинул голову и стал жадно пить большими глотками из бокала. Шампанское полилось по его сорочке.

Говорить с ним было бессмысленно.

Я помчался к Шрайберу. Тот оказался дома и занимался в своей комнатке, уставленной колбочками, пузырьками, бутылями и увешанной сушившимися травами.

Он сразу принялся рассказывать мне про какой-то отвар, которым татары лечат все болезни. Я долго смотрел на него, потом не выдержал:

— Зачем вы валяете дурака, доктор?

— Если вы по поводу поединка, — сказал Шрайбер, — то все условия вот на этой бумажке, которую вручил мне Орехов.

Он протянул мне листок в осьмушку, исписанный корявым почерком, вдобавок залитый кляксами. Орехов требовал стреляться на 18 шагах с барьером на шести шагах, что делало неизбежным или смерть, или смертельное ранение: на шести шагах самый слабый заряд пробивает ребра.

Каждый имел право стрелять, когда ему угодно, стоя на месте или подходя к барьеру. После первого промаха противник имел право вызвать выстрелившего на барьер. Рана только на четном выстреле кончала дуэль, вспышки и осечки не в счет.

— Лепажей не достал, но зато есть пара славных кухенрейторов, — сказал Шрайбер. — И еще, посоветуйте вашему товарищу, чтобы он ничего не ел до дуэли. При несчастье пуля может скользнуть и вылететь насквозь, не повредив внутренностей, если они сохранят свою упругость. Кроме того, и рука натощак вернее. Я же позабочусь о четырехместной карете. В двухместной ни помочь раненому, ни положить убитого. Стреляться будут завтра в шесть утра, в Швейцарии. Там в то время никого нет, так что нам никто не сможет помешать. Выберем какой-нибудь овраг поближе к немецкому трактиру...

— Петр Иванович! Да опомнитесь вы! — закричал я. — Они собираются убивать друг друга, но вы, вы же доктор, эскулап, черт возьми! Вы должны остановить Орехова, образумить его! Что вам с того, что завтра кто-нибудь из них будет убит? Зачем это?

— Разделяю ваше негодование. Знаете, я отворял людям кровь несчетное количество раз, я видел столько трупов, что с легкостью могу представить себе любого живущего в гробу, но, поверьте, меня всякий раз тошнит при виде крови, и я всякий раз мучаюсь при виде покойника от мысли, что сам смертен. Мне тоже вся эта история не нравится. Но когда дело заходит о чести, здравый смысл отступает.

— Нельзя путать честь и какие-то условности.

— Условности, вы говорите? Так это и есть в жизни самое главное! Чтобы прожить жизнь счастливо, надобно просто соблюдать все условности, и ничего больше. Когда я жену свою хоронил, мою Анечку, знаете, я не плакал, а шутил, рассказывал анекдоты, флиртовал с ее сестрицей, и все решили, что я Аню отравил. А что стоило поплакать-то? Вот Орехова завтра убьют, а он умрет счастливым, с чувством исполненного долга. И слава Богу!

Помню, когда я шел домой, меня охватило какое-то усталое безразличие. Ноги от напрасной беготни гудели, хотелось прилечь.

Я вернулся домой часу в восьмом, Михайла, подавая умыться, сказал, что заходил Ситников и передал, что завтра заедет за мной с утра, в начале шестого.

Только я забылся, как Михайла вошел сказать, что меня спрашивает Маша, горничная Екатерины Алексеевны. Я встал, вышел в гостиную. Маша подала мне записку. Я развернул листок, сохранивший еще запах ее комнаты. Записка была совсем короткой: «Напишите мне хоть одно слово — это правда?»

На обороте листка я приписал «да» и присыпал его песком.

Когда девушка ушла, я тотчас опять лег, положив подушку на голову.

В ту ночь мне почему-то снова приснился сон, который я часто видел в детстве. Матушка моя совестит меня, что я разбил ее рюмочку, из которой она запивала порошки, а я плачу и божусь, что ее вовсе не касался. Рюмочка эта была чем-то ей дорога, и она строго не велела мне до нее дотрагиваться. Матушка в обиде на меня, что я лгу ей, а я в отчаянии, что она мне не верит.

Михайла разбудил меня на рассвете, как я велел. За окном ничего не было видно из-за густого тумана. В Казани, благодаря ее расположению среди болот, весной всегда стоят сильные туманы. С неба шел серый, тусклый свет.

К пяти часам я был уже готов и стоял одетый на крыльце, прислушиваясь, не едет ли экипаж. Было зябко, и, хотя я оделся тепло, меня бил озноб. Из-за тумана были слышны разговоры, кашель, шум просыпающейся Нагорной. За двадцать шагов все было покрыто белой мутной завесой.

Около половины шестого к воротам подъехала коляска. Не вылезая из нее, Ситников окликнул меня. Я подошел.

— Садитесь поскорей, — сказал он. — Негоже заставлять ждать себя в такой день.

— Вы, я вижу, настроены на шутливый лад, — ответил я. — Сегодня, кроме вас, кажется, никто не намерен шутить.

Мы тронулись. Степан Иванович, закутавшись в шинель, откинулся в глубину возка и молчал, погруженный в свои мысли, ничего не замечая вокруг. Мне приходилось поторапливать извозчика, который ехал почти шагом и все норовил заснуть на козлах. Лошадь была тощая, двухместная коляска ободранная, кожа между крыльями порвана, а из-под подушки торчало сено.

Мы ехали по туману вслепую, иногда только на несколько мгновений проступали встречные повозки, люди, заборы, деревья.

Проехали заставу. Заспанный, продрогший солдат, засунув руки в рукава, проводил нас долгим, злым взглядом. Потом и он скрылся за пеленой.

— Степан Иванович, скажите, вы любите ее? — спросил я.

Он протер лицо, будто умылся, прежде чем ответить.

— Да, я люблю ее. Но все это не имеет уже никакого значения.

Сквозь туман проступила наконец красная черепичная крыша. Мы остановились у крыльца гастхауза. Несмотря на ранний час, из открытого окна бильярдной раздавалось щелканье шаров.

Мы вошли. В зале лакей расстилал чистые скатерти. В углу у окна сидел Шрайбер и ел из глубокой тарелки жирные густые сливки. Он кивнул нам.

— А мы ждем вас, ждем! На бедного Орехова смотреть страшно! От нетерпения убить вас он тут бегал как сумасшедший, а сейчас гоняет в одиночку шары. Может, приказать сварить кофе, а то с утра что-то прохладно?

— Благодарю вас, не стоит, — сказал Степан Иванович. — Лучше приступим к делу, да побыстрее.

Еще с минуту нам пришлось наблюдать, как Шрайбер доедал свои сливки, качая головой и причмокивая. Лакей угрюмо посматривал на нас, с хрустом раздирая накрахмаленные скатерти. Стук шаров прекратился. Из бильярдной вышел Орехов. Было видно, что ночью он не спал. Воспаленные глаза горели, под ними выступили мешки. Он чуть кивнул.

Мы вышли все вместе.

Туман, казалось, только усиливался. Все было мокро: и трава, и деревья.

Пошли опушкой леса, а экипажи следовали за нами. Если мы углублялись в чащу шагов на двадцать, в белом пару растворялись и коляски, и лошади.

— Не стоит идти дальше, — сказал Шрайбер. — Кругом все равно никого нет. Как вам нравится, господа, стреляться вот здесь?

Он указал на неглубокую поросшую орешником ложбину.

— Мне все равно, — буркнул Орехов.

Степан Иванович только пожал плечами.

— Вот и славно. Устраивайтесь, господа, а я пока с Александром Львовичем все приготовлю....

Мы отправились размечать барьеры. Шрайбер воткнул в землю свою трость и зашагал по сырому, прогнившему валежнику. Там, где он остановился, я бросил на мокрый куст свой плащ.

Принялись заряжать пистолеты. Шрайбер протянул было ящик мне, но я отказался.

— Как изволите, — сказал Шрайбер и сам стал насыпать порох, заколачивать его пыжом, забивать шомполом пулю. Он так увлекся, что даже стал насвистывать.

— Боже мой, вы хоть сейчас не паясничайте, — не выдержал я.

Шрайбер ничего не ответил мне, но свистеть прекратил.

Наконец раздались два щелчка, это доктор взвел курки. Он поднялся, в каждой руке по пистолету.

— Господа, прошу вас!

Орехов и Степан Иванович подошли и разобрали пистолеты.

Я выступил вперед.

— Степан Иванович! Дмитрий Аркадьевич! Сейчас самое время помириться! Ну, полно вам! Вы оба вполне показали ваше достоинство, и честь, и храбрость. Подайте руки друг другу, через минуту уже будет поздно!

— Послушайте, Орехов, — Степан Иванович обернулся к нему. — Незаслуженное оскорбление, которое вы нанесли мне, достойно того, чтобы смыть его кровью. Но я прощаю его вам. Я не хочу ничего объяснять, но, поверьте, в жизни моей сейчас произойти должен поворот, судьба моя должна наконец решиться. Сейчас мне нужна жизнь моя как никогда. Ничего не скажу вам более, вы все равно не поймете меня. Против вас, Орехов, я ничего не имею, хотя вы мне, признаюсь, мало симпатичны. Я не имею желания убивать вас. Вот вам рука моя и поедемте отсюда поскорее. Здесь сыро, а я еще не совсем здоров.

Степан Иванович протянул Орехову руку.

— Полно бессмысленных разговоров, — сухо отрезал тот. — Пожалуйте к барьеру!

И Орехов быстрым шагом пошел к своему месту.

Какое-то время Степан Иванович стоял в нерешительности. Потом медленно направился к моему плащу.

Противники стояли в шагах пятнадцати один от другого.

Шрайбер подошел к Орехову. До меня донесся его приглушенный голос.

— Цельтесь в живот, если вы хотите размозжить голову.

Шрайбер отошел и, взмахнув рукой, крикнул:

— Сходитесь!

Орехов, не поднимая пистолета, быстро подошел к барьеру.

— Прекратите, хватит! — закричал я.

Орехов нервно дернулся.

— Замолчите вы наконец!

Он поднял руку и прицелился.

Степан Иванович оставался стоять как стоял, расставив ноги, ссутулившись.

Орехов опустил пистолет.

— Предупреждаю вас, что это не шутка и я намерен убить вас.

Он снова поднял пистолет и прицелился. Я стоял напротив того места и видел, как он целился сначала в голову, потом, видно, вспомнив наставление Шрайбера, опустил дуло чуть пониже.

Кажется, до последнего мгновения Степан Иванович не верил, что раздастся выстрел.

Пистолет в руке Орехова дернулся, все окуталось облаком дыма, эхо выстрела прокатилось по лесу.

Степан Иванович зашатался, отступил на шаг и упал на бок. Я бросился к нему.

— Что с вами? Вы ранены?

Он был бледен, но улыбнулся мне. Когда я подбежал, он уже сидел. В последнюю секунду перед выстрелом Степан Иванович прикрылся пистолетом, и пуля, ударившись в замок, отскочила рикошетом.

Подбежал Шрайбер.

— Поздравляю вас, это второй подобный случай в моей практике.

Орехов настоял, чтобы продолжать с одним пистолетом. Пистолет Орехова снова зарядили, и все вернулись на свои места. Степан Иванович подошел к барьеру и долго стоял, не целясь.

Орехов тер пальцы, теребил пуговицы, наконец закричал:

— Что же вы медлите, стреляйте! И знайте, что если вы захотите выстрелить в воздух или иным другим способом сохранить мне жизнь, я не пощажу вас!

Тут произошло то, что никто не мог предвидеть. Степан Иванович вдруг выронил пистолет, закачал головой, схватился руками за виски, повернулся и пошел к опушке леса, туда, где мы оставили экипажи.

— Куда вы? — крикнул ему вслед Орехов.

Степан Иванович не оборачивался. Он бормотал что-то и брел, покачиваясь, между деревьев.

— Вы жалкий трус! Вы недостойный человек! Вы подлец! — кричал ему вдогонку Орехов.

Густой туман быстро спрятал сутулую фигуру Ситникова, был только слышен хруст веток под его ногами. Мимо меня прошел Шрайбер.

— Ну вот, Александр Львович, — скривил он губы, — а вы беспокоились!

За ним, сжимая кулаки, прошагал Орехов.

Я стоял, не зная, что делать, потом поднял свой плащ и тоже поплелся к опушке.

Когда я вышел к нашей коляске, второго экипажа уже не было. Мы покатили обратно к Казани. Туман уже рассеивался, выступило солнце, и молочный пар, заливший Арское поле, светился чем-то розовым и золотым.

За всю дорогу мы не сказали друг другу ни слова.

Солнце было уже высоко, когда коляска выехала на Большую Казанскую. Дверь нам отворил заспанный, неодетый литвин.

— Наконец-то, — недовольно пробормотал он. — Вас тут уже дожидаются.

— Кто? — удивленно спросил Ситников.

— Сами увидите.

Мы поднялись по лестнице. Дверь в гостиную была открыта. Посреди комнаты стояла Екатерина Алексеевна. На ней было темное дорожное платье. На полу стоял саквояж.

— Господи, жив, — прошептала она и бросилась к Степану Ивановичу. Она обвила его шею руками и стала покрывать лицо поцелуями.

— Вы не знаете, не можете себе представить, что я пережила за это время!

Она вдруг отпрянула.

— Что с Ореховым? Почему вы молчите?

— Успокойтесь, Екатерина Алексеевна, — сказал я. — Орехов невредим. Дело кончилось бескровно.

— Я всю ночь молилась за вас! — Она снова прильнула к нему.

Степан Иванович обнял ее.

— Я все решила, — сказала Екатерина Алексеевна. — Так дальше жить невозможно...

— Екатерина Алексеевна, — начал Ситников, но она зажала ему рот ладонью.

— Молчите, не перебивайте меня! Я люблю вас! Я ушла из дома, навсегда, насовсем. Отец проклял меня, и я благодарна ему за это. Обратно дороги мне нет. Я люблю вас, и, кроме этой любви, мне ничего не нужно!

Я осторожно прикрыл за собой дверь, тихо спустился по лестнице и вышел на улицу.

Дома меня встретил Нольде.

— Вы слышали? Умер Кострицкий.

— Как умер? Я ничего об этом не знаю. Когда?

— Вчера.

— Что с ним случилось?

Нольде замялся.

— Собственно говоря, он повесился, только никому об этом не говорите. Все знают лишь, что его хватил апоплексический удар.

— Да что это он! Кто бы мог подумать! Всех смешил, а сам... Ничего не понимаю.

Нольде вздохнул и пожал плечами.

— Думаю, по пьянству. Разве в трезвом виде такое замыслишь? Завтра панихида и похороны. Жара!

Вечером я снова пошел к Ситникову. Я думал, что, может быть, чем-то смогу помочь им.

Все двери были открыты. Не было слышно ни звука. Я поднялся по лестнице, прошел в прихожую, оттуда в гостиную, в комнату к литвину — везде было пусто. Я прошел дальше и вдруг увидел Ситникова. Степан Иванович сидел в кресле, подложив под голову руку, и держал в зубах чубук давно погасшей трубки. Он смотрел в одну точку, куда-то за окно, и даже не поднял на меня глаза, когда я подошел.

— А где же Екатерина Алексеевна? — спросил я.

— Где ж ей быть? Дома.

— Как дома? Что произошло?

— Ничего особенного. Я отвез ее домой. Я сказал ей, что не хочу губить ее жизнь.

Я даже не нашелся сначала, что сказать.

— Теперь я вижу, Степан Иванович, — выговорил я, — что вы действительно сумасшедший. Да-да, самый натуральный. Прощайте! — И я выбежал вон из комнаты.

Сам не понимая толком зачем, я отправился на Грузинскую. У дверей меня встретил швейцар Крылосовых, добрый малый, которому я часто давал на водку. Он не только не улыбнулся мне по обыкновению, но насупился и, стоя в дверях, смотрел куда-то за мое плечо.

— Екатерина Алексеевна дома? — спросил я.

— Барышня у себя, но вас пускать не велено.

— Что ты мелешь? Поди передай ей, что пришел Ларионов.

— Неужто я не узнал вас, Александр Львович! Да только она сама вас пускать-то и не велела!

Я дал ему на водку, потрепал по плечу и побрел оттуда прочь.

На следующий день были похороны Кострицкого. Накануне всю ночь дул сильный ветер и пригнал наутро холодную морось и низкие быстрые облака.

Я немного опоздал к назначенному часу. Были все сослуживцы с женами, я не заметил только Крылосова, и пришло еще много незнакомых мне людей. У ворот мок погребальный катафалк, окруженный мальчишками. К крыльцу была приставлена крышка от гроба. Я снял шляпу и, молча раскланиваясь со знакомыми, прошел в залу. Там я увидел покойника, лежавшего в гробу на столе. Около него горели свечи, и священник бубнил что-то невразумительное, мне даже показалось, что он был пьян.

Я с трудом признал в покойнике Кострицкого. Лицо его осунулось, заострилось, широкий нос его вытянулся, одна ноздря залипла, по коже побежали желтые пятна. Щеки были все в порезах от бритья. Мелкая черная щетина снова уже успела отрасти на мертвеце.

Говорили все шепотом, иногда кто-нибудь глубоко вздыхал.

Я искал глазами Анну Васильевну, но ее нигде не было. Нольде сказал, что она ушла одевать детей.

Скоро все потянулись на улицу, пора было отправляться. Отпевать должны были у Петра и Павла, а хоронить на Арском кладбище, дорога была дальняя, через весь город.

На дворе то принимался сыпать мелкий дождик, то переставал. Зонты то раскрывались, то складывались. Было слышно, как вполголоса бранились на погоду и на отсутствие мостовых.

Наконец вышла Анна Васильевна. На ней было траурное платье с плерезами на рукавах и подоле. За ней шли дети, все в черном, притихшие, испуганные.

Вынесли гроб, и процессия отправилась на Воскресенскую. К счастью, пока шли, дождя не было.

Пока отпевали, я стоял снаружи, на паперти. Какие-то дамы рядом спорили, какой ширины нужно носить теперь плерезы. Потом все потянулись в сторону Арского поля. На дрогах, подбрасываемых толчками ухабистой дороги, колыхался гроб. За гробом шли дети в накидках от дождя, который снова заморосил, за ними Анна Васильевна.

В свежевыкопанную могилу уже набралась вода. В луже на дне, мутной от глины, разбегались круги от капель.

На кладбище подъехал Паренсов. Он вытер платком мокрый от дождя лоб покойника и поцеловал его. Прощание вышло скомканным, все вымокли, продрогли и торопились поскорее вернуться в город. Дети раскапризничались, хныкали, громко просились домой, и Анна Васильевна шикала на них. Когда заколачивали гроб, она в первый раз за все это время разрыдалась.

Два мужика, перекрестившись, стали опускать гроб в могилу. Один из них вдруг поскользнулся на грязи, веревка выскочила у него из рук, и гроб брякнулся на дно. Анна Васильевна замахала руками, схватилась за горло и, шатаясь, пошла между оградами к выходу, за ней побежали дети.

В зале, где на зеркале висела шаль, были накрыты столы, суетилась прислуга, пахло блинами, было тепло и после дождливого кладбища уютно. Анна Васильевна хлопотливо металась между залой и кухней, усаживала пришедших помянуть, кричала на детей, вертевшихся под ногами.

Водка оживила всех, говорили уже в полный голос, а громче всех кричал Барадулин. Он был пьян с самого начала и уже облил вином свой черный фрак.

— Вы только подумайте, — кричал он на всю комнату, — заболеть холерой, мучиться в корчах и выжить, выздороветь! Ему бы жить после такого до ста лет! А вот лежит теперь наш Георгий Иванович в могилке, а мы тут пьем за него, вот ведь как!

Я ничего не ел, даже не снимал салфетки со своего прибора. Было жарко, шумно. Уже стали чокаться, забывшись. Барадулин громко рассказывал про то, как он застал Кострицкого в петле.

— У меня и в мыслях ничего такого не было! Я-то деньжонок пришел занять. Мне и нужно-то было рублей сто. Кричу — никого. Иду прямо к нему. Знаю, что он, шельма, дрыхнет после обеда. Дергаю дверь за ручку, не открывается. Что такое? Смотрю, а там, сверху, пряжка от ремня торчит. Дернул посильнее, что-то на пол рухнуло. Открываю дверь, а это он лежит, вот здесь вот, вот здесь! — Барадулин побежал к двери показать, где лежал Кострицкий. — Лежит синий весь, и язык чуть ли не до уха!

В запале кто-то выпил рюмку, оставленную для покойного на чистой тарелке.

Я встал из-за стола и направился к дверям.

В сенях в полумраке я увидел Анну Васильевну. Она стояла у вешалки и тихо, беззвучно плакала, уткнувшись в шинель покойного мужа. Я должен был взять свой плащ и кашлянул. Она вздрогнула, обернулась.

— Это вы? — устало сказала она. — Уже уходите?

Я молча кивнул.

— Ну вот, куда я теперь с детьми? Как жить? На что? Не знаю.

Анна Васильевна снова заплакала и положила голову мне на грудь. Я гладил ее по плечу.

Когда я вышел на крыльцо, дождь все еще накрапывал, и в лужах мокли разбросанные по двору ветки можжевельника.

Степан Иванович на службе больше не появлялся. Я знал, что наряжена была комиссия из трех разных служб во главе со старшим военным медиком Корниловым, известным в Казани тем, что у него на руках скончался Багратион. Комиссия после освидетельствования нашла необходимость в лечении Степана Ивановича на морских и минеральных водах, ибо обструкция его и сухой кашель могли привести в совершенное расстройство его здоровье. Нашли целесообразным курс лечения на ревельских морских водах. Свидетельство это с просьбой на высочайшее имя с рапортом Ситникова и рапортами двух генералов, Паренсова и казанского коменданта, были отправлены в Петербург.

Степан Иванович прислал мне записку, в которой сообщил, что Илья Ильич уверял его: самое позднее в конце июня он получит отпуск по лечению и сможет выехать из Казани. Степан Иванович звал меня ехать с ним.

Было уже начало июня.

Екатерина Алексеевна обвенчалась с Ореховым без приглашений и торжеств, тихо, в какой-то маленькой церкви на краю Казани, и чуть ли не в тот же день они уехали в Москву.

Узнав, что Солнцевы собираются в деревню, я зашел к ним проститься.

В тот день на Казань налетел ветер, силы не ураганной, но взметавший всю казанскую пыль и тучей гонявший ее по улицам. Пока я дошел до прокурорского особняка, меня впору было выбивать, настолько пропылилась моя одежда.

Помню, что в тот день, войдя в гостиную, я вдруг вспомнил, в каком воодушевлении я приехал почти два года назад в Казань и вошел тогда в первый раз в эту комнату, где в простенках овальные зеркала отражали потрескавшиеся изразцовые печи, сосновый пол, выкрашенный под паркет, потертую мебель красного дерева с гнутыми ножками, стены с обоями, на которых были изображены какие-то красные птицы и золотые лиры.

Я просидел у Солнцевых долго, до самого вечера, играя с детьми. Я хотел уйти уже, но меня оставили пить чай.

Вместе с Гавриилом Ильичом к столу вышел немолодой, невысокого роста невзрачный человек, начинавший седеть, с глубокими морщинами вокруг губ, аккуратно одетый, с выцветшими спокойными глазами, с движениями неторопливыми и уверенными. Он был немного простужен и оттого говорил в нос, то и дело промокая ноздри платком. Татьяна Николаевна вместо чая налила ему горячего молока. Фамилия его была Маслов. Из разговоров я понял, что он неделю как из Петербурга.

Тогда только что пришло в Казань известие о кровопролитном сражении при Остроленке, и за столом говорили о том, что это первое серьезное поражение поляков, что все наконец становится на свои места и что дальше осени эта кампания не затянется.

Я старался отмалчиваться, но Маслов, после того как нас представили, стал вдруг проявлять ко мне какой-то повышенный интерес и после всякой своей фразы с любопытством смотрел на меня и все время спрашивал:

— А вы как считаете, Александр Львович?

Это сразу насторожило меня.

После чая Солнцев пригласил нас к себе в кабинет выкурить по трубке. Мы расселись в глубоких креслах. Человек Солнцева принес богатые пенковые с витым чубуком трубки. Клубы табачного дыма заполнили комнату.

Очень скоро Солнцев, извинившись срочными делами, вышел, оставив нас вдвоем, я тоже встал, чтобы откланяться, но тут Маслов сказал:

— Подождите немного, Александр Львович! Произошла такая удивительная встреча, а вы куда-то убегаете.

— Что ж в ней удивительного? — спросил я с каким-то неприятным предчувствием.

— Сядьте, прошу вас! Кажется, сама судьба столкнула нас с вами.

Я снова сел. Маслов смотрел на меня долго своими бесцветными неживыми глазами и ничего не говорил. От этого взгляда мне стало не по себе.

— Что вам от меня нужно?

— Я имею кое-что сказать вам и думаю, что это будет для вас небезынтересно.

— Ну же. — Меня раздражало, что он мучил меня недомолвками.

— Известно ли вам, Александр Львович, где я служу? — спросил Маслов.

— Мне это безразлично.

— Что ж, я отрекомендуюсь: полковник Третьего отделения собственной Его Императорского Величества канцелярии, начальник пятого жандармского округа.

Он остановился, глядя на произведенное впечатление.

— Вы удивлены?

— Отчего же мне быть удивленным? — ответил я как можно непринужденнее. — Мало ли кто где служит.

— Славно! Тогда вам, должно быть, тем более безразлично, зачем я приехал в Казань?

— Вы правы.

Маслов помолчал, выбивая пальцами дробь по ручке кресла, потом встал и принялся ходить по комнате, заложив руки за спину.

— Мне нравится, как вы ведете себя, Александр Львович, — сказал он.

— Не понимаю, о чем вы говорите.

— Сейчас поймете. Но сперва я хотел бы просто поговорить с вами. Вы мне интересны. Я хочу понять вас.

Он пожевал губы, покачался с носков на пятки, с пяток на носки и снова принялся ходить за моей спиной.

— Вы знаете, когда я был совсем еще юношей... Надеюсь, вы простите мне небольшое отступление? Так вот, когда сверстники мои начинали уже бегать за комнатными девушками, я, представьте себе, лишь читал книги и писал российскую конституцию. Да-да, конституцию. Мне казалось, что жизнь наша такая гнусная оттого, что нет хороших законов. И вот я сидел и сочинял законы один лучше другого. Все в этих моих проектах было построено на добре и справедливости. И вот дед мой как-то увидел эти листки и сжег их. Он очень испугался. Не за себя, конечно, за меня. Был, разумеется, скандал, слезы. Я презирал его. А он сказал мне слова, которые я тогда по молодости лет не понял. Он сказал очень просто, что России нужны не законы, а люди.

— Не понимаю, при чем здесь я.

— Не спешите, Александр Львович, выслушайте меня. Я хочу рассказать вам, что привело меня в Казань. Дело в том, что в разных городах России открылись возмутительные письма с призывом к мятежу, к цареубийству, к ниспровержению власти. Кто-то рассылал их по управам, канцеляриям, частным лицам, понимаете? А время сейчас какое тревожное, Александр Львович! Сейчас ведь немногое нужно, чтобы все вспыхнуло, не так ли?

Он остановился, посмотрев на то, какое впечатление произвели слова его на меня. Потом зашагал дальше.

— Как вы думаете, что делает русский человек, получив подобное послание? Конечно же, все эти письма собирались у меня на столе. Забавно, не правда ли?

Я в каком-то оцепенении кивнул головой.

— Письма эти писаны разным почерком, но слог, стиль, выражения — все выдает одну руку. Достаточно сравнить несколько посланий, чтобы убедиться: писал их один человек. К тому же все эти письма рассылались из Казани. Вот, взгляните на них, если желаете!

Маслов взял со стола портфель, с которым он пришел, и достал из него несколько аккуратно сложенных листов почтовой бумаги.

— Вам это не знакомо? — он протянул мне один из них.

Я пробежал глазами по строчкам. Внутри у меня похолодело. Я сразу понял, кто мог написать такое.

— Мне кажется, вы побледнели? — спросил Маслов.

Я вздрогнул.

— Впервые вижу подобное.

— Забавно, — протянул Маслов, взял у меня письмо, сложил все листки вместе и сунул обратно в свой портфель. Потом вдруг сказал:

— Так ведь вы же, Александр Львович, все это и писали!

Помню, я не сразу пришел тогда в себя. Когда ко мне наконец вернулся дар речи, я сказал ему:

— Вы хоть сами понимаете, что говорите? Меня, первого встречного, вы обвиняете Бог знает в чем!

— Да какой же вы, Александр Львович, первый встречный! Я здесь уже неделю и про вас, например, знаю уже очень много, больше, чем вы можете подумать. У господина Булыгина, казанского жандармского офицера, есть про вас очень интересные сведения, и про ваш образ мыслей, и про разные ваши высказывания. Вы, верно, даже не догадывались об этом, признайтесь?

— Я с господином Булыгиным не знаком вовсе.

— Так дело ведь не в знакомстве. Существуют ведь еще и осведомители. Не так ли? Вы что-то где-то неосторожно сказали, а господин Булыгин уже все про это знает. Вот ведь как. А тому, что именно вы эти бумажки писали, у меня есть неопровержимые доказательства.

— Бред какой-то! — закричал я. Все это было выше моего понимания. — Бред! Я не хочу больше разговаривать с вами! Вы ломаете здесь какую-то дурную комедию. Я этих писем не писал и в глаза не видел! Вот и все!

Маслов снова принялся ходить у меня за спиной. Так, в молчании, прошло несколько минут.

— Вот что мы сделаем, Александр Львович, — сказал он наконец. — Вы сейчас пойдете домой и все хорошенько обдумаете. Я хочу помочь вам, спасти вас, вы понимаете меня? А завтра придете к Булыгину, я буду с утра там. Допустим, в десять. Все это, к сожалению, очень серьезно.

Я встал.

— Только не подумайте, — сказал я, — что считаю ваш поступок благородным. Мне не в чем виниться и не в чем раскаиваться, и ни завтра, ни послезавтра можете меня не ждать.

Не помню, как я спустился вниз, как оказался на улице, как шел домой. Мне все казалось, что я брежу наяву.

Я доплелся до Нагорной в каком-то полусознательном состоянии. Когда переступил порог, меня привела в себя суета, поднявшаяся в доме. Бормоча что-то себе под нос, пробежала в комнату Ульки Амалия Петровна с кувшином воды. Ей кричал с лестницы Нольде. Тут же стоял, держась рукой за косяк двери, слепой старик. Я зачем-то пошел за Амалией Петровной. В Улькиной комнате было темно. Комната эта всегда раздражала меня: в углу дешевые образа, вокруг вербочки, в киоте сбереженное со святой яичко и кусок кулича, под киотом бутылка с богоявленной водой. От всего веяло убогостью.

Улька лежала на топчане. По потному лицу ее, покрытому бородавками, рассыпались волосы. Она смотрела на меня какими-то испуганными виноватыми глазами. На полу в медном тазике я увидел кровавый комочек мяса. Улька выкинула мертвого ребенка. Я побыстрее вышел и поднялся к себе.

Чем больше я думал о разговоре с Масловым, тем тревожнее делалось у меня на душе. То, что поначалу казалось мне каким-то нонсенсом, недоразумением, вдруг оборачивалось пропастью, в которой я должен был погибнуть.

Страшная неотступная мысль мучила меня: что же могло быть в тех бумагах и кто эти старательные осведомители? В мозгу вереницей пролетали все мои казанские знакомые. Сперва сама мысль о том, что этим подлецом, писавшим про меня, был тот же Пятов, или Нольде, или Шрайбер, или покойный Кострицкий, казалась мне дикой, невозможной. Но потом круг замыкался, и эта безысходность заставляла меня подозревать уже каждого.

И потом — доказательства! Что он имел в виду? Какие у него могут быть доказательства? То я приходил к мысли, что я вижу какой-то кошмарный сон, то мне казалось, что это все же недоразумение, ошибка!

Я метался по комнате из угла в угол или замирал и глядел подолгу в окно. Помню, как Амалия Петровна осторожно пронесла по двору медный тазик, прикрытый тряпицей, в отхожее место.

Незаметно наступил вечер, стемнело, все в доме стихло, все разбрелись по своим углам, легли, погасили свет. Я даже не зажигал его. Не раздеваясь я лег на постель. Я старался прийти в себя, думать о чем-нибудь другом, смеяться над абсурдом происходившего. Ничего не получалось. Мне сделалось вдруг страшно.

Впервые в жизни меня охватил в ту ночь страх, до холода, до пота, до дрожи.

Я вдруг вспомнил письмо соликамского чиновника, неведомыми путями попавшее однажды ко мне на стол. Этот человек писал, что посажен он без вины, что надзиратели натравливают на него других каторжников. Он требовал, просил, умолял спасти его. А я ответил на это письмо с того света казенной отпиской. И вот я видел уже себя за лязгнувшим засовом, окруженным убийцами и насильниками, проигрывающими мои зубы в карты. Я думал о стариках Нольде, уверявших всех, что сын их в действующей армии. Мысли о моей матушке, о том, что она этого не переживет, сводили меня с ума. Я то ворочался на кровати, то бегал по комнате, схватившись за голову. Наверно, я кричал что-то, потому что вдруг послышался скрип на лестнице, приотворилась дверь и в комнату заглянул Нольде.

— Что с вами? — испуганно прошептал он.

— Нет-нет, ничего, ради Бога, оставьте меня!

От каждого звука на улице, от шума проезжающего экипажа меня начинало трясти. Мне казалось, что это едут за мной.

Мысли, одна страшнее другой, роились у меня в голове. Я думал о том, что Маслову, в сущности, все равно, кого арестовывать. Ему поручили раскрыть дело о злосчастных письмах и найти их отправителя. Он это и сделает. А доказать, что письма эти писал я, он найдет способ. И Степан Иванович уедет на ревельские воды, а я в Сибирь.

Мне пришла вдруг в голову мысль, от которой меня прошиб пот: ведь это Ситников сам, чтобы отвести от себя подозрения, свалил все на меня! И потом та страшная поездка в сырой апрельский лес не выходила у меня из головы. В ту минуту я мог думать о людях уже все что угодно. Мне казалось, что каждый способен на любую подлость, только бы спасти себя.

И потом, был ли я так уж невиновен, вдруг эта мысль поразила меня. Ведь я же разговаривал со Степаном Ивановичем, он открылся мне, звал меня с собой.

Среди ночи меня вытошнило. Я разбудил Михайлу, велел ему все убрать, а сам растворил настежь окно, лег на подоконник и долго не мог отдышаться. У меня были спазмы в горле, мне не хватало воздуха, я задыхался.

Я не мог забыться в ту ночь ни на минуту, до самого рассвета.

В комнате было уже светло, только что взошедшее солнце бросало косые лучи на обои, когда мне пришла в голову мысль, от которой неожиданно стало ясно и покойно.

То, что минуту назад казалось неразрешимым, невозможным, вдруг сделалось простым и само собой разумеющимся. Помню, что я даже рассмеялся — так легко и свободно стало у меня на душе. Я удивился, отчего эта мысль не пришла ко мне с самого начала.

Было еще очень рано, около половины пятого, и я заснул мгновенно и без снов, лишь голова моя коснулась подушки.

Я проспал, может быть, всего часа три, не больше, но встал бодрым и свежим. С удовольствием умылся ледяной водой, долго плескался. Надел чистую белоснежную сорочку. После завтрака выкурил трубку у открытого окна, глядя на нагромождения облаков над Казанкой. Ветра не было, и сутулый мундир Нольде висел во дворе не шевелясь.

Я вышел из дома заранее, чтобы идти не спеша и в назначенный срок быть у Булыгина.

Это было странное ощущение.

В огромном темном зеркале я вдруг увидел немолодого уже человека с брюшком, с опущенными, выставленными вперед плечами, начинающего лысеть на затылке, с кое-где пробивающейся сединой, сидевшего на краешке стула. Он схватил поднесенный ему стакан воды и долго пил его. Руки тряслись, и вода проливалась на брюки.

— Да вы не волнуйтесь так, — сказал Маслов. — Вот возьмите лист бумаги, садитесь за стол и все-все напишите.

Маслов дал мне несколько листов бумаги, пододвинул чернильницу, подобрал отточенное перо.

И я стал писать.

Я писал все, что знал и про Степана Ивановича, и про наши с ним разговоры, как мы спорили с ним, как я убеждал его отказаться от пагубных его затей, и про Ивашева, и про ревельские воды. Я старался ничего не опустить, ни малейшей подробности. Я писал сумбурно, без всякого порядка. Я писал всю правду.

Да-да, я писал всю правду, но я пытался и спасти его.

Я пытался объяснить: все, что делал этот человек, есть не столько преступление даже, сколько заблуждение. Именно заблуждение, ибо помыслы его были благородны. И потом, нужно было понять его состояние. Это было ослепление, надрыв. Все сплелось здесь в один клубок: и досада за неудачную службу, и приступы жестокой лихорадки, привезенной с Дуная. Конечно, писал я, всему причиной была болезнь. К тому же он сам рассказывал мне, что мать его кончила дни свои в доме для умалишенных. Без сомнения, нервная болезнь, помутнения разума передались и ему по наследству. Разве не горячечный бред его безумная идея сражаться бок о бок с поляками против соотечественников? Нет ни малейшего сомнения, писал я, что он сумасшедший. Не преступник, а сумасшедший.

Я исписал всю бумагу, которую дал мне Маслов, попросил еще и все не мог остановиться.

Маслов, сказав, что не будет мешать мне, вышел, и из соседней комнаты время от времени доносился его кашель.

Исписанные перья пачкали чернилами бумагу, я бросал одно, хватался за другое. Строчки разбегались вкривь и вкось. Я спешил, писал, не промокая клякс, не понимая, сколько прошло времени, час, а может быть, целый день. Солнце залило стол, я обливался потом, но мне некогда было задёрнуть шторы.

Помню, что я очень устал. Дело было не в руке, которая ныла. Когда я собрал все исписанные мною листки и протянул их Маслову, меня охватила какая-то апатия. Вдруг заболела голова, сильно застучало в висках — сказалась бессонная ночь. Без сил я уселся на диван и прикрыл глаза.

Маслов читал написанное мною долго, не спеша, переспрашивая меня в тех местах, где был неряшлив почерк, делая карандашом на полях какие-то заметки.

Он читал в очках и часто снимал их, разглядывая стекла на свет, дышал на них, протирал фуляровой тряпочкой.

— Вы не верите мне? — спросил я, когда он дочитал до конца.

Маслов усмехнулся.

— Отчего же, верю. Более того, скажу, что бумаги эти для вас значат больше, чем для меня.

— Простите, я не совсем понимаю...

— Что ж здесь не понять? На почте мне удалось перехватить письмо, отправленное им. Теперь я вижу, что вы не были с ним заодно.

Маслов встал, подошёл ко мне и вдруг протянул руку.

— Благодарю вас за искренность.

Я пожал ее.

— И что же теперь? — спросил я, ничего не понимая.

— Теперь не смею задерживать вас более. А я должен заняться неотложными вещами. И даю вам слово, что сделаю все возможное, чтобы вас не беспокоили более по этому неприятному делу. Что же вы, идите!

Я встал и пошел к дверям как в бреду. Только выйдя в коридор, вспомнил, что нужно же было что-то сказать, попрощаться, поблагодарить. Я вернулся.

Маслов снял с себя сюртук и надевал мундир.

— Господи, что еще? — недовольно спросил он.

— Скажите, я могу надеяться, что Степан Иванович...

— Ну же?

— ...что он ничего не узнает? — Я кивнул на мои бумаги, что лежали на столе.

Маслов усмехнулся.

— Что ж, если это так важно для вас.

— Благодарю, — сказал я и прикрыл за собой дверь.

У ворот стоял извозчик.

— Садитесь, ваше благородие!

Я залез к нему.

— Что, барин, молчишь? Куда везти-то?

Меня вдруг охватило странное желание искупаться.

— Вези к Волге, — сказал я.

Он плюнул, присвистнул, хлестнул вожжами, и мы не спеша покатили. Помню, как ехали мимо длинного университетского забора, потом перемахнули по мосту через Булак, доехали почти уже до Адмиралтейской.

Вдруг что-то случилось со мной.

— Поворачивай! — крикнул я. — Ну, скорее! Скорее! Мчи на Большую Казанскую!

Извозчик развернул лошадей, и мы помчались обратно в Казань. Хотя он хлестал лошадей, мне все казалось, что мы еле тащимся, и я все время кричал и подгонял его кулаком, поддавая ему то в спину, то в ухо.

Знал ли я сам, зачем так рвался туда?

— Стой! — крикнул я, как только мы завернули на Большую Казанскую.

У дома, где жил Степан Иванович, стояло несколько экипажей, толпились какие-то люди, прохожие, соседи. Я швырнул извозчику ассигнацию и соскочил на землю.

Сперва я бросился туда, к ним, но там началось какое-то движение, люди отпрянули от ворот, и на улицу вышли сперва несколько солдат, за ними показался Степан Иванович. Руки он держал за спиной. Лицо его было бледно, но он старался не подавать вида, что растерян, и спокойно спросил что-то шедшего за ним Маслова, наверно, в какую коляску садиться, потому что тот кивнул ему, куда идти. Последним показался Солнцев. Я видел, как он щурил глаза на солнце, как посмотрел на свои часы. Когда садился в карету, он взглянул в мою сторону, потом, высунувшись, еще несколько раз бросал взгляд в тот конец улицы, где стоял я. Мне показалось, что он заметил меня.

Все расселись, и экипажи тронулись. Они поехали прямо на меня. Я быстро свернул за угол и стоял, спрятавшись за дерево, пока перестук копыт и скрип колес не замерли в отдалении.

До вечера я бродил по улицам, не разбирая дороги, не зная, куда иду и зачем.

Когда я пришел домой, на меня набросился Нольде.

— Александр Львович, наконец-то! Радость-то какая! Вот, возьмите, читайте, читайте!

Он совал мне какую-то бумагу. Я стал невольно читать ее. В ней сообщалось, что их сын направляется рядовым в действующую армию с правом выслуги.

— С правом выслуги! Вы видите, с правом выслуги! — кричал старик. От волнения он совсем задыхался. — Господи, вот так счастье!

На следующее утро я встал на рассвете, быстро оделся и осторожно, чтобы никого не разбудить, вышел из дома. На извозчике добрался до волжской пристани. Там я быстро нашел купца, чья барка отправлялась в то же утро вниз по Волге до Астрахани, и мы договорились, что он возьмет меня пассажиром.

Я сидел на каких-то мешках на корме и целый день смотрел на берега: левый, облитый солнцем, с лугами, поднимавшимися до края неба, и правый, взметнувшийся крутыми утесами вверх. Мимо проплывали колокольни на всяком изгибе, кресты церквей над зеленью деревьев, желтые отмели, переправы, пристани.

К вечеру на реке поднялась рябь. Ветер нагнал тучи. С темнотой начался дождь. Меня звали вниз, но я отказался и просидел всю ночь, укрывшись рогожей, глядя на дождь и на воду, черную и густую.

К Симбирску подошли уже вечером следующего дня. Издали я увидел Венец на высоком правом берегу и еле дождался, пока положат сходни.

Все были в деревне, в доме огни не горели, было темно и пусто. Я хотел ехать немедленно, но меня отговорил дворник. Наши лошади были в Стоговке, и никто не согласился бы ехать на ночь глядя в такую даль. Я остался ночевать один в пустом доме. Жена дворника принесла мне миску щей, но я даже не притронулся к ней. Мне ничего не хотелось: ни пить, ни есть, ни спать. Всю ночь я бродил по комнатам, вспоминая вещи и запахи.

Дворник нанял коляску, запряженную парой, и утром рано я выехал из Симбирска, а после обеда уже подъезжал к нашему парку, и из-за деревьев проглядывал пруд, заросший еще сильнее.

На дворе никого не было.

Я поднялся на крыльцо, вошел на террасу. На столе был накрыт чай, стоял горячий самовар, но тоже было пусто. Я пододвинул стул и сел к столу. Тут дверь отворилась, и на террасу вышла Нина, в руках у нее были отколотые куски сахара и щипцы.

— Здравствуй, — сказал я.

Увидев меня, она даже не вздрогнула. Лицо ее не выразило ни удивления, ни испуга, ни радости. Она спросила, как будто вовсе не было этих двух лет:

— Будешь чай пить? — и поставила на стол еще одну чашку.

— А где они? — спросил я.

— Уехали в Кудиновку на сороковины, — ответила Нина спокойным голосом, наливая мне чай.

— Умерла старуха Самсонова?

Нина кивнула. Мы молча пили чай, и мне вдруг на какое-то мгновение показалось, что я никуда не уезжал. Все те же часы скрипели в углу. Так же стояли плетеные кресла. Так же бегала тень от веток по столу.

— Подожди, — Нина вдруг встала. — Я принесу сейчас твое, абрикосовое.

Она долго не возвращалась.

Я прошел на кухню. Там ее не было.

Я поднялся в нашу комнату. Дверь была закрыта изнутри. Я постучал, Нина не открывала. Я двинул дверь плечом, крючок соскочил.

Нина лежала на кровати, спрятав лицо в подушки, и захлебывалась в рыданиях.

Я хотел сказать что-то, но у меня перехватило в горле. Я только целовал ее вздрагивающую руку, подол платья, стоптанные туфли.

Снова надел я мою белую домотканую пару.

Тот год выдался богатым на урожай. Дел было невпроворот. Помню, что все ломилось от припасов и не знали, куда деть такое количество яблок, слив, ягод. Не хватало рук, чтобы убрать всю народившуюся рожь.

Матушка моя постарела, сильно пополнела, сделалась какой-то рыхлой, двигалась с трудом. Почти не выезжала никуда, только в церковь, и всю обедню сидела, а потом целый день отдыхала. Она уже не пробовала ложиться в постель, а спала в креслах сидя, а иногда даже стоя дремала в уголку, опираясь на спинку кресла.

Тетка, напротив, была все такой же живой, деятельной, только стала еще сварливее и обидчивей. Иногда она впадала в детство, начинала капризничать и даже плакать по какому-нибудь пустяку.

Когда Нина забеременела, все в доме нашем переменилось. Все жили тогда ожиданием. Было и радостно, и тревожно. Гадали, кого носит она в себе, сына или дочь, спорили из-за будущего имени, готовили младенцу приданое, думали, какую заказывать колясочку, кроватку. Нина как-то вдруг, сразу переменилась, сделалась спокойной, сосредоточенной. Она удивительно похорошела, беременность преобразила ее.

Я сильно переживал и боялся за нее. Первые месяцы дались ей очень тяжело. Каждый день ее рвало. Мы не знали, чем ее кормить, любая пища вызывала тошноту. Было страшно, что истощение скажется на ребеночке, который вот-вот должен был проявить первые признаки жизни.

Не знаю почему, но я не сомневался в том, что будет мальчик.

Чем ближе подходил срок родов, тем чаще Нина плакала по ночам. Она боялась. Я успокаивал ее как мог, говорил, что все будет хорошо, что все просто обязано быть хорошо и она потом сама будет смеяться над своими страхами.

Роды пришлись на Пасху.

Нина разбудила меня среди ночи. На лице ее не было испуга. Она была только очень бледной, серьезной, сосредоточенной, держала руки на животе.

Я вскочил, бросился всех будить. Кругом бегали с тряпками, полотенцами, грели воду.

Я оделся кое-как и поскакал за доктором в Барыш. Как назло в ту же ночь он принимал роды еще где-то. Я бросился туда. Пришлось ждать. Доктор, немолодой уже человек, в потертом сюртуке, небритый, с засаленным воротником, засыпанным перхотью, проспал всю дорогу у меня на плече. Пока я ездил, схватки усилились и начались уже роды.

Я хотел пройти к Нине, но тетка не пустила меня. Я сидел у дверей, потом ушел, потому что не мог слышать ее криков.

Думаю, не вина доктора, что все так произошло, и не знаю, можно ли было спасти ее.

Все эти месяцы я даже думать боялся, что с ней может что-то произойти, и я совершенно не был готов к этой смерти.

Конец ее был ужасен. Нина так измучилась, что у нее не было сил кричать, она лишь стонала беспрерывно. Я держал ее за руку. Она вцепилась в мои пальцы. Мне казалось, что она уже ничего не понимала. Ей принесли ребенка, но она даже не взглянула на него.

Помню, как в первый раз мне протянули этот кулек, поместившийся у меня на двух ладонях. Я приоткрыл край пеленки, где была головка. Один глазик вдруг приоткрылся и посмотрел на меня.

Перед самым концом она что-то заговорила, но язык уже плохо слушался. Наконец я догадался, что она говорила про крестик, она хотела, чтобы его надели потом ребенку. Я снял его с нее и надел на себя, он был еще горячим от ее тела.

После смерти Нины я долго не мог прийти в себя.

Иногда я забывался и звал ее. Все вещи кругом говорили о ней, а ее не было. Иногда я узнавал в себе, в матушке, в тетке ее слова, какие-то отдельные жесты. В шкафу нетронутой висела ее одежда. Мужики говорили: «А Нина Ильинична велела сделать так!..»

Смерть эта потрясла всех нас. Утешение мы искали у детской кроватки. Мальчик помогал нам забыться.

В доме поселился непривычный острый запах младенца. Матушка и Елизавета Петровна не отходили от крошки. Все разговоры были теперь о пеленках, запорах, резях в животике, об отрыжке, о молоке. Я разрывался между работами на полях и домом. Я сам влезал во все, что касалось моего Сашеньки. Было страшно, что ребенка могут уронить, ошпарить, простудить. Я сам мыл его в ванночке, пеленал, возил гулять по саду. Я немедленно выгнал кормилицу, которую мы взяли в дом из деревни, когда увидел, что она дает ему грудь, не ополоснув ее. Я боялся отпустить его от себя, мог без конца тискать его, трогать его ручки, пальчики на ножках, нежные, крошечные, меньше, чем горошинки в стручке. Он был удивительно похож на меня, даже все родинки на теле были на тех же местах, что у меня. Было забавно, что это миниатюрное, вечно орущее существо — я сам, Сашенька Ларионов, родившийся на Пасху. Он даже был такой же золотушный, как я в его возрасте. Вся головка его вдруг покрылась струпьями и очистилась только после прорезывания зубов.

Каждый день, каждый месяц приносил что-нибудь новое, Сашенька рос, менялся, делался совсем другим, и быстро забывалось, каким именно он был в месяц, в три, в полгода.

С каждой неделей переживаний становилось все больше. Опасности подстерегали его на каждом шагу. Он мог упасть с крыльца, оступиться и напороться на какой-нибудь сучок или щепку, проглотить что-нибудь, прищемить пальцы в дверях и еще Бог знает что. Чего только мне не пришлось пережить с ним! Один раз он сильно обжегся о раскаленную печную дверцу. Я лил ему на ручку масло, он исходил в крике, кожа прямо на глазах вздувалась волдырями. В другой раз матушка моя недоглядела, и Сашенька схватил у нее со столика какие-то порошки. Отравление было очень тяжелое.

Его рвало, с ним сделались судороги, начался жар, он был в беспамятстве. Доктор сказал мне шепотом, что если мальчик не умрет, случится чудо. На матушку мою невозможно было смотреть.

Сашенька стал средоточием жизни моей. Он был моей радостью, единственным моим богатством, единственным, что давало мне силы.

Летом, когда было полно дел, я не видел его целыми днями. С утренней зари я отправлялся на работы и возвращался уставший, весь в пыли, к обеду. Я брился раз в неделю, ходил с черно-желтым лицом, в нанковом запачканном сюртуке, в стеганом картузе. К моему приходу Сашеньку уже укладывали спать в саду, под парусиновым пологом. Я осторожно, чтобы не разбудить, подходил и целовал его в загорелый лобик. После обеда я снова уходил и возвращался поздно, когда его уже убаюкивали на ночь. Я жил и не понимал, вернее, мне некогда было понять, что я счастлив, ибо что еще есть счастье, если не это: притащиться усталым домой, помолиться на ночь за ребенка, перекрестить его и заснуть крепко-крепко.

Чем старше он становился, тем с большей тревогой я замечал, что между нами росло еле заметное пока отчуждение. В этом маленьком человечке мне виделся я сам, но Сашенька все время отдалялся от меня, я вдруг обнаруживал в нем незнакомые, неприятные мне черты.

Он научился вдруг врать. Причем обманывал удивительно, глазами.

— Сашенька, — скажу я ему. — Ведь это же неправда, то, что ты мне говоришь. Ну, посмотри мне в глаза!

И он смотрит на меня с такой обидой, сквозь слезы, что я сам же прошу у него прощения. А потом, когда выявится обман и я хочу отругать или наказать его как-то, он глядит на меня волчонком и, если я тащу его в чулан, в угол, вырывается, кусается и бьется в злых рыданиях.

Откуда-то взялась в нем жестокость. Я приучал его относиться ко всем окружающим, и к животным, и к людям, с лаской. Но он часами бегал по саду с рампеткой и, поймав кузнечика или бабочку, с наслаждением жег их на солнце под увеличительным стеклом. В другой раз я застал его за тем, что с деревенскими мальчишками он надувал через соломинку лягушку. Вообще, к книжкам не умел его приохотить, а с детьми дворовых он мог носиться без конца, все его тянуло на задний двор, в нечистую людскую. Я пытался учить его рисовать, играть на флейточке, но он убегал от меня и заводил вместе с Катьками, Машками и Николашками «А мы просо сеяли, сеяли! А мы просо вытопчем, вытопчем». Однажды он увидел, как конюх топил щенят. Мой Сашенька плакал целый день, и я не знал, как утешить его. А потом, когда разродилась кошка, он сам утопил котенка. Он придумывал все время какие-то жестокие игры. Я ругал его, а он не понимал, почему я сержусь на него.

Матушке становилось все хуже. Ее выводили на крыльцо, и она сидела там в кресле, положив ноги на скамеечку.

Ей все чаще снились какие-то тяжелые сны, и она всякий раз справлялась с сонником, что значат ночные видения. Глаза отказывали, и, помню, однажды она попросила меня:

— Саша, сыночек, будь добр, посмотри, что там значат змеи. Страх Божий! Всю ночь меня змейки мучили.

Я отыскал слово и начал читать:

— Змей видеть во сне здоровому — предвещает победу над врагом.

Я остановился.

— Но у меня нет врагов, — сказала она и велела читать дальше. Дальше были слова:

— Больному же предвещает смерть.

Матушка горько улыбнулась.

— Вот на этот раз сонник не врет. В этом году я умру.

— Ну что ты говоришь! — стал успокаивать я ее, но она только сокрушенно качала головой.

На следующий же день в окно нам залетела птица и долго билась о стекла. Тут матушка совсем поверила в свою близкую смерть и стала гаснуть на глазах.

Она души не чаяла в Сашеньке, а он, как подрос, стал сторониться ее, часто обижал до слез. Игрушками, сладостями она пыталась как-то приручить его к себе, добиться ответной ласки, нежности, но он только хватал гостинец и убегал.

Последние месяцы она не выходила уже из своей комнаты и просила, чтобы Сашенька поиграл у нее, но прийти к бабушке невозможно было его заставить. Я тащил Сашеньку за руку, но он ревел:

— Не хочу, не хочу туда, от нее пахнет!

Матушка умерла осенью. Октябрь стоял сухой и теплый. Вершины берез были покрыты вороньими гнездами. Вечерами вороны хрипло, простуженно каркали, низко перелетая с дерева на дерево, и последние дни матушка все время смотрела на них в окно.

В предсмертье она вдруг заволновалась, тревожно кричала. Лишившись языка еще за полчаса до смерти, хотела написать что-то на аспидной доске.

Когда она отошла, Елизавета Петровна перекрестила сестру, поцеловала в губы, закрыла ей глаза, сняла свой платок и подвязала матушке подбородок.

Отпевали ее в нашей церкви. На голову надели кайму с печатными образами и полили волосы маслом из чашки. На кладбище несли ее по нашей аллее, устланной только что опавшим липовым листом. Перед тем как заколотили гроб, я все хотел, чтобы Сашенька поцеловал бабушку, но он испугался, закатил истерику, и я отстал от него.

Сашенька рос, нужно было заботиться о его образовании. Мы наняли ему учителя из семинаристов, неуклюжего, но ученого молодого человека. Он взялся за первого своего ученика с азартом, но остыл очень скоро. Писать Сашенька ленился. От арифметических примеров его тянуло в сон. Зато, наслушавшись о Спарте, он стал окатывать себя ледяной водой, гулять босиком по росе, по дождю, отрекся, правда ненадолго, от чая, лакомств. Над учителем своим Сашенька смеялся и устраивал ему злые проказы. Однажды даже испортил его единственный сюртук чернилами. Я наказывал сына, но это только ожесточало его.

Тетка все пыталась приучить его молиться. Над кроваткой висел образок, перед которым она упрашивала его сказать молитву. Он крестился кое-как, зевал, озираясь во все стороны, и, пробурчав что-то, убегал.

Принялись учить его музыке, засадили за пьесы Штейнбельта и Фильда. Занимался он, что называется, из-под палки, а кончилось все тем, что однажды, забравшись на стул, он слишком наклонился над пюпитром и обжег о свечу ухо и клок волос.

Подошло время, и мы отдали его в нашу симбирскую гимназию.

Я привел его за руку в то самое ненавистное мне здание на Венце. В нем все перестроили, но чугунная лестница, истертая и моими ногами, осталась. Учителя все были новые, но за эти годы в жизни гимназии, кажется, ничего не изменилось.

Я боялся, что Сашеньку моего будут травить, как травили когда-то меня, но обнаружилось, что он сам очень скоро стал заводилой в проказах. Дело чуть даже не дошло однажды до исключения его за драку.

Зимой темнело рано, и я встречал его у дверей гимназии. Потом я заметил, что он стеснялся, стыдился меня перед своими товарищами, нарочно подсылал кого-нибудь из них сказать мне, что он уже ушел.

За годы гимназии Саша удалился от меня еще больше. Он ничего мне не рассказывал. Я ничего не знал о нем: кто его друзья, чем он интересуется, о чем думает. От классного наставника как-то раз я узнал, что он подбивает других мальчиков курить, пробовать вино.

Каждую зиму мне казалось, что летом, в деревне, мы снова будем с ним вместе, что к нам вернутся любовь, понимание, что нам будет снова хорошо друг с другом, как тогда, в детстве, когда, надев на него теплый левантиновый капотец, я возил Сашеньку на колясочке по саду, рассказывая про деревья, про белку, про все на свете, или когда на разостланном в зале ковре катали с лубка яйца на Святой неделе, или когда мы съезжали с ним с ледяной горы на толстой медвежьей шкуре.

Но приходило лето, а в деревню ехать Саша не хотел, ему было там скучно, и почти все время он гостил где-то у своих товарищей, а мы ждали его.

Я чувствовал, что мой сын не любит меня, и, главное, не понимал почему.

Не успели мы оглянуться, а Сашенька уже окончил гимназию, и кто бы мог подумать, что жить ему оставалось меньше года.

Он хотел быть военным, его манил Кавказ, форма офицера была пределом его мечтаний. Я же ни за что не соглашался, чтобы он служил в армии. Я настаивал, чтобы он учился в Москве, в университете.

У нас с ним произошло несколько неприятных разговоров. Саша кричал, хлопал дверьми, обвинял меня Бог знает в чем. Я стоял на своем. С его характером, я знал, он обязательно подставит голову под чью-нибудь пулю.

Вдруг Саша пришел ко мне и сказал, что он все понял, что я желаю ему добра, что он еще глуп и неопытен, что он просит прощения за все огорчения, которые мне доставил, и что он сделает так, как я хочу, — поедет в университет. Я чуть не плакал, он обнимал меня, и мы провели с ним, верно, лучший вечер во всей моей жизни, мечтая за графином смородиновой, как он поедет в Москву, станет студентом и будет потом служить, если удастся, по дипломатической части.

Саша уехал. Я проводил его до Симбирска и потом еще проехал с ним несколько станций. Мыслями он был уже далеко впереди сонной брички и на мои разговоры отвечал односложно или отмалчивался. Я готовился сказать ему перед прощанием что-нибудь очень важное, про свою жизнь и про его, но вдруг понял, что Саша просто не поймет меня, и лишь поцеловал его в нежную юношескую щеку — он только еще начал тогда бриться.

От него пришло всего два коротких письма, одно с дороги, другое он отправил из Москвы сразу по приезде, хотя обещал, что будет писать домой каждую неделю.

Мы сходили с ума от переживаний, написали в Москву знакомым, в университет. Когда я уже сам собрался ехать разыскивать его, пришло письмо, но не из Москвы, а с Кавказа, от какого-то полковника Захарова. Тот день был самым черным, выпавшим на мою долю. Саша обманул нас. Ни в каком университете он учиться не собирался, а задумал из Москвы бежать на Кавказ, сражаться с Шамилем. Говоря всем, что он сирота, что отец его, боевой офицер, погиб от чеченской пули, Саша каким-то образом добрался до передовой нашей линии на Кавказе. Этот Захаров велел отправить его обратно, но на партию напали горцы, и в стычке Саша был убит, пуля пробила его навылет.

Кажется, еще только вчера ему прививали оспу, я держал его на руках и успокаивал: «Это блошки, блошки кусают!», а уже, верно, и косточки его истлели в каменистой мусульманской земле.

После гибели Саши я и тетка моя жили как бы по инерции: завтракали, занимались по хозяйству, делали какие-то дела, обедали, снова что-то делали, ужинали, рано ложились спать, но во всем этом не было уже никакого смысла.

Елизавета Петровна очень тяжело пережила этот удар. В ее деятельной натуре произошел какой-то надрыв. В своем белом капоте, в батистовом чепчике с завязками, из которых сооружался бант спереди, закутавшись в домашнюю турецкую шаль с мелкими пальмами, она все чаще усаживалась на канапе, пододвигала старинный столик разноцветного дерева с медной решеткой кругом и часами раскладывала grande patience*.

От старости тетка моя делалась все более невыносимой, ворчала, плакала, что она никому не нужна, что она зажилась, что все ждут ее смерти. По ночам она ковыляла по дому, стуча своей клюкой. На нее было страшно смотреть: отвисшая нижняя губа, проваленные щеки, беззубый рот.

В довершение всего у нее открылась болезнь желудка. Она ничего не могла есть и медленно высыхала. Невозможно было смотреть на ее страдания. В продолжение нескольких недель она ни днем ни ночью не давала никому покоя. При ней постоянно кто-то сидел. Она все время охала, стонала, просила то положить ее повыше, то перевернуть на какой-нибудь бок. Она стонала, даже когда причащалась и соборовалась.

Почувствовав приближение своей кончины, она созвала всех в доме к своей постели и стала просить у всех прощения. Когда я обтер ее лицо и смочил голову одеколоном, волосы ее, все седые, тотчас сами собой завились и стали такими, какими

---

* Большой пасьянс *(фр.)*.

были они в ее молодости. На изнуренном, исхудалом лице показался легкий румянец. По телу пробежала легкая дрожь, руки, пощипав одеяло, вытянулись. Я поднес ко рту ее зеркальце — стекло не потускнело.

Доктора все уговаривали меня поехать лечиться на воды — тогда уже началась моя болезнь, — но все было некогда, а теперь и Саша, и тетка отпустили меня.

Бросив опостылевшее снова хозяйство, я отправился в Москву, а оттуда на юг, в Пятигорск. Мысль, что по этой самой дороге ехал Саша и, может быть, видел вот эту липу, останавливался вот на этой станции, неотступно преследовала меня.

Поездка эта была для лечения моего бесполезна, но там, на водах, случилась со мной знаменательная встреча.

Выехал я зимой, в валкой кибитке, а приехал в лето. Никогда еще я не был в столь южных местах и, понятно, был очарован горами, поднимавшимися вокруг из голубой дымки. Не берусь даже описывать эту красоту. Курорт имел вполне европейский вид, и говорили, что он стал таким всего за какие-нибудь последние десять лет. Денег теперь мне было не жаль, и я остановился в дорогой, только что открытой гостинице, где официанты подавали десерт и чай в белых перчатках, а в коридорах то и дело встречались горничные в шелковых и накрахмаленных кисейных платьях, с подобранными под сетку волосами.

Я пил воду, принимал ванны, не искал знакомств и не читал местный листок, в котором печатали имена приезжающих.

Публика была самая разнообразная, от великосветских старух до семейств степных помещиков в истертых старомодных сюртуках, и я сторонился всех.

Водяная жизнь сперва меня несколько развеяла, но и очень скоро наскучила. Через неделю уже сделалось мучительным вставать спозаранку и идти, по местному выражению, на водопой, пить холодную, как лед, вонючую серную жидкость, да и садиться в неотмытую ванну после какой-нибудь жирной старухи было малоприятно.

Я строго следовал предписаниям докторов, пил каждый день положенное количество стаканов и гулял по бульвару, засаженному липами. До конца моего срока оставалась еще неделя, когда утром в крытой галерее, что расходилась по обе стороны от источника, среди гуляющей публики я увидел сухого подтянутого старика, который держал за руку внучку, очаровательную белокурую девочку, завитую барашком, всю в бантиках и рюшечках.

Я сразу узнал его, хотя прошло уже много лет и он как-то высох, поседел, покрылся морщинами, одним словом, состарился. Повернуться было неудобно, уклониться от встречи поздно, и я пошел прямо. Он тоже несколько раз взглянул на меня, во взгляде его что-то насторожилось, будто он вспоминал, где мог меня раньше видеть. Когда мы поравнялись, он остановился.

— Здравствуйте, господин Маслов! — сказал я.

Он снял шляпу, поморщился, потер лоб.

— Право, мне весьма неловко, но что-то не могу припомнить.

— Моя фамилия Ларионов, — подсказал я. — Ларионов Александр Львович. Мы встречались с вами в Казани.

— Господи, ну конечно! — Маслов протянул мне руку. — Я вас помню. Вот так встреча! Сколько лет прошло! И надо же, где встретились. Вы по-прежнему в Казани?

— Нет, я симбирский помещик.

Мы оба замолчали. Наступило какое-то минутное замешательство. Девочка тянула его за руку.

— Сейчас, сейчас пойдем, Танечка, — ласково сказал он ей. — Вот видишь, дедушка встретил старого приятеля, будь добра, не злись. Лучше позволь мне тебя представить этому милейшему человеку.

Она, смутившись и покраснев, сделала книксен.

Мы отправились гулять вместе, и разговор наш был самый пустой, что называется, курортный, кто от чего лечится, да что говорят доктора, да как кормят за табльдотом. После очередного стакана ледяного кипятка мы повторяли наш маршрут до конца липовой аллеи и обратно.

Мальчики, раздававшие воду, едва успевали наполнять кружки и давать подходившим листочки шалфея для очищения зубов. Полковой оркестр наигрывал старинные марши и экосезы. У внучки Маслова было несколько цветных стеклышек, и она смотрела в них по очереди на все кругом.

Пора было уже прощаться, когда я спросил, что случилось потом со Степаном Ивановичем. И вот что я узнал от Маслова.

Степана Ивановича сразу отвезли в Петербург, доставили прямо в Петропавловскую крепость, в Алексеевский равелин. Назначена была комиссия, началось следствие. Дело было более чем серьезное, речь шла о смертном приговоре. Ситников написал самому Николаю Павловичу из крепости целое послание, причем не с прошением о помиловании, а с подробным изложением плана переустройства России на основе избирательного права, представительной системы, которую он назвал хартией вечевого правления. Написано все это было в непозволительном горячем тоне. Он писал Николаю, например, что хоть и в глаза не видел Рылеева, но знает наверняка из его сочинений, что тот был честнейшим и благороднейшим человеком. И это он писал царю про преступника, казненного за покушение на цареубийство! В послании своем он отказался от дворянского звания, от всех наград и отличий и написал, что власти этой он над собой не признает, и потому судить его они не могут, а он сам себе судья. И в каземате он все сражался, не выполнял никаких тюремных предписаний, а Сукину, коменданту крепости, заявил, что кресты ему надели за то, что в двадцать шестом году он тиранил там людей, а потом и повесил их. Смотрителям он сказал, что из рук их пищу принимать не будет, и ничего не ел, хотел уморить себя голодом. Пришлось надеть на него смирительную рубашку и кормить с ложечки. Отец Степана Ивановича и сестры ходатайствовали о медицинском освидетельствовании его, говоря, что это есть душевная болезнь и что родная мать его периодически была подвержена сумасшествию. Крепостной штаб-лекарь осмотрел его и признал в совершенно здравом уме и рассудке, не найдя ни малейших признаков сумасшествия. Так Степан Иванович просидел в каземате почти год, прежде чем состоялся суд. Военный суд приговорил его к четвертованию, как тех, которых судили там же за пять лет до него и отнесенных к преступникам вне всяких разрядов. Ждали конфирмации приговора и замены средневековой казни на расстрел или повешенье, но Николай Павлович, прочитав подготовленную для него выписку из дела, удивился, как можно казнить явного сумасшедшего, который, зная, что ему грозит, не кается, не просит о пощаде, а сам призывает себе смерть. Николай послал в крепость к Степану Ивановичу своего личного врача, баронета Вилли. Несколько дней Вилли и другие врачи ходили к Ситникову и в конце концов вынесли определение, что он вовсе не сумасшедший, что имеет лишь горячую голову, пылкий характер и легкоранимую душу, а следовательно, есть предмет, достойный жалости. Николай Павлович тогда якобы сказал: «Бог мне судья, но штабс-капитан этот все равно сумасшедший, и вешать его не за что». Степана Ивановича отправили в Шлиссельбургскую крепость, и там, в одиночке, через пять лет он тихо угас.

Я тогда сказал Маслову:

— Вот видите, я же говорил вам — это просто болезнь, помутнение разума, лихорадка.

Маслов усмехнулся.

— Какое теперь все это имеет значение? Да и что жалеть его, верно, он и умер-то счастливым.

Девочке пора было идти домой обедать, и мы простились. Я уехал из Пятигорска на следующий день, не дожидаясь, когда истечет намеченный докторами срок.

Обратно я ехал через Москву, Нижний, где у меня были хлебные дела, и Казань.

К Казани я подъезжал по недавно построенной через пойму Казанки дамбе, и весеннее половодье, залившее все кругом на многие версты, казалось настоящим морем.

Казань опять целиком сгорела и теперь заново отстраивалась, широко, с размахом, в камне, по-европейски. Город трудно было узнать. Только побродив целый день по улицам, я снова ощутил себя в Казани, этом все таком же пестром, шумном, разноязычном тарабарском городе, в небе над которым мешаются кресты и полумесяцы.

Нагорная вся выгорела, кое-где уже стояли новые дома, но на месте дома Нольде было пожарище, буйно заросшее лебедой и бурьяном.

В крепость я не пошел.

Зато, когда забрел в Мокрую слободу, с удивлением обнаружил чудом не сгоревший ветхий домик, где обитал Пятов. У чумазой девчонки, стиравшей у корыта, я спросил, живет ли здесь еще Аркадий Петрович.

— Входите, входите, он там, у себя!

Я поднялся по шатким ступенькам. Я думал увидеть все ту же веселую пернатую каморку, но было тихо. Я постучался. Из-за двери послышалось:

— Войдите, кто там?

В комнате был полумрак. Пол еще больше выгнулся дугой. В углу стояла неопрятная кадка, исполнявшая должность ванны. У полуразвалившейся кровати вместо одной ножки было подставлено полено. Вместо подсвечника стояла бутылка, из горлышка торчал огарок свечи. У подслеповатого окошка висело заржавленное зеркало. Птичьих клеток не было и в помине.

Пятов сидел спиной к двери за кособоким столом и что-то писал. Я видел только его затылок, совсем полысевший, и заштопанные локти.

— Кто там? — спросил он снова и обернулся. Старость сделала глаза его бледными, как спитой чай.

— Я не вижу, кто это?

— Аркадий Петрович, это я, Ларионов, помните?

— А, это вы, — сказал Пятов, совершенно не удивившись. — Проходите. Вы уж извините, у меня тут работа. Спешу закончить в срок. Я тут, знаете, беру переписывать. Платят гроши, да жить-то как-то надо.

Он снова склонился над бумагой и заскрипел пером. Уже смеркалось, и писать было темно.

— Да зачем же вы глаза ломаете? — сказал я. — Зажгите свечку.

— Ничего, ничего, — протянул он, — посумерничаем.

Мне показалось, что он от старости совсем уже спятил и неизвестно за кого принимал меня.

— А где же ваши соловьи, Аркадий Петрович? — спросил я.

— Мальчишки их отравили, — отвечал он, не отрываясь от бумаги. — Прихожу домой, а соловушки мои все дохленькие. Подсыпали им что-то. Я и клетки все продал.

— А что же новых не завели?

— Легко сказать. К ним ведь привыкаешь, как к родным детям. Прирастешь к ним душой, а мальчишки опять отравят! Да и жить-то мне сколько осталось? Не сегодня завтра отправляться, а с ними что будет?

Я стал расспрашивать его про наших сослуживцев.

Нольде умер давным-давно.

Барадулин тоже, но умер не по-людски. Попал в прорубь Кабана ночью, возвращаясь откуда-то пьяный. Тело его летом выплыло у забора Вараксинского завода.

В соседней церкви зазвонили, и Пятов оторвался от писания, перекрестился испачканными в чернилах пальцами, откинулся на спинку стула, покрутил головой, любуясь на свои каракули, грызя стебло разлохмаченного пера, потом снова принялся за работу.

Я сунул ему под подушку несколько ассигнаций и попрощался.

— И вам всего хорошего, — ответил он, даже не обернувшись.

Зашел я и к Солнцеву.

Встретила меня босая горничная в деревенском платке на голове и растерянно пробормотала, что барин в саду. Там я увидел нечесаного старика в засаленном полинявшем халате на мерлушках, с пришпиленной к нему звездой и подпоясанном простой веревкой. Он важно гулял по дорожке и остановился, глядя на меня из-под густых, нависших над глазами бровей. Солнцев отрастил бороду и усы, которые под носом были желтого цвета, вероятно, от курения табака. Он носил на лбу зеленый козырек, который ему прописал доктор, чтобы спасти больные глаза от солнца.

Я боялся, что он не узнает меня, но память была у старика еще свежа, он даже вспомнил, как меня зовут и как я тогда ушел, хлопнув дверью.

— Пройдемся, — сказал Гавриил Ильич и взял меня под руку. — Познакомлю вас с моими преданными друзьями, с которыми я коротаю время.

Перед каждым большим деревом стояло по ведерной бутыли, чем-то наполненной, и на каждой был ярлык. На одной из них значилось крупными буквами: «Наш российский ерофеич», на другой:

«Семитравный приятель», на третьей: «Раскаявшийся разбойник», и тому подобное.

У каждой он останавливался и выпивал из маленького серебряного стаканчика, с наперсток величиной, который он носил с собой в кармане. Он строго приказывал выпить и мне. Как я ни отказывался, пришлось мне тоже подружиться с его приятелями.

Я долго не решался задать этот вопрос, потом все-таки спросил:

— Скажите, Гавриил Ильич, вы видели меня тогда? Ну, тогда, вы понимаете?

Старик ничего не понял и снова принялся рассказывать, как его изгоняли из университета.

— И я пошел туда, потому что мне было интересно посмотреть на их лица, ты понимаешь? Я хотел увидеть их глаза! А потом всех простил, всех!

Кажется, старик даже не заметил, что я ушел.

К будущему узкому жилищу моему я привыкаю постепенно. Все мое жизненное пространство сузилось теперь до кровати и кресла. Но слава человеку! Нет такого положения, в котором он не находил бы себе радостей. Пусть я прикован к креслу, зато волен выбирать себе окно.

В одном окне двор, весь запечатанный собачьими облатками, как письмецо. Здесь царит жизнь, то и дело кто-нибудь пройдет, с ведром ли, с упряжью. Здесь же весь в наледи колодец. Все скользят, падают, но никто не догадается сколоть лед.

Из другого окна видны занесенная снегом дорога на Кудиновку и черная полоска леса. Там, в лесу, назло болезни в мае, когда все распустится, я прикажу устроить себе завтрак и обопьюсь чаем из самовара, буду пить стакан за стаканом, сколько душе угодно, да слушать, как заливаются кудиновские соловьи.

Что ж, я не боюсь смерти. Чему должно случиться, то все равно произойдет.

И умирать я тоже буду счастливым. Я ведь жил и жизнь всю свою прожил, и что еще нужно?

И дал бы мне Господь нынче еще одну жизнь, прожил бы ее точно так, ничего бы в ней не изменил, ни слова, ни взгляда, ни вздоха. И ни в чем не раскаиваюсь. И ни о чем не жалею. Как все есть, так оно и должно быть.

Сейчас, к вечеру, снова стало полегче. Я давно уже приспособился писать лежа в подушках на большом подносе.

Велел открыть окно. Сердце отпустило, и задышалось свободно. Из сада воздух идет свежий, теплый, парной. Уже не оттепель, а весна. Смотрю на деревья, мокрые до черноты. Туман. Капель.

Так лежал, слушал и дышал, дышал.

Что-то написать хотел, что-то важное, да забыл и вспомнить никак не могу. Ничего, завтра допишу.

1993

Оглавление

Литературно-художественное издание

Шишкин Михаил Павлович

ЗАПИСКИ ЛАРИОНОВА

Роман

Заведующая редакцией *Е.Д.Шубина*
Редактор *А.С.Шлыкова*
Технический редактор *Т.П.Тимошина*
Корректоры *В.К.Матвеева, И.Н.Волохова*
Компьютерная верстка *Н.Н.Пуненковой*

ООО «Издательство Астрель»
129085, г. Москва, проезд Ольминского, д. 3а

ООО «Издательство АСТ»
141100, Московская обл., г. Щелково, ул. Заречная, д. 96

Электронные адреса:
www.ast.ru
E-mail: astpub@aha.ru

Отпечатано с готовых файлов заказчика в ОАО «ИПК
«Ульяновский Дом печати». 432980, г. Ульяновск, ул. Гончарова, 14